Howard Gordon

NIEUCHWYTNY CEL

Howard Gordon

NIEUCHWYTNY CEL

Z angielskiego przełożył:
Maciej Jakub Jabłoński

Tytuł oryginału: *Hard Target*

Originally published in the English language by Simon & Schuster, Inc.

Redaktor prowadzący: Małgorzata Dudek

Redakcja: Anna Stawińska/Quendi Language Services

Korekta: Urszula Śmietana/Quendi Language Services

Projekt okładki: Paweł Pasternak

Zdjęcie na okładce: © 123RF/ Picsel

Skład i łamanie: Wioletta Kowalska/Violet Design

Wydawca:
Hachette Polska sp. z o.o.
ul. Postępu 6, 02-676 Warszawa

ISBN 978-83-7739-979-8

PROLOG

Pocatello w stanie Idaho

Amalie Kimbo bardzo wcześnie nauczyła się trzymać buzię na kłódkę.

Z początku nie potrafiła się powstrzymać i opowiadała innym dzieciom o pomocnych duchach i zdradzieckich demonach, których obecność tylko ona potrafiła dostrzec. Ale matka ostrzegała ją, że powinna trzymać język za zębami, jeśli nie chce być uznana za czarownicę i wypędzona z wioski. Dlatego kiedy Amalie trafiła do miejsca zwanego Idaho, nie podzieliła się swoimi mrocznymi przeczuciami z resztą kobiet. Przyjechały tam pracować, w kilka miesięcy zarobić więcej pieniędzy niż przez całe życie w Afryce. Ale gdy tylko stopy Amalie dotknęły zmarzniętej ziemi, uświadomiła sobie, że popełniła straszliwy błąd.

Urodziła się w zachodnim Kongu, w miasteczku Kama. Miała dwadzieścia jeden lat i poprzednich pięć spędziła, pracując dla pana Nzute w zakładzie przetwórstwa manioku, przerabiając na mączkę przypominające ziemniaki korzenie. Praca nie była taka zła, chociaż pan Nzute za dużo pił i często bił Amalie i pozostałe dziewczęta. Lub robił gorsze rzeczy. Christiane Shango była najlepszą przyjaciółką Amalie, najmłodszą i najładniejszą robotnicą w fabryce. Pan Nzute dręczył ją bardziej niż pozostałe. Pewnej nocy Christiane wczołgała się do łóżka Amalie. Całe jej ciało trzęsło się pod podartą sukienką. Po wewnętrznej stronie uda ciekła jej krew. Christiane nie chciała powiedzieć, co się wydarzyło – ani wtedy, ani wiele razy później – ale nie musiała. Amalie rozumiała.

Dlatego kiedy Amerykanin, który kazał nazywać się panem Collierem, zaoferował Christiane pracę w zakładzie przetwórstwa manioku w Stanach Zjednoczonych, błagała Amalie, żeby pojechała razem z nią. Pan Collier był szczupły, miał cichy głos i obiecał im po trzy tysiące dolarów amerykańskich za trzy miesiące pracy. Co oznaczało, że Amalie i Christiane zarobiłyby dość pieniędzy, żeby kupić dom i otworzyć własny interes, na przykład sklepik z ubraniami albo garnkami. A wtedy Christiane mogłaby mijać pana Nzute na ulicy i pokazywać mu wzrokiem, co o nim myśli.

Jak się okazało, praca w Idaho prawie niczym nie różniła się od pracy w Kamie. Amalie obsługiwała maszynę, która zdejmowała skórę z korzenia, odkrywając biały, ziarnisty miąższ. Korzenie manioku następnie były mielone na mączkę, którą wykorzystywano do wypieku chleba lub ciasta, choć można je także gotować jak ziemniaki. Z mąki maniokowej wytwarzano także tapiokę w postaci niewielkich perełek, które mieszano z mlekiem i w ten sposób uzyskiwano pudding.

Praca Amalie wymagała szybkości i wyjątkowej zręczności. Wkładała korzenie manioku pomiędzy dwa duże tarniki, które zdzierały skórę. Czasami korzenie blokowały się w maszynie, a wtedy należało bardzo ostrożnie popchnąć je ręcznie. Marginesu błędu nie było. Tarniki mogły oderwać całe ramię lub zedrzeć skórę i mięśnie aż do kości.

Jak dotąd Amalie była ostrożna. I miała szczęście. Zaczęła nawet zastanawiać się, czy jej przeczucie nie było przypadkiem złudzeniem, echem pozostałym po ciężkim życiu w Kongu. Ale któregoś ranka, w połowie trzeciego miesiąca pobytu w Idaho,

Christiane zemdlała. Na jej wargi wystąpiła piana, oczy zaszły bielmem. Amalie od razu zorientowała się, że złe duchy w końcu postanowiły o sobie przypomnieć.

Ujęła głowę Christiane w dłonie, wciąż lepkie od maniokowego soku. Poczucie winy wzbierało w niej jak fala. Powinna była ostrzec przyjaciółkę.

– *Konzo* – powiedziała Estelle Olagun, kręcąc głową.

Pozostałe kobiety zbliżyły się, potakując i cmokając. Konzo było chorobą, która przychodziła w czasie suszy, gdy ludzie nie mieli co pić i jeść poza maniokiem. Niektórzy twierdzili, że w korzeniach manioku kryła się jakaś trucizna, ale Amalie wiedziała, że *konzo*, podobnie jak wszystkie choroby, było tylko jednym z wielu nieszczęść sprowadzanych na ludzi przez demony.

– Pan Collier na pewno ma lekarstwo – oznajmiła Estelle. – Zadzwonię do niego.

– Nie – zaprotestowała Amalie. – Ja jej pomogę. Zanieśmy ją na posłanie.

– Pomożesz jej? Niby jak? Masz lekarstwa takie jak pan Collier?

– Pomogę jej walczyć ze złymi duchami.

– Złe duchy, złe duchy, ty i te twoje złe duchy – warknęła Estelle. – Przez takie gadanie trafisz do piekła. – Estelle kilka lat wcześniej dołączyła do Kościoła zielonoświątkowego i w kółko groziła wszystkim pójściem do piekła.

– Ja wiem swoje – odparła Amalie. – Pozwólcie mi spróbować, zanim wezwiecie pana Colliera.

Ignorując ją, Estelle podniosła słuchawkę telefonu. Była wśród nich najstarsza, dlatego sprawowała nad resztą coś w rodzaju matczynej władzy. Amalie nawet nie próbowała przekonywać pozostałych.

Po kilku minutach zjawił się pan Collier, tupiąc energicznie i otrzepując płaszcz ze śniegu.

– *Qu'est-ce qui s'est passé*? – zapytał po francusku z dziwnym akcentem.

Kobiety rozstąpiły się jak kurtyna w teatrze, odsłaniając leżącą na ziemi Christiane. Niewielkie piersi dziewczyny wznosiły się i opadały z każdym płytkim oddechem.

Collier przyłożył dłoń do jej czoła, na którym perliły się krople potu.

– *Konzo* – stwierdził współczująco.

– Ale może pan jej pomóc, tak? – Estelle nerwowo ściskała dłonie.

Pan Collier spojrzał na nią. Wydawało się, że przez chwilę nad czymś się zastanawia. W końcu kiwnął głową.

– Nic jej nie będzie, ale muszę ją zabrać do szpitala.

– Nie! – Okrzyk wyrwał się z ust Amalie, zanim zdążyła ugryźć się w język.

– Co się z tobą dzieje, dziewczyno? – warknęła Estelle i strzeliła palcami na jedną z pozostałych kobiet. – Pomóż mi ją podnieść.

Dwie kobiety dźwignęły Christiane z ziemi i wyniosły na mróz. Amalie bezradnie podążyła za nimi. Na zewnątrz drzewa skrzypiały i szumiały, uginając się pod czapami śniegu. Gdzieś w oddali z głośnym trzaskiem pękła gałąź i spadła na ziemię.

Pan Collier otworzył drzwi swojej półciężarówki. Pan Nzute nigdy nie otworzyłby drzwi kobiecie, a już na pewno nie jednej ze swoich robotnic. Amalie zdawała sobie jednak sprawę, że był to tylko pusty gest. Za maską uprzejmości na twarzy pana Colliera krył się bowiem demon *Mbwiri*. Ludzie opętani przez niego rzucają się i toczą pianę z ust. Czasami *Mbwiri* zmusza nawet swoje ofiary do jedzenia ludzkiego mięsa i haniebnych aktów płciowych.

Poczuła na twarzy ciepło bijące z wnętrza kabiny. Kobiety posadziły Christiane na siedzeniu. Pan Collier zapiął jej pas i nieco zbyt drobiazgowo wygładził jej ubranie, które wywinęło się na biodrach. Widok jego obrzydliwej, bladej skóry na tle ładnej, ciemnej karnacji Christiane przyprawił Amalie o dreszcz. „Boże, błagam, powiedz mi, co mam zrobić", modliła się w duchu. Ale Bóg milczał.

– Wracajcie do pracy – rzucił przez ramię pan Collier. Spod jego wąskich warg błysnęły małe, krzywe zęby.

Kiedy odjechał, pozostałe kobiety ruszyły z powrotem do fabryki. Amalie jednak wciąż stała na mrozie, wpatrując się w oddalającą się półciężarówkę. Była pewna, że nigdy więcej nie zobaczy przyjaciółki. Tylko bezlistne drzewa rozumiały, co się tu naprawdę wydarzyło. Ich cienkie, zielone igły syczały na wietrze jak stado węży.

Dale Wilmot wciąż nie mógł znaleźć odpowiednich słów. Choć spod jego ręki wyszły setki przemów, biznesplanów i firmowych deklaracji misji, teraz miał przed sobą najtrudniejszy tekst w życiu. List do syna. Jego wahanie brało się po części ze świadomości, że słowa, które napisze, trafią ostatecznie do znacznie szerszego grona odbiorców niż tylko do Evana. Będą wałkowane przez media, analizowane przez wymiar sprawiedliwości, a w końcu ocenione przez historię. Czy popełniał grzech pychy, porównując swój list do Deklaracji Niepodległości i przemowy gettysburskiej? W końcu było to coś więcej niż tylko podjęta przez zwykłego człowieka próba wyjaśnienia swojego postępowania synowi. Ten list był wezwaniem do działania, mającym przebudzić naród amerykański z letargu i samozadowolenia, w których tkwił od tylu lat. I za to Dale Wilmot był gotów oddać wszystko, także życie.

Westchnął i odwrócił się od pustego ekranu komputera. Na najbliższej ścianie wyłożonego mahoniem gabinetu wisiały fotografie przedstawiające jego samego, ściskającego dłonie prezydentom i premierom, grającego w golfa z gwiazdami futbolu i prezesami największych korporacji. Na zdjęciach widać było pewnego siebie mężczyznę o bujnej czuprynie i kwadratowej szczęce. Półuśmiech świadczył o tym, że człowiek ten potrafi odnaleźć się wśród najpotężniejszych i najbogatszych ludzi świata z równą swobodą, jak jeździć konno, naprawić skrzynkę elektryczną i strzelać z winchestera. Przez lata Wilmot zdążył zbić niewielką fortunę na przemyśle drzewnym, systemach grzewczych i klimatyzacyjnych oraz transporcie. Był potężnym mężczyzną o wielkich dłoniach, który sprawiał wrażenie człowieka przyzwyczajonego do wydawania rozkazów.

Ale Dale Wilmot nie rozpoznawał już siebie w mężczyźnie na fotografiach. Ogień optymizmu, który niegdyś stale płonął w jego oczach, wygasł i został zastąpiony przez zimną, niewzruszoną determinację. A fotografie, które kiedyś budziły w nim patriotyczne uczucia, dziś pozostawały dla niego tylko gorzkim przypomnieniem, aby nigdy nie ufać pustym słowom innych ludzi.

Gniew zawsze był jego siłą napędową, czy to na boisku, czy na posiedzeniach zarządu. I gdy dwadzieścia jeden miesięcy wcześniej Evan, jego jedyny potomek, wrócił z wojny, gniew stał się żyznym polem, na które padły pierwsze nasiona jego planu.

Pamiętał, jak szedł pustymi korytarzami szpitala wojskowego imienia Waltera Reeda, mijając pokoje, w których okaleczeni młodzi mężczyźni siedzieli, gapiąc się bezmyślnie w telewizor. Pamiętał spotkanie z generałem Williamem D. Bradshawem, który ponurym głosem zaprosił go do gabinetu. Gdy było się kimś takim jak Dale Wilmot, wszystkie wieści – dobre i złe – otrzymywało się od najważniejszego człowieka w budynku. Ale Wilmot uprzedził generała, zanim ten zdążył cokolwiek powiedzieć.

– Gdzie jest mój syn?

Bradshaw przybrał minę, która miała wyrażać żal.

– Panie Wilmot, robimy wszystko, co w naszej mocy, żeby pomóc tym dzielnym, rannym chłopcom w powrocie do…

– Proszę mnie zaprowadzić do syna. Natychmiast.

Dłonie Wilmota zwinęły się w pięści, które generałowi Bradshawowi skojarzyły się z kowalskimi młotami.

– Tędy, proszę pana. – Skłonił się uprzejmie, wyprowadzając Wilmota z gabinetu na krótki korytarz prowadzący do windy. W milczeniu zjechali na poziom podziemny. Strzałki na ścianach skierowały ich na oddział poparzeń.

Skurczona, groteskowa postać, którą Wilmot zobaczył pod przezroczystym namiotem tlenowym, w niczym nie przypominała jego syna. Gęste, jasne włosy zniknęły, zastąpione przez siatkę blizn. Przystojna niegdyś twarz została zniekształcona. Nos i wargi Evana wyglądały, jakby się rozpuściły i rozlały w dziwaczny kształt. Zamiast nóg zobaczył tylko kikuty zabandażowane tuż pod kolanami, a z prawego ramienia pozostał tylko łokieć. Lewa ręka ocalała, choć spod przezroczystego bandaża przeciwbakteryjnego wyraźnie widać było blizny po odłamkach i oparzeniach.

Ze wspomnień wyrwał Wilmota dzwonek telefonu. Odłożył długopis i podniósł słuchawkę, wciąż czując w nozdrzach zapach szpitalnego środka dezynfekującego i moczu.

– O co chodzi?

– Mamy problem, sir – odpowiedział mu cichy głos Colliera.

Kilka minut później Wilmot podjechał swoim jeepem wranglerem do stajni, parkując obok należącego do Colliera forda F-150. Kiedy Evan zaciągnął się do wojska, Wilmot sprzedał wszystkie konie i teraz stajnia oraz przylegająca do niej stodoła stały puste.

Wilmot wszedł do przeraźliwie zimnego wnętrza stajni. W jednym z wysprzątanych boksów zobaczył Colliera, stojącego nad jedną z młodych kobiet przywiezionych z Afryki. Dziewczyna leżała na cienkim, poplamionym materacu, ułożonym na polowym łóżku. Jej duże, wilgotne oczy wpatrywały się w Wilmota z niemą prośbą o pomoc. Była ładna. Bardzo ładna.

– *Konzo* – odezwał się Collier, wytrącając Wilmota z rozkojarzenia.

Przedstawiając swój plan po raz pierwszy, Collier uprzedzał, że coś takiego może się wydarzyć. Wyjaśnił, że w kongijskich zakładach cyjanowodór stanowi jeszcze większe zagrożenie niż same maszyny. Założył, że system zmianowy uchroni kobiety przed zatruciem, ale najwyraźniej się przeliczył.

– Umrze? – zapytał Wilmot, starając się ukryć irytację w głosie.

Collier skinął głową.

– Po początkowych atakach zazwyczaj następuje paraliż, a w rezultacie niewydolność oddechowa. – Zawahał się. – Ale nie możemy zawieźć jej do szpitala. Zbyt duże ryzyko.

– Wydaje ci się, że o tym nie wiem? – Wilmot doskonale zdawał sobie sprawę, że nie mogli ryzykować kontaktu z lekarzem. Dziewczyna zatruła się cyjanowodorem, a przepisy obligowały lekarzy do zgłaszania takich przypadków odpowiednim organom służby zdrowia. Nie wspominając już o urzędzie imigracyjnym. Jedyny wybór, jaki mieli, to pozwolić jej umierać długo i boleśnie albo skrócić jej cierpienia.

– Zajmę się tym – powiedział Collier.

W jego głosie Wilmot usłyszał coś więcej niż tylko gotowość do wykonania nieprzyjemnego, ale koniecznego zadania. Perspektywa odebrania życia Kongijce wyraźnie sprawiała mu przyjemność.

Collier dorastał na ranczu Wilmota, gdzie jego matka pracowała jako służąca. Kiedy miał dwanaście lat, jeden z pracowników stajni znalazł w lesie wypatroszone zwłoki psa. Pół roku później na jednym z drzew zauważono młodego jelonka, powieszonego na solidnym haku. Już wtedy Wilmot podejrzewał, że zwierzęta zginęły z ręki Colliera. Drapieżne spojrzenie w oczach młodego człowieka tylko potwierdziło jego przypuszczenia.

– Nie.

Collier zamrugał, zaskoczony jego ostrym tonem.

– Sam to zrobię – wyjaśnił Wilmot łagodniejszym głosem.

Dale Wilmot zawsze szczycił się umiejętnością szybkiego określania najważniejszych celów, a następnie realizowania ich z żelazną konsekwencją. Żeby dać właściwy przykład swoim podwładnym, złamał kiedyś szczękę pewnemu bezczelnemu pracownikowi, który potem nie zdobył się na odwagę, by pozwać go do sądu. Żeby ocalić swój pluton, zabił dwunastu żołnierzy Wietkongu. A teraz zamierzał oszczędzić tej dziewczynie zbędnego upokorzenia w postaci śmierci z rąk sadysty.

Nachylił się nad jej twarzą. W oddechu Christiane wyczuł zapach gorzkich migdałów, nieomylny sygnał zatrucia cyjanowodorem.

– Przykro mi, mała – powiedział cichym głosem. – Naprawdę.

Szybkim, zdecydowanym ruchem zatkał jej nos kciukiem i palcem wskazującym, resztą dłoni zasłaniając usta. Dziewczyna zaczęła się szarpać, wpatrując się w niego rozszerzonymi ze strachu oczami. Była zaskakująco silna. Całym ciałem walczyła ze słabością spowodowaną zatruciem, desperacko usiłując się uwolnić. Wilmot przycisnął ją mocniej do materaca, opierając się całym przedramieniem o jej krocze.

Jego uwadze nie umknął seksualny aspekt całej sytuacji. Wyraźnie widział piersi dziewczyny, poruszające się pod cienkim materiałem sukienki, i czuł ciepło jej bioder pod ręką. Opór szybko jednak wyczerpał resztki sił Christiane i po chwili jej oczy wpatrywały się martwo w sufit.

Wilmot podniósł dłoń z jej twarzy. A potem delikatnie zamknął jej powieki i wygładził pogniecioną sukienkę.

– Ma zostać pogrzebana jak należy – powiedział, nie patrząc na Colliera. – Ziemia jest zmarznięta na kość. Będziesz potrzebował kilofa.

Po czym wyszedł ze stajni.

1

Uniwersytet Georgetown

Czekając na zmianę świateł, Gideon Davis uważnie przyjrzał się we wstecznym lusterku swojemu żółtemu krawatowi, zawiązanemu na windsorski węzeł. Minęło osiem lat od czasu, gdy ostatni raz był w sali wykładowej, i wiązanie krawata to tylko jedna z wielu utraconych przez niego umiejętności. Poprawiając węzeł w lusterku, pomyślał o czasach, gdy jako dyplomata i prezydencki doradca mógł paradować z podwiniętymi rękawami. A jeśli już wkładał smoking, to z przypinaną na guzik muszką.

Światło zmieniło się na zielone. Gideon skręcił w prawo z mostu łączącego stan Wirginia z Dystryktem Kolumbii i Waszyngtonem. Centrum Studiów Międzynarodowych im. Michaela Mortary znajdowało się w najbardziej eleganckiej, nisko zabudowanej części kampusu. Wśród studentów i wykładowców centrum można było spotkać całkiem sporo dyplomatów i polityków. Gideon uwielbiał atmosferę tego miejsca, młodzieńczą energię mieszkańców i międzynarodowy klimat restauracji i sklepów. Brakowało tu jednak trawników i przestrzeni niezbędnej dla rodziny, którą zamierzał założyć ze swoją narzeczoną, Kate Murphy.

Osiemnaście miesięcy wcześniej nie zdołałby sobie nawet wyobrazić, że kupuje dom w stylu federalnym w Alexandrii w stanie Wirginia. Tyle że to było, zanim grupa terrorystów, rzekomo pod dowództwem jego rodzonego brata Tillmana, zajęła Obelisk, supernowoczesną platformę wiertniczą na Morzu Południowochińskim, którą kierowała Kate. Gdyby nie interwencja Gideona, terroryści wysadziliby platformę w powietrze, a wraz z nią dowód na niewinność Tillmana. Powrót do Stanów okazał się jednak wyjątkowo skomplikowany dla nich obu. Służąc przez długi czas w siłach specjalnych, Tillman nieraz musiał naginać reguły, a do tego dbać o to, by jego działań nie dało się w żaden sposób powiązać z przełożonymi, więc po powrocie do kraju nie było nikogo, kto mógłby potwierdzić jego wersję wydarzeń. Za wysiłki na rzecz zachowania bezpieczeństwa Stanów Zjednoczonych nagrodzono go wyrokiem za „udzielanie istotnego wsparcia wrogom państwa" i karą dwudziestu lat odsiadki w więzieniu federalnym o zaostrzonym rygorze we Florence w stanie Kolorado. Według Gideona Tillman był po prostu kozłem ofiarnym, poświęconym w imię ratowania tyłków bandzie skorumpowanych biurokratów. Gideon wytrwale lobbował za uwolnieniem brata i w końcu udało mu się przekonać odchodzącego prezydenta do podpisania aktu łaski. Ułaskawienie Tillmana rozpętało burzę, a nowy prezydent, Erik Wade, zmusił Gideona do odejścia z Departamentu Stanu.

Chociaż Gideon wciąż odczuwał rozgoryczenie, Obelisk należał już do przeszłości. A poza tym dzięki tej historii zdobył kobietę, która dzielnie wspierała go w walce o ułaskawienie brata i z którą zamierzał spędzić resztę życia. Kate Murphy była najbardziej uroczą kobietą, jaką kiedykolwiek spotkał, o kasztanowych włosach i orzechowych oczach, które w zależności od nastroju bywały czasem szare, a czasem zielone. Po niemal dekadzie gaszenia dyplomatycznych pożarów na krańcach świata Gideon poczuł wreszcie, że jest gotów zapuścić korzenie. I miał wielkie szczęście, że tak cudowna kobieta jak Kate zgodziła się zostać jego żoną.

Parkując na zarezerwowanym dla niego miejscu przed centrum, nie myślał jednak o Obelisku. Jego uwagę pochłaniał zielony chevrolet impala, którego zauważył we wstecznym lusterku. Może to paranoja, ale był pewien, że chevrolet jedzie za nim od zjazdu z mostu.

Zamknął drzwi swojego land rovera i ruszył 37. Street, po czym skręcił w prawo w alejkę, którą zwykle skracał sobie drogę na uniwersytet. Kątem oka zauważył, że ktoś za nim idzie. Szedł spokojnym, niespiesznym krokiem. Kiedy dotarł do delikatesów, gdzie zazwyczaj kupował sobie lunch, ukrył się w bramie i czekał.

Mniej więcej po dwudziestu sekundach zjawił się chudy, biały mężczyzna z papierowym kubkiem w dłoni. Cały czas rozglądał się na boki, jakby obawiał się zasadzki. Nosił oliwkowozieloną kamizelkę fotografa, za duże spodnie robocze w tym samym kolorze, czarną koszulkę i lustrzane okulary przeciwsłoneczne, które nadawały mu wygląd wojskowego. Gideon od razu rozpoznał objawy: facet był uzależniony od metamfetaminy. Miał wychudzoną, zniszczoną twarz i ropiejącą ranę na policzku. Kiedy przechodził obok bramy, Gideon dostrzegł pod lewą pachą narkomana znajome wybrzuszenie. Gość nosił przy sobie niezłą armatę, prawdopodobnie magnum kalibru .357 albo nawet .44.

Gideon opuścił swoją kryjówkę, podszedł do mężczyzny od tyłu i chwycił go ramieniem za szyję, stosując klasyczne duszenie gilotynowe. I od razu tego pożałował. Narkoman potwornie śmierdział, jak nieudany eksperyment chemiczny, wymieszany z przesiąkniętą tytoniem śliną z papierowego kubka, którego zawartość właśnie znalazła się na butach Gideona.

– Co jest, kurwa? – wycharczał mężczyzna.

Gideon sprawnie odebrał mu pistolet, opróżnił magazynek i umieścił z powrotem w kaburze.

– Otóż to: co jest, kurwa? – odparł. – Dlaczego za mną łazisz?

– Chcę pogadać.

Narkoman bezskutecznie szarpał się w uścisku. Kiedy Gideon go puścił, zatoczył się i niemal wpadł na przechodzącego studenta.

– Nie jestem idiotą – wykrztusił. – Wiem, że marnie wyglądam, ale mam informacje, które mogą być sporo warte.

Gideon zerknął na zegarek. Jego wykład zaczynał się za dziesięć minut.

– Informacje o czym?

Kiedy mężczyzna nie odpowiedział, Gideon pokręcił głową i go wyminął.

– Atak terrorystyczny na terytorium Stanów Zjednoczonych. Na wysoko postawiony cel.

Gideon powoli odwrócił się do mężczyzny.

– Ludzie, z którymi miałem do czynienia, planują masowe morderstwo. I na ogół się nie wygłupiają. Zanim powiem ci więcej, chcę dostać sto tysięcy dolarów. Gotówką.

– Trafiłeś pod zły adres – odparł Gideon. – Ja nie dobijam targu z ćpunami w zaułkach. Jeśli naprawdę masz takie informacje, pogadaj z FBI.

– FBI – prychnął pogardliwie mężczyzna. – Banda parszywych biurokratów. Nie ufam im.

– A mnie?

– Myślisz, że trafiłem do ciebie przypadkiem? – Na ustach narkomana pojawił się arogancki uśmieszek. – Ty jesteś ten pieprzony Rozjemca.

Jako specjalny wysłannik byłego prezydenta Altona Diggdsa Gideon czasami występował w relacjach medialnych jako Rozjemca. Nienawidził tego przezwiska.

– Akurat z pieprzeniem to raczej ty masz więcej wspólnego...

– Czytałem w internecie, że załatwiłeś dwudziestu ludzi na tamtej platformie. Rozjemca. To dopiero ironia, nie?

Głos mężczyzny brzmiał pewnie, wręcz bezczelnie, jednak język ciała wyraźnie zdradzał strach. Drżące dłonie, ciągłe rozglądanie się na boki, nerwowy tik na policzku. Bez żadnych wątpliwości facet był poważnie uzależniony od metamfetaminy, bo paranoja to jeden z klasycznych tego objawów.

– Wciąż nie pojmuję, po co przyszedłeś z tym do mnie – powiedział Gideon.

– Masz poglądy polityczne skrzywione w niewłaściwą stronę, ale uznałem, że mogę ci zaufać, bo zrobisz to, co będzie trzeba. Po tym, jak rząd wytarł tobą podłogę, mogłeś z czystym sumieniem wypiąć się na wszystko, ale ty wciąż tu jesteś i do tego uczysz młodych. Prawdziwy patriota.

Sposób, w jaki mężczyzna wypowiedział ostatnie słowo, zabrzmiał prawie jak obraza. Ale miał rację. Chociaż nowy prezydent z hukiem wyrzucił go z administracji, Gideon nie obraził się na swój kraj. Być może był naiwny, ale wciąż wierzył, że są sprawy, o które warto walczyć. Sprawy takie jak prawda, sprawiedliwość i demokracja. Ameryka miała poważne problemy, ale Gideon nie zamierzał siedzieć bezczynnie i patrzeć, jak jego ojczyzna pogrąża się w bagnie.

– Jak się nazywasz?

– Ervin Mixon. – Mężczyzna odkaszlnął i splunął żółtą śliną na chodnik. – Uważam się za niezależnego konstytucjonalistę. Ale nie jestem jakimś jajogłowym w wieży z kości słoniowej, ja bronię konstytucji aktywnie. Druga Poprawka mówi: „Nie wolno ograniczać praw ludu do posiadania i noszenia broni (...)”[1]. Proste. Nie ma tam nic na temat ograniczania praw ludu do posiadania i noszenia pistoletów ani do posiadania i noszenia broni, która strzela tylko wtedy, kiedy pociągnie się za spust. Jest tylko zapisane prostymi słowami prawo do noszenia broni. Jeśli człowiek chce bronić swojego domu i zdrowia za pomocą pistoletu maszynowego MP5, to ma do tego konstytucyjne prawo. A ja realizuję

[1] Tłumaczenie wg tekstu opublikowanego na stronie http://libr.sejm.gov.pl/tek01/txt/konst/usa.html (przyp. tłum.).

to prawo, zaopatrując ludzi myślących podobnie do mnie w artykuły, których raczej nie dostaniesz w pierwszym z brzegu sklepie z bronią. – Jednym z moim klientów jest gość o nazwisku Verhoven. Pułkownik Jim Verhoven. Mieszka na odludziu na sporej farmie w Wirginii Zachodniej.

Gideon dość dobrze znał te okolice. Jego brat Tillman osiadł tam po zwolnieniu z więzienia.

– Verhoven zorganizował sobie dość liczną milicję[2] – kontynuował Mixon. – Część z nich biwakuje na jego terenie w przyczepach i kamperach. Większość to militaryści i neonaziści, którzy dużo pokrzykują, ale nie są zbyt chętni do prawdziwego działania. Ale kiedy byłem tam jakiś miesiąc temu, podsłuchałem rozmowę Verhovena przez telefon...

Mixon urwał na chwilę, zerkając nerwowo w lewo. Pracując jako negocjator, Gideon nauczył się trafnie rozpoznawać, czy ludzie, z którymi rozmawiał, mówią prawdę. Jedną z najprostszych wskazówek był kierunek, w którym rozmówca odwracał wzrok. Spojrzenie w prawo z reguły oznaczało, że tworzył sobie w głowie obrazy i dźwięki – innymi słowy, zmyśla – natomiast spojrzenie w lewo zazwyczaj oznaczało, że rozmówca przypominał sobie rzeczywiste wydarzenia. Rzecz jasna skuteczność tej metody nie była stuprocentowa, zwłaszcza w przypadku mańkutów, u których kierunki czasami ulegały odwróceniu. Ale kabura pistoletu Mixona została przymocowana pod lewą pachą, a więc dla osoby praworęcznej. No i spojrzał w lewo, zanim podjął swoją opowieść.

– Nie mówię tu o zwykłym potrząsaniu szabelką. Verhoven brzmiał poważnie.

---

[2] W USA milicja obywatelska oznacza ochotniczy oddział paramilitarny. Milicje mogą mieć różny charakter, od grup wspierających rząd federalny np. przy ochronie granicy z Meksykiem, po ugrupowania neofaszystowskie, tak jak w tym wypadku (przyp. tłum.).

– To znaczy? – zapytał Gideon. – Co dokładnie usłyszałeś?

– Pewne szczegóły operacyjne.

– Mów dalej.

– Właśnie dotarliśmy do miejsca, w którym będę potrzebował czegoś bardziej namacalnego niż obietnice…

– Chwileczkę – przerwał mu Gideon. – Czegoś nie rozumiem. Znasz tego całego Verhovena od dawna i od dawna czerpiesz zyski z tej znajomości. Dlaczego więc próbujesz go wsypać?

Usta Mixona wykrzywiły się w gorzkim uśmiechu.

– Mam palące potrzeby finansowe. To, co zarabiam na interesach z Verhovenem, nie wystarcza na pokrycie moich wydatków.

– Sto kawałków to raczej spory wydatek – zauważył Gideon.

– Popatrz na mnie. Od dziesięciu lat ćpam metamfetaminę, a udało mi się dociągnąć tak długo tylko dlatego, że biorę wyłącznie czysty towar najwyższej jakości, taki jak pakują do leków. Wydaje ci się, że rozdają to za darmo? Dlatego zawsze szukam sobie dodatkowych źródeł dochodu. Wiedziałem, że Verhoven szykuje jakąś grubszą akcję niż rozdawanie ulotek. I wiesz, co? Trafiłem pieprzoną szóstkę.

– Co planuje Verhoven? Zamierza odpalić atomówkę przed Kapitolem? – Gdyby Mixon potwierdził albo rzucił jakiś równie nieprawdopodobny pomysł, Gideon mógłby spokojnie odwrócić się na pięcie i odejść.

– Czy ja ci wyglądam na idiotę? Skąd banda kretynów z milicji miałaby wziąć atomówkę? Nie chodzi też o samotnego, zdesperowanego zdradą żony strzelca, przemycającego glocka na wiec wyborczy w Pensylwanii. To będzie zorganizowana operacja, przeprowadzona przez bardzo poważnych ludzi. I jeśli szybko ich nie dopadniesz, to zapewne zrealizują swój plan.

– Czego ode mnie oczekujesz? Że zadzwonię do kogoś z FBI albo NSA i powiem, że mam zeznanie ćpuna na głodzie?

– Nie. Dostaniesz dowód.

– Dowód?

– Nagranie tej rozmowy. A w każdym razie fragment.

– No to posłuchajmy.

Mixon wydał z siebie głośny charkot, który miał być śmiechem.

– Najpierw muszę zobaczyć gotówkę.

Gideon był już spóźniony, ale w historyjce Mixona coś go zaintrygowało.

– Jak go nagrałeś?

– Dyktafonem Zoom H4.

– Mikrofon?

– Ergil 37D. Bezprzewodowy.

Gideon próbował go podejść, złapać na tym, że improwizuje, uchwycić nerwowe spojrzenia w górę, nagłe zmiany wersji wydarzeń, dziwne miny, uśmiechy lub coś w tym rodzaju. Ale nawet jeśli Ervin konfabulował, na razie udawało mu się doskonale maskować. Co więcej, bardzo płynnie i ze szczegółami opisywał, w jaki sposób nagrał rozmowę Verhovena.

– I co powiedział?

Mixon rozejrzał się, po czym z kieszeni kurtki wyjął cyfrowy dyktafon.

– Usłyszysz tylko fragment, jasne? Jeśli rząd Stanów Zjednoczonych chce usłyszeć całość, będzie musiał zapłacić. – Wcisnął przycisk. Nagranie było kiepskiej jakości, ewidentnie rejestrowane z daleka, ale słowa słychać było wyraźnie:

– *Tak* – zaskrzeczał męski głos, należący według Mixona do pułkownika Verhovena. – *Cel został namierzony, prowadzimy obserwację... Czekamy na dalsze instrukcje* – tu nagranie zostało zatrzymane, a Mixon spojrzał wyczekująco na Gideona.

Gideon dopiero po chwili uświadomił sobie, że nagranie obudziło w nim na wpół zapomniane podniecenie. Tylko że to już nie była jego wojna. Czterysta metrów dalej czekało na niego nowe życie i nowa kariera. Poza tym wiedział, że niczego więcej już się od Mixona nie dowie.

– Zadzwonię – powiedział w końcu. – Znam w FBI kogoś, komu można zaufać.

– Jedna osoba. Jeśli będzie więcej, znikam. – Mixon wręczył Gideonowi świstek papieru. – Tam się zatrzymałem. Niecałe dwa kilometry dalej jest centrum handlowe. Spotkamy się tam o szóstej.

– Przyjadę.

– To dobrze. – Mixon uśmiechnął się paskudnie. – Ojczyzna na ciebie liczy.

2

McLean, Wirginia

Ervina Mixona ogarnęło śmiertelne przerażenie. Wyjeżdżając z parkingu, nie mógł powstrzymać drżenia prawej stopy.

Dziesięć lat wcześniej był zwyczajnym facetem. Żona, trójka dzieci, przyzwoita posada współwłaściciela sklepu i lombardu z bronią w Tennessee. A potem na jego drodze stanęła metamfetamina i zaczął się niekontrolowany zjazd w dół.

Od tamtego czasu miał kilka szans, aby jeszcze zawrócić. Na przykład dzień, w którym postanowił ukraść czterdzieści jeden tysięcy dolarów Ronniemu Revisowi Juniorowi, swojemu wspólnikowi z AAA Guns'n'Pawn w Tullahomie. Gdyby wtedy zacisnął zęby i poszedł na odwyk, wszystko potoczyłoby się inaczej. Albo dzień, w którym sprzedał spod lady karabin samopowtarzalny SKS Davidowi Allenowi Kingowi, Wielkiemu Smokowi Ku-Klux-Klanu w Idaho. A może dzień, w którym sprzedał sześć skrzynek pistoletów maszynowych MP5 gangowi motocyklowemu The Pagans, oddział w Baltimore, z czego tylko jedna zawierała prawdziwą broń. Do pozostałych zapakował tajwańskie wiatrówki, którym odciął pomarańczowe końcówki luf. Ten wyjątkowo głupi błąd zmusił go do zaciągnięcia pewnych zobowiązań u Jima Verhovena. Zobowiązań, których nie miał szans zrealizować.

Skręcił w Jeff Davis Parkway i skierował się na południe, jadąc wzdłuż Potomacu, co chwila zerkając w lusterko wsteczne. I za każdym razem, gdy widział harleya, prawie dostawał ataku serca, wyobrażając sobie, że za chwilę sprzątną go cyngle Outlawsów albo jakiegoś innego gangu.

Jadąc przez McLean zauważył, że po ulicach chodzili wyłącznie kolorowi. Jeszcze nigdy w życiu nie cieszył się tak bardzo na widok czarnych. Jeśli koleś był czarny, to przynajmniej wiadomo, że nie należy do gangu ani żadnej prawicowej milicji z Wirginii Zachodniej, które aż przebierają nogami, żeby odstrzelić Mixonowi łeb.

Jedno wielkie pole bitwy. Tak właśnie wyglądało jego życie. Zagrożenie mogło nadejść z każdej strony.

Po raz setny zerknął w lusterko. Czy już gdzieś nie widział tego samochodu? Biały van z drabinami ułożonymi na dachu. Chryste, w Ameryce roiło się od takich wozów pełnych Meksykanów. Nie sposób odróżnić jednego od drugiego. Przynajmniej nigdy nie wszedł w drogę meksykańskiej mafii. Te sukinsyny z nikim się nie patyczkowały.

Gdyby tylko udało mu się przekonać Gideona Davisa i wyrwać forsę, od razu poszedłby na detoks i zaczął nowe życie. To samo powtarzał sobie, jak ukradł pięćdziesiąt kawałków Outlawsom. Ale wtedy pieniądze rozpłynęły się w mgnieniu oka i zanim się zorientował, znowu był na głodzie.

Tym razem będzie inaczej. Tym razem uwolni się od tego draństwa. Ostatecznie.

Zerknął na zegarek. Davis obiecał, że spotka się z nim o szóstej. „Lepiej, żeby drań dotrzymał słowa", pomyślał, wjeżdżając na parking motelu i parkując między dwoma kontenerami na śmieci.

Pomimo całej ostrożności Mixon nie zauważył półciężarówki Dodge Ram z przyciemnionymi szybami, zaparkowanej na rogu Dolley Madison Boulevard.

Za kierownicą siedział pułkownik James C. Verhoven, samozwańczy dowódca Siódmego (Ochotniczego) Pułku Milicji

Wirginii Zachodniej. Na kolanach, pod kocem w barwach maskujących, podarowanym mu przez ukochaną żonę Lorene, trzymał karabin Rock River Arms AR-15 ze składaną kolbą, szyną Pickatinny, na której zamocowano laserowy wskaźnik celu, dwustutrzydziestolumenową latarkę taktyczną i celownik kolimatorowy Aimpoint. Do pasa miał przypięty swój ulubiony pistolet Les Baer 1911 z chromowanym wykończeniem, regulowanym celownikiem Novak i rękojeścią wykładaną macicą perłową, załadowany nabojami dum dum Hornady 230 grain. Na kostce miał zapasową broń – kompaktowy rewolwer Smith & Wesson J-Frame kalibru .38 z tytanową obudową, rękojeścią Crimson Trace i pełnym magazynkiem nabojów 129 grain + P Federal Hydra Shok. A jako ostatnią linię obrony – nieduży nóż taktyczny CRKT, zawieszony na nylonowym sznurku na szyi.

Verhoven zmrużył oczy, gdy chevrolet impala Mixona pojawił się przed motelem. Odczekał, aż Mixon zaparkuje, po czym podjechał na drugi kraniec parkingu. Oddział drugi, czyli Lorene i bracia Upshaw, stanęli za nim w białym fordzie econoline z wielkim napisem CRUZ MALOWANIE I TYNKI na burcie i stertą drabin na dachu.

Verhoven dał im sygnał, po czym wyszedł z samochodu i ruszył w kierunku Mixona, trzymając w rękach AR-15. Upshawowie podążyli za nim. Kiedy Ervin wysiadał ze swojego zdezelowanego chevroleta, Verhoven wskazał zakrzywionym palcem na żółty pas, wystający spod łysych opon.

– Na kursie prawa jazdy chyba nie nauczyli cię porządnie parkować, co?

Mixon spojrzał tępo na oponę, zamrugał, a następnie podniósł wzrok na Verhovena.

– O kurwa – jęknął.

Cztery sekundy później jego nadgarstki były już związane plastikową taśmą. W usta wepchnięto mu skarpetę i szamocącego się zawleczono do forda. Zamykając drzwi vana, Verhoven dojrzał w oczach Mixona strach.

Na balkonie motelu dwóch czarnoskórych mężczyzn popijało z papierowych kubków, przyglądając się ciekawie wydarzeniom na parkingu.

Verhoven i jego ludzie byli ubrani w kamizelki taktyczne CamelBak, czarne wojskowe buty i czarne mundury z plastikowymi plakietkami POLICJA na ramionach. Faceci na balkonie nie wyglądali raczej na takich, którzy chcieliby wejść w drogę organom ścigania, więc starali się nie zwracać na siebie nadmiernej uwagi.

– Policja! – ryknął do nich Verhoven. – Jazda z powrotem do pokoju.

Mężczyźni nawet nie drgnęli.

Zanim Verhoven zdążył powiedzieć coś jeszcze, drzwi vana od strony kierowcy otworzyły się i wyskoczyła z nich bardzo wysoka, wysportowana kobieta z ufarbowanymi na blond włosami i AR-15, zawieszonym na pojedynczym pasie nośnym. Na jej twarzy pojawił się szeroki uśmiech, gdy wycelowała karabin w mężczyzn na balkonie.

– Proszę! – zawołała. – Dajcie mi tylko pretekst.

– Ja się tym zajmę, Lorene – powiedział cicho Verhoven do żony. Wiedział, że czasami zdarzało jej się wychodzić poza precyzyjnie określone ramy planu i w rezultacie pozostawiać za sobą fontanny krwi.

Kobieta nie spuszczała wzroku z obu Murzynów. Fakt, że jedno oko miała brązowe, a drugie niebieskie – zaburzenie noszące nazwę różnobarwności tęczówek – tylko potęgował wrażenie, że Lorene nie należała do najbardziej zrównoważonych kobiet na świecie. Pod jej spojrzeniem mężczyźni na balkonie szybko schowali się do pokoju.

Lorene obserwowała ich, czując frustrację. Palec na spuście swędział, ale posłusznie odwróciła się w stronę ciężarówki. Już po chwili frustracja ustąpiła podnieceniu na myśl o torturach, które zaplanowała dla Ervina Mixona.

3

Pocatello, Idaho

Dale Wilmot usłyszał głuchy łomot i jęk bólu dochodzący z drugiego piętra. Jego puls natychmiast przyspieszył.

– Jasna cholera – wymamrotał i popędził po schodach do pokoju Evana.

Wpadł do środka bez pukania, oczekując najgorszego.

Zauważył otwarte drzwi do łazienki. Evan leżał na terakotowej podłodze. Bez wątpienia próbował dostać się pod prysznic i zsunął z mokrego wózka inwalidzkiego. Na podłodze rozlewała się kałuża wody z odkręconego kranu. Wilmot już od dawna nie oglądał swojego syna nago i zdążył zapomnieć, jak potwornie był okaleczony. Większość tego, co pozostało z jego ciała, pokrywała gęsta siatka blizn. A co gorsza, spadając z wózka, rozciął sobie łuk brwiowy i teraz po jego twarzy płynęła strużka krwi.

Evan Wilmot został ranny w wybuchu miny pułapki w Mosulu i ciężko poparzony, gdy wiozący go wóz opancerzony stanął w płomieniach. Sanitariusz, który opatrywał go na miejscu, uznał, że Evan nie ma szans na przeżycie i przerwał transfuzję krwi. Dowódca kompanii najpierw zagroził mu sądem wojennym, po czym zapowiedział:

– Dopóki ten chłopak walczy, masz mu przetaczać krew.

Wezwano ochotników. Krew płynęła do ciała Evana prosto z żył innych żołnierzy. Wokół szałasu, w którym go złożono, zebrało się ich stu. Do ustabilizowania Evana potrzebnych było pięćdziesiąt jednostek krwi.

Evan obudził się po tygodniu w bazie powietrznej Ramstein.

Teraz Wilmot miał ochotę nawrzeszczeć na niego za ośli upór i głupotę, jaką było wchodzenie pod prysznic bez pomocy. Ale nie potrafił się na to zdobyć.

– W porządku, synu – powiedział cicho. – Pomogę ci.

Evan nie odpowiedział, tylko złapał za mokre siedzenie wózka inwalidzkiego i spróbował się podciągnąć.

Wilmot rzucił się na pomoc, rozchlapując wodę na podłodze. Evan machnął ręką w proteście, ale Wilmot nie mógł patrzeć, jak jego syn się męczy.

Nie szczędził pieniędzy na przebudowę łazienki. Wyposażenie kosztowało ponad sto dwadzieścia tysięcy dolarów. Obszerny prysznic z podjazdem miał zdalnie sterowaną regulację temperatury wody. Ruchoma uprząż podwieszona na szynach pod sufitem umożliwiała Evanowi sprawne przeniesienie się pod prysznic lub na sedes. Na ścianie znajdowała się olbrzymia suszarka, dzięki której nie musiał szarpać się z ręcznikiem. Oprócz tego w łazience zainstalowano przystosowaną dla niepełnosprawnych toaletę z wbudowanym bidetem i specjalny zlew z kranami wykonanymi na zamówienie w fabryce Kohlera w Sheboygan w stanie Wisconsin.

Oprócz tego przez całą dobę w domu dyżurowała służba. Pielęgniarka przychodziła rano i zostawała z Evanem przez cały dzień. Wieczorami wpadał John Collier, który pomagał Evanowi się umyć, czytał mu albo po prostu spędzał z nim czas.

Ale Evan był uparty i próbował dostać się pod prysznic samodzielnie, podpierając się na wózku.

– Evan, jestem przy tobie. Pomogę ci – szepnął Wilmot.

Usta jego syna zacisnęły się w wąską kreskę, a w oczach błysnął gniew, ale wciąż milczał. Lekarze twierdzili, że Evan zachował pełnię władz umysłowych, ale czasami Wilmot miał wątpliwości. Chwycił syna pod pachami.

Zanim udało mu się umieścić go z powrotem na wózku, był cały mokry, a na spodniach miał plamy krwi Evana. Wyciągnął z brodzika ręcznik, który blokował odpływ, następnie wziął świeży i wytarł syna do sucha.

– W porządku, tato. W porządku – mruknął Evan. Większość ludzi zapewne nie zrozumiałaby jego mamrotania, ale Wilmot nauczył się rozpoznawać niewyraźną mowę syna.

– Trzeba czymś zakleić to rozcięcie – powiedział Wilmot, osuszając ranę kolejnym ręcznikiem. – Ostatnie, czego ci teraz trzeba, to kolejna infekcja.

– Nie mogę po prostu...? – Przez zniekształcone rysy Evana przebiegł skurcz bezradnej wściekłości. Po jego policzkach spływały krople krwi i potu. Albo łez. Wilmot nie potrafił stwierdzić.

– Przepraszam, synu – wyszeptał. – Tak bardzo mi przykro.

Wściekłość Evana ustąpiła miejsca rezygnacji. Napięte mięśnie zwiotczały, zniknął grymas na twarzy. Odchylił się na oparcie wózka i odwrócił wzrok od ojca.

Wilmot odłożył telefon i zegarek na krawędź umywalki, po czym skierował wózek syna z powrotem pod prysznic. Wejście pod strumień ciepłej wody w ubraniu było dziwnie przyjemne, jak chwilowe oderwanie się od normalności. Wilmot nalał odrobinę mydła przeciwbakteryjnego na gąbkę i zaczął myć Evana – fałdy zgrubiałej skóry na kikutach amputowanych nóg, oszpeconą bliznami twarz, nawet odbyt – rozmyślając o dniu, w którym po raz pierwszy wziął syna na ręce. Żona Wilmota, Claire, fatalnie znosiła ciążę. Dopiero później zorientowali się, że były to początki ciężkiej choroby, która ostatecznie odebrała jej życie. Evan urodził się jako wcześniak. Ale kiedy Wilmot po raz pierwszy wziął w ramiona pomarszczone, czerwone ciałko, cały świat w jednej chwili odpłynął. Liczył się tylko Evan. Wtedy ta mała, bezbronna istota napełniła go spokojem i nadzieją, jakich nigdy wcześniej nie doświadczył.

Kiedy Evan się urodził, Wilmot był już bardzo zamożnym człowiekiem. Dał synowi wszystko: dobre geny, bogactwo, dom w zdrowym, wiejskim środowisku, niewyczerpany zapas piłek baseballowych, tyle jedzenia, ile Evan był w stanie w siebie wcisnąć, i tyle książek, ile mógł przeczytać. I miłość. Wilmot dał swojemu synowi to, czego poskąpił mu jego własny ojciec, bezduszny sukinsyn.

Ale nigdy go nie rozpieszczał. Odrobina luksusu od czasu do czasu – owszem. W końcu jaki sens jest posiadania kilkuset milionów dolarów majątku, jeśli nie można podarować synowi konia na osiemnaste urodziny? Wilmot jednak zawsze dbał o to, by Evan nigdy nie uważał się za kogoś lepszego tylko dlatego, że jest jego synem. Jeśli Evan chciał dostać trzy dolary tygodniówki, musiał na nie zasłużyć – sprzątać swój pokój, słać łóżko, wkładać naczynia do zmywarki, odrabiać lekcje. Swoją wartość należy udowadniać codziennie. Taka była filozofia życiowa Wilmota.

A Evan nigdy go nie rozczarował. Był kapitanem drużyny baseballowej, przewodniczącym klasy maturalnej, prymusem, zbierał datki na biednych w Boże Narodzenie, a do tego był wysoki i przystojny. Krótko mówiąc, ideał syna.

Przez pewien czas po powrocie Evana z wojny Wilmot obwiniał go o nieszczęście, które go spotkało. Pojechał do Iraku wbrew jego woli. Zaciągnął się do wojska na przedostatnim roku studiów na Harvardzie. Wilmot był na niego wściekły i w rezultacie nie rozmawiali ze sobą prawie rok. Od samego początku sprzeciwiał się tej wojnie, uważając ją za przejaw chorych ambicji rządu, który nie potrafił nawet rozwiązać najważniejszych problemów na własnym podwórku. Ale w końcu zdał sobie sprawę, że Evan nie był niczemu winien. To ta banda pasożytów, te sukinsyny z Waszyngtonu, posyłające młodych chłopców na śmierć w imię jakichś kretyńskich zasad albo z racji kiepsko ukrywanej chciwości – to oni ponosili odpowiedzialność. I wkrótce gorzko za to zapłacą.

Narastający gniew Wilmota przerwał głos Johna Colliera.

– Panie Wilmot. – Collier stał w drzwiach, przyglądając się ze zdziwieniem przemoczonemu ubraniu szefa.

– John – odpowiedział Wilmot, wkładając dużo wysiłku w zachowanie spokojnego tonu. – Nie widzisz, że mamy tu mały problem?

– My też mamy problem – odparł Collier.

– To nie może zaczekać, aż mój syn skończy brać prysznic?

Collier spojrzał Wilmotowi prosto w oczy, ale nie odpowiedział.

– Chodź, synu. – Wilmot dźwignął Evana na wózek. – Dasz sobie radę sam przez chwilę?

Evan kiwnął głową.

Wilmot wyszedł z łazienki, wycierając się po drodze ręcznikiem.

– O co chodzi, John?

Collier zmarszczył brwi.

– O naszego człowieka w Wirginii Zachodniej, Verhovena. Jeden z jego ludzi próbuje sprzedać informacje federalnym.

Wilmot zaklął.

– Jakim cudem ci jego kretyni w ogóle o czymkolwiek wiedzą? Verhoven miał trzymać język za zębami.

– Nie chodzi o dzieciaki z milicji. To sprzedawca broni, który kręci się przy Verhovenie. Spotkałem go parę razy. Cwany szczur. Ćpa amfetaminę, nie ma połowy zębów i cuchnie jak chemiczny kibel, ale służył kiedyś w armii i nie jest idiotą.

– Powiedz Verhovenowi, żeby go dorwał i sprawdził, co wie.

– Już się tym zajął.

– Lepiej, żeby wydusił z tego ćpuna wszystko. Ma się dowiedzieć, co i komu powiedział.

Collier skinął głową.

– Dopilnuję, żeby załatwił to jak należy.

– Nie możemy sobie już pozwolić na żadną wpadkę. Powiedz Verhovenowi, że po wszystkim ma się pozbyć tego typa. Niech to wygląda na przedawkowanie.

– Jak pan sobie życzy.

Po skończonym prysznicu Evan został położony na łóżku i wytarty przez Margie Clete, swoją posępną pielęgniarkę. Margie była dużą kobietą, mającą prawie metr dziewięćdziesiąt wzrostu, pozbawioną talii, za to wyposażoną w muskularne ramiona i pokaźny biust, podtrzymywany przez biustonosz, którego paski prześwitywały przez zbyt ciasny fartuch jak belki nośne postmodernistycznego wieżowca. Wilmot doszedł kiedyś do wniosku, że twarz Margie przypomina mielonkę. Pielęgniarka zbeształa Evana za to, że nie wezwał jej, żeby pomogła mu pod prysznicem. Choć już niemal dwa lata pomagała mu załatwiać najbardziej intymne potrzeby fizjologiczne, wciąż odczuwał wstyd, że nawet do wytarcia się po kąpieli potrzebuje pomocy kobiety w średnim wieku.

W końcu jednak Margie skończyła i zostawiła go samego w pokoju. Leżąc w łóżku, ubrany w czystą, suchą piżamę, Evan sięgnął pod materac, gdzie ukrywał tajną buteleczkę z pigułkami. Zdjął wieczko i wysypał na koc garść tabletek oksykodonu.

„O czym, do diabła, ojciec rozmawiał z Johnem w korytarzu?". Od miesięcy toczyli szeptem jakieś dyskusje. Evan zakręcił nawet wodę pod prysznicem w nadziei, że uda mu się coś podsłuchać, ale bez większych efektów. Usłyszał tylko kilka słów, które w dodatku dochodziły do niego jak z głębi tunelu, kompletnie oderwane od siebie. Evan zdawał sobie sprawę, że to efekt leków. Pomimo całej swojej czujności jego ojciec nie miał pojęcia, że Evan bierze podwójne dawki specyfików przepisanych przez lekarzy. Pielęgniarka, która przychodziła w weekendy, miała znajomego w Couer d'Alene, który był w stanie zdobyć wszystko – oksykodon, nembutal, dilaudid, do wyboru, do koloru. Ale nawet odurzony lekami Evan wiedział jedno: jego ojciec nigdy nie miał natury konspiratora. Był dużym, głośnym mężczyzną, który lubił grać pierwsze skrzypce. Lubił, kiedy wszyscy go widzieli i lubił rozkazywać.

Evan był zaskoczony, kiedy pierwszy raz usłyszał w swoim domu głos Johna Colliera. Czuł, że John po cichu go nienawidzi. Znali się od dziecka, ale ich relacje były, ujmując rzecz łagodnie, mocno skomplikowane. A teraz John wrócił do Idaho, pracował dorywczo jako opiekun Evana i spędzał mnóstwo czasu z jego ojcem. Ewidentnie działo się tu coś dziwnego, ale Evan nie miał bladego pojęcia, o co tu chodziło.

Spojrzał z goryczą na tabletki na kocu. „Pieprzyć to", pomyślał. Zobaczymy, co się stanie, jeśli nie weźmie prochów. Powoli i z trudem, używając tylko dwóch sprawnych palców, które mu zostały, włożył wszystkie tabletki z powrotem do butelki. Po raz pierwszy od bardzo dawna odczuwał ciekawość. I lekkie zdenerwowanie. Ale żeby zacząć myśleć, potrzebował jasnego umysłu.

W końcu wrzucił do butelki ostatnią tabletkę, wyciągnął się na łóżku i patrzył w telewizor wiszący na przeciwległej ścianie. Ból nadchodził. Sunął ku niemu powoli i bezszelestnie, jak wielki, głodny wąż. Evan uśmiechnął się. „No chodź, skurwysynu", pomyślał. „Zobaczmy, na co cię stać".

4

McLean, Wirginia

Spóźnia się – stwierdziła Nancy Clement, agentka FBI, spoglądając na zegarek.

– Przyjdzie.

Siedzieli w samochodzie Nancy, czarnym GMC Tahoe, wyprodukowanym na rządowe zamówienie. Wóz był zaparkowany przed centrum handlowym, mniej więcej dwa kilometry od motelu. Mixon specjalnie wybrał na spotkanie zatłoczone centrum, twierdząc, że w ten sposób utrudni swoim prześladowcom zasadzkę. Gideon miał poważne wątpliwości co do konspiracyjnych zdolności Mixona, mając w pamięci wyjątkowo nieudolne śledzenie go samochodem, ale centrum handlowe zapewniało dostateczną anonimowość, a poza tym było blisko, więc powinien zdążyć do domu na kolację.

Zaczęły się już popołudniowe godziny szczytu i tradycyjny waszyngtoński korek. Kierowcy wykorzystywali parking jako skrót pozwalający ominąć światła. W rezultacie Gideon i Nancy dostawali zawrotu głowy, usiłując zachować czujność wśród dziesiątków przejeżdżających aut.

Poznali się trzy lata wcześniej w Kolorado na konferencji poświęconej bezpieczeństwu narodowemu. Przez następne pół roku spotykali się. Nancy była bardzo dobrą agentką, ale jej uroda okazała się raczej wadą niż zaletą w zdominowanym przez mężczyzn Federalnym Biurze Śledczym. Wykształciła w sobie mechanizm obronny w postaci chłodnej niezależności, która wprawdzie odstraszała od niej potencjalnych adoratorów, ale także skutecznie uniemożliwiała nawiązanie z kimkolwiek przyjaźni. Gideon z początku podziwiał to w Nancy, ale wkrótce mniej sympatyczne strony jej osobowości dały mu się we znaki. A jednak, siedząc tuż obok niej w kabinie samochodu, nie mógł powstrzymać się od podziwiania jej smukłych, muskularnych nóg i miodowozłotych włosów.

– Dzięki, że tu przyjechałaś.

– Dzięki, że zadzwoniłeś.

– Prawdopodobnie nic z tego nie będzie, ale uznałem, że warto sprawdzić.

– Zawsze miałeś dobry instynkt.

– Powiedziałaś Rayowi, że jedziesz na spotkanie ze mną? – Ray Dahlgren był zastępcą dyrektora wydziału antyterrorystycznego FBI i bezpośrednim przełożonym Nancy. Gideon spotkał go na tej samej konferencji i z miejsca doszedł do wniosku, że Dahlgren należy do tego gatunku ludzi, którzy uważają się za ambitnych i sprytnych twardzieli, ale w istocie nie są nawet w połowie tak sprytni, jak im się wydaje.

Nancy się uśmiechnęła.

– A jak ci się wydaje?

Pachniała lekkimi, kwiatowymi perfumami. Ten zapach przypominał Gideonowi o godzinach, które spędzali w łóżku w jej obszernym mieszkaniu, stylizowanym na poprzemysłowy loft. Nancy była miłośniczką estampażu, więc na ścianach wisiały liczne kosztowne odbitki średniowiecznych płaskorzeźb. Nocą, w sączącym się z ulicy świetle latarni, obrazy nabierały dziwacznej trójwymiarowości. Gideon spędził niejedną bezsenną noc, wpatrując się w nie.

– Dahlgren za mną nie przepada – stwierdził.

– To nic osobistego – odparła Nancy. – Po prostu jest lojalny wobec prezydenta Wade'a.

Ray Dahlgren był politycznym weteranem, który zawsze potrafił wyczuć, skąd wieje wiatr. Udało mu się załapać na ten sam podmuch, który wyniósł Wade'a na najwyższy urząd w państwie. A ponieważ Gideon nie pałał entuzjazmem do nowego lokatora Białego Domu, Dahlgren nie zamierzał w żaden sposób ułatwiać mu życia.

– Jeżeli okaże się, że Mixon mówił prawdę, Dahlgren będzie mógł się tym zająć po swojemu. Nie będę mu wchodził w drogę.

– Jakie mamy w ogóle podstawy, żeby wierzyć temu całemu Mixonowi?

– Już ci mówiłem. Wiedział, o czym mówi, a nagranie brzmiało autentycznie. A jeśli się okaże, że to oszust, nikt na tym nie straci.

– Poza nami. Zmarnujemy czas.

– Przynajmniej mamy okazję porozmawiać.

Nancy posłała mu szeroki uśmiech, błyskając śnieżnobiałymi zębami.

– Naprawdę się żenisz?

Gideon starał się uniknąć tego tematu, ale Nancy zawsze była wyjątkowo bezpośrednia.

– Tak. Za trzy tygodnie.

– No proszę. Szczęściara.

– To ja jestem szczęściarzem.

Nancy powoli skinęła głową. Gideon mógł rozszyfrować jej myśli. Kiedy się rozstali, Nancy nie wyglądała na załamaną. A jednak dziś od razu odebrała telefon od niego i bez większych oporów zgodziła się na spotkanie z Mixonem. Może po prostu poważnie traktowała bezpieczeństwo narodowe, ale Gideon podejrzewał, że chodziło o coś więcej.

Nancy ponownie zerknęła na zegarek. Dochodziła siódma. Mixon spóźniał się już prawie godzinę.

– Możesz w jakiś sposób się z nim skontaktować?

– Nie, ale wiem, gdzie się zatrzymał.

Gideon zadzwonił do motelu World Up Lodge i nie był zaskoczony, kiedy okazało się, że nie mieszka tam żaden Ervin Mixon. Nie chcąc wzbudzać podejrzeń, zrezygnował z dalszych pytań.

– Mam złe przeczucia – wyznał.

– Możemy tam podjechać – zaproponowała Nancy.

– Dobra.

Motel World Up Lodge z zewnątrz sprawiał wrażenie równie gościnnego jak stodoła albo więzienie. Z nawierzchni parkingu ziały dziury i pęknięcia. Od winylowego sidingu odłaziły płaty farby. „Malowanie sidingu nigdy nie jest dobrym pomysłem", pomyślał Gideon. Neon świecił się tylko do połowy. Galeria na piętrze wyglądała, jakby miała za chwilę się zarwać, a ponadto w połowie gwałtownie skręcała w górę jak podjazd dla wózków inwalidzkich.

– To jego wóz. – Gideon wskazał zielonego chevroleta, wciąż zaparkowanego między kontenerami na śmieci.

Wysiedli i przyjrzeli się z bliska samochodowi Mixona. Drzwi były odblokowane, a maska silnika zimna.

– Stoi tu od dłuższego czasu – zauważyła Nancy. Otworzyła drzwi i zajrzała do środka.

Około dwóch metrów od tylnego koła Gideon dostrzegł na ziemi karabińczyk. Laik mógłby uznać go za urwany element sprzętu turystycznego, ale Gideon natychmiast rozpoznał jego pochodzenie. Karabińczyk pochodził z pasa nośnego karabinu. Podniósł go i pokazał Nancy.

– Nie podoba mi się to – powiedział. – Wygląda, jakby ktoś go oderwał.

– Sprawdźmy w recepcji.

Recepcjonistą motelu okazał się jakiś dzieciak z rzadkimi włosami i ostrym trądzikiem. Zesztywniał ze strachu, kiedy Nancy machnęła mu przed nosem odznaką. Gideon opisał mu Mixona. Recepcjonista potwierdził, że mężczyzna odpowiadający opisowi zameldował się wczoraj, ale od tamtego czasu go nie widział. Dał im klucz do pokoju Mixona. Gideon i Nancy ruszyli na piętro.

– Mamy za słabe podstawy, żeby starać się o nakaz – powiedziała Nancy.

– Uznajmy to za nadzwyczajne okoliczności.

Pokój okazał się jednak całkowicie pusty. Znaleźli tylko szczoteczkę do zębów na umywalce w łazience.

– Dziwne. Ten facet nie wyglądał na kogoś, kto dba o higienę jamy ustnej – mruknął Gideon.

– Jak sądzisz, dokąd poszedł?

– Liczył na pieniądze, więc nie sądzę, żeby chciał się stąd ruszać.

Nancy skinęła głową.

– Może ktoś jeszcze go widział?

Na drugim końcu galerii dwóch czarnoskórych mężczyzn paliło papierosy. Nancy pokazała im odznakę i zapytała, czy widzieli mężczyznę z pokoju numer dwadzieścia pięć.

Jeden z mężczyzn wbił wzrok w ziemię i nie odpowiedział. Jego towarzysz pokręcił głową i zaprzeczył.

– Jesteście pewni? – naciskała Nancy.

Tym razem drugi mężczyzna w ogóle nie odpowiedział. Pierwszy wciąż wpatrywał się w swoje buty. Nancy wręczyła każdemu swoją wizytówkę. Kiedy schodzili z galerii, Gideon zauważył obie wizytówki opadające w podmuchach wiatru na ziemię.

– Oni coś wiedzą – zauważyła Nancy. – Tylko nie chcą nam powiedzieć.

– Ktoś ich cholernie wystraszył.

– Verhoven?

– Właśnie.

5

Alexandria, Wirginia

Dochodziło już wpół do jedenastej, gdy Gideon wreszcie przekroczył próg swojego domu w Alexandrii. Po drodze zaopatrzył się w butelkę oregońskiego pinot-noir, angielskie sery i hiszpańskie kiełbaski. W całym domu paliła się tylko jedna lampa w salonie.

Po niedoszłym spotkaniu w motelu Gideon pojechał z Nancy do Biura w nadziei, że uda mu się porozmawiać z wicedyrektorem Dahlgrenem i uzyskać dostęp do bazy danych NCIC, czyli Krajowego Systemu Informacji o Przestępstwach, w której być może znajdowały się informacje na temat Mixona. Dahlgren zdążył już wyjść z pracy, więc umówił się na spotkanie następnego dnia. W bazie danych nie znaleźli nic ciekawego. Oprócz dwukrotnego aresztowania, najpierw za posiadanie narkotyków (zarzuty później oddalono) i kradzież (w sklepie z elektroniką), a następnie za sfałszowanie czeku, Mixon był czysty. W bazie widniała informacja o jego powiązaniach z Verhovenem, ale bez żadnych szczegółów. Krótko mówiąc, Mixon był tylko jednym z wielu nieudaczników ze smykałką do elektroniki i skłonnością do drobnych kradzieży.

Gideon zadzwonił do Kate z gabinetu Nancy i wyjaśnił, że coś wypadło mu po drodze. Kate nie pytała o szczegóły, choć najwyraźniej nie była zadowolona. Obiecał, że opowie jej wszystko po powrocie do domu. W drodze powrotnej wstąpił do delikatesów Whole Foods, uznając, że romantyczna kolacja powinna skutecznie zrekompensować spóźnienie. Niestety, zakupy zajęły mu więcej czasu, niż przewidywał, a co gorsza na autostradzie międzystanowej 66 wywróciła się ciężarówka, niemal całkowicie blokując ruch. Kate nie odebrała, kiedy dzwonił do niej z samochodu, więc Gideon uznał, że postanowiła jednak go ukarać.

Kiedy wszedł do mieszkania, zobaczył Kate śpiącą na sofie. Była boso i miała na sobie prostą, czarną sukienkę i naszyjnik z pereł. Kasztanowe włosy zaczesała do tyłu. Jej twarz lśniła, choć Kate z zasady ograniczała makijaż wyłącznie do szminki. Na kolanach miała otwarty gruby raport Biura ds. Zarządzania Energią Oceanów.

Po eksplozji platformy Deepwater Horizon powołano specjalną komisję do zbadania przyczyn wypadku i opracowania zaleceń, które pozwolą na uniknięcie, a przynajmniej ograniczenie katastrofalnych skutków wycieków ropy w przyszłości. Kate była w komisji jedyną osobą, która kiedykolwiek pracowała na platformie wiertniczej, dlatego jak mało kto rozumiała ryzyko, jakie niosło pozostawienie w rękach polityków nadzoru nad trudną, skomplikowaną technicznie i bardzo ryzykowną materią, jaką było wydobywanie ropy spod dna morskiego. Sprzeczne interesy ekologów i koncernów energetycznych – oraz polityków finansowanych przez obie strony – sprawiały, że komisja znajdowała się pod nieustannym ostrzałem ze wszystkich stron. Kate starała się zachowywać uczciwość i bezstronność, ale doskonale wiedziała, że wszystkie zalecenia i postulaty komisji utkną w trybach biurokratycznej machiny, skutecznie paraliżującej działalność rządowych organów doradczych.

Ale dziś odłożyła swoją pracę na bok. Ten wieczór miał być tylko dla nich dwojga. Na stole w salonie Kate rozłożyła elegancki obrus i zastawę z chińskiej porcelany. Do tego kieliszki i świece. Kiedy Gideon w końcu dotarł do domu, wosk zdążył już rozlać się po obrusie.

Kate wymamrotała coś przez sen, gdy wszedł do salonu, po czym zwinęła się w kłębek. Gideon uznał, że lepiej będzie jej nie budzić. Nalał sobie wina, odkroił pokaźny kawałek kiełbaski i obserwował narzeczoną. Przez ostatnich kilka miesięcy jej opalenizna zbladła. Naturalnie jasna karnacja, niesmagana już wiatrem i słońcem na platformie wiertniczej, stawała się coraz bardziej widoczna. Kate oddychała głęboko, na jej twarzy malował się rzadko ostatnio goszczący tam spokój.

„Jestem szczęściarzem", pomyślał Gideon.

A jednak...

Gdzieś w odległym zakątku umysłu słyszał natarczywy głos. Gideon zdobył międzynarodowe uznanie jako negocjator, skutecznie rozbrajający kryzysy w rozmaitych zakątkach świata. Kluczem do jego sukcesów było zawsze głębokie przekonanie, że interwencja zbrojna powinna być ostatecznością, wykorzystywaną dopiero wtedy, gdy zawiodą wszystkie wysiłki dyplomatyczne. Ale wydarzenia sprzed półtora roku zmusiły go do rewizji poglądów dotyczących przemocy. Wtedy na platformie okazało się, że w razie konieczności nie tylko potrafi odebrać komuś życie, ale jest w tym zaskakująco dobry. Do tej pory prześladowały go widma ludzi, których zabił, ale nie dlatego, że czuł się winny ich śmierci. Przeciwnie. W ogóle nie miał wyrzutów sumienia z tego powodu.

Czy to możliwe, że właśnie tego chciał od życia? Czyżby kariera akademicka przestała mu odpowiadać? Czy przestał już być Rozjemcą? Ta myśl budziła w nim niepokój.

Rodzice Gideona nie kochali się i ich małżeństwo skończyło się tragicznie – jego ojciec zastrzelił matkę, po czym popełnił samobójstwo. To wstrząsnęło Gideonem, ale nie odebrało mu pewności siebie. Znał swoje możliwości i ufał własnemu instynktowi, który, jak się wielokrotnie przekonał, zazwyczaj dyktował mu słuszne rozwiązania.

Tak samo było z Kate. Instynkt od samego początku podpowiadał mu, że poślubienie jej to właściwe posunięcie.

A jednak... Od czasu, gdy Kate rzuciła pracę na platformie i przeniosła się do Waszyngtonu na stanowisko specjalistki od lobbingu dla Trojan Energy, Gideona czasami nachodziła myśl, że to spokojne życie mu nie odpowiada. Gdy zapadał zmierzch i świat pogrążał się we śnie, zaczynał odczuwać dziwny niepokój. Miał wrażenie, że powinien być gdzie indziej. Że zamiast cieszyć się życiem na przedmieściach, powinien stanąć do walki. Cały czas pamiętał, co powiedział mu Tillman, gdy wrócili z Obelisku: „Lepiej nie żyć w ogóle, niż żyć w cieniu".

Dopił wino. Świeczka na podłodze już się dopaliła i po salonie rozniósł się zapach zgaszonego knota.

Odstawił kieliszek, wziął Kate na ręce i zaniósł ją po schodach do sypialni. Kiedy go nie było, rozpakowała resztę pudeł po przeprowadzce, posłała łóżko i powiesiła zdjęcia na ścianach. Wokół łóżka stały niezapalone świece. Kate westchnęła cicho, kiedy otulał ją kołdrą, ale nie protestowała. Otworzyła oczy na chwilę, po czym natychmiast zamknęła je znowu.

Gideon nie mógł przestać myśleć o Mixonie. Przez głowę przebiegały mu kolejne hipotezy, domysły i pytania, których nie miał komu zadać. Co się stało z tym narkomanem? Dokąd poszedł? Czy jego zniknięcie potwierdzało to, co mówił? A może cały ten spisek to tylko wymysł paranoicznej wyobraźni ćpuna na głodzie?

Powtarzał sobie, że Nancy jest dużą dziewczynką, która nie potrzebuje jego pomocy. Poradzi sobie sama z tropem pozostawionym przez Mixona. Gideon przekazał jej informacje i jego udział w tej historii się zakończył. Ale nie potrafił przestać myśleć o tym, w jaki sposób mógłby pomóc, co mógłby powiedzieć jutro Dahlgrenowi, żeby przekonać go do zaangażowania FBI w tę sprawę. Umył zęby i położył się, odtwarzając w pamięci przebieg dnia i szukając momentów, w których przypuszczalnie mógł dowiedzieć się od Mixona czegoś więcej. Czegoś bardziej przydatnego.

Rozmyślania o Mixonie skutecznie odpędziły sen. Przewracał się z boku na bok. Powieki Kate w końcu lekko się podniosły. Objęła go za szyję. Jej skóra była rozgrzana i miękka. Uśmiechnęła się do niego sennie.

– Wróciłeś – wymruczała.

– Wróciłem.

Pocałował ją delikatnie. I jeszcze raz, bardziej namiętnie. A już po chwili kochali się ze sobą.

Kiedy Kate ponownie zasnęła, Gideon jeszcze długo wpatrywał się w sufit, rozmyślając o człowieku, który twierdził, że zna szczegóły ataku terrorystycznego planowanego na terytorium Stanów Zjednoczonych.

6

Akademia FBI, Quantico, Wirginia

Czy ja dobrze zrozumiałem? – zapytał Ray Dahlgren, wicedyrektor wydziału antyterrorystycznego FBI, gdy Nancy skończyła relacjonować wydarzenia poprzedniego dnia. – Zabrałaś cywila na spotkanie z informatorem w sprawie dotyczącej bezpieczeństwa narodowego?

Było wcześnie rano. Nancy przywiozła Gideona do ośrodka szkoleniowego FBI w Quantico, żeby porozmawiał z jej szefem i pomógł przekonać go do zajęcia się sprawą zaginięcia Ervina Mixona. Wicedyrektor przed chwilą skończył wykład dla studentów Akademii FBI i właśnie udawał się golfowym meleksem na zajęcia na strzelnicy. Nancy i Gideon zabrali się z nim. Dahlgren ani razu jeszcze nie zaszczycił Gideona spojrzeniem.

– To ambasador Davis powiadomił mnie o informatorze. Jestem pewna, że słyszał pan o jego pracy dla gabinetu prezydenta Diggsa.

Wicedyrektor był potężnym mężczyzną, który od razu kojarzył się ze służbami mundurowymi. Należał do tego gatunku ludzi, którzy dorastają na farmie gdzieś w Minnesocie, zaciągają się do Marines, potem do FBI, a dla relaksu czyszczą broń palną. Każde jego słowo miało podkreślać fakt, że to on jest tu szefem.

– Toczymy wojnę z terroryzmem – powiedział Dahlgren – a ty przychodzisz do mnie z historyjką o jakimś ćpunie, który chce wyrwać trochę forsy. Nie podaje żadnych szczegółów i znika, zanim zdążysz z nim porozmawiać.

– Twierdził, że ma informacje o planowanym ataku na ważny cel w kraju – odparła sucho Nancy. – Że zamieszana jest w to prawicowa milicja z Wirginii Zachodniej.

Dahlgren przerwał jej gestem.

– Już mówiłaś. Tyle tylko, że o ile się orientuję, ten twój ćpun nie dostarczył żadnych dowodów na poparcie swoich słów.

– Sądzę, że mówi prawdę – wtrącił się Gideon. – Ma nagranie...

Dahlgren gwałtownie zahamował.

– Jesteśmy na miejscu – zwrócił się do Nancy. – Za chwilę zaczynam zajęcia ze studentami, więc jeśli masz mi do przekazania jakieś nowe informacje, zrób to teraz.

Nie czekając na odpowiedź Nancy, odwrócił się i po raz pierwszy spojrzał na Gideona.

– Uważa pan, że potrafi trafnie określać profile charakterologiczne, panie Davis? Proszę mi wobec tego powiedzieć, jakie wrażenie zrobił na panu ten informator?

Uwadze Gideona nie umknął fakt, że wicedyrektor nazwał go „panem", a nie „ambasadorem". Gideon nie dbał o tytuły, ale to był wyraźny sygnał. Jeżeli ma mieć jakiekolwiek szanse na przekonanie Dahlgrena, musi od razu wyłożyć kawę na ławę.

– Jakie wrażenie zrobił na mnie Mixon? – powtórzył, wysiadając z meleksa. – Sądzę, że to szczwany gnojek.

Dahlgren przez chwilę przyglądał mu się obojętnie.

– A jednak przyjechał pan do mnie.

– Bo ten szczwany gnojek jednak coś wie.

– Niech się pan ze mną przejdzie.

Na strzelnicy zaczęli gromadzić się studenci Akademii w baseballowych czapkach i niebieskich kurtkach. Dahlgren szybkim krokiem ruszył w ich kierunku.

Na widok wicedyrektora studenci błyskawicznie ustawili się w przepisowym szeregu.

– Dobra, proszę o uwagę – odezwał się głośno Dahlgren. – Jestem pewien, że wasi instruktorzy doskonale wyszkolili was w zakresie podstawowej obsługi broni. Ja jestem tu po to, żeby pokazać wam mniej oczywiste, psychologiczne aspekty korzystania z narzędzi, które mogą odbierać życie. Broń, której używacie, nie jest tylko urządzeniem, które robi hałas po naciśnięciu spustu. Sytuacje, w których będziecie musieli po nią sięgnąć, będą zawsze wiązały się z wysokim poziomem stresu. Stawką będzie życie lub śmierć. A stres powoduje osłabienie koordynacji ruchowej, zawężenie pola widzenia, pocenie dłoni i drżenie całego ciała. Dlatego też mam nadzieję, że macie już za sobą etap, w którym po wyjęciu pistoletu zastanawiacie się, co z nim zrobić. To ma być odruch.

Odwrócił się i wskazał dłonią Gideona.

– Mamy dziś specjalnego gościa. Z pewnością wszyscy słyszeliście o Gideonie Davisie. Niektórzy z was pewnie znają jego przydomek – Rozjemca. Wiem jednak skądinąd, że pan Davis całkiem sprawnie radzi sobie z bronią palną. Czyż nie, panie Davis?

Gideon skinął głową. Wicedyrektor ewidentnie miał zamiar zabawić się jego kosztem.

– Potrafię strzelać – odparł krótko.

Dahlgren wyciągnął pistolet z kabury na biodrze, wyjął magazynek i wysypał naboje na dłoń. Następnie wręczył broń Gideonowi.

– Potrafi pan zidentyfikować model?

– Les Baer 1911. Niezła broń, chociaż wydawało mi się, że nie znajduje się na standardowym wyposażeniu FBI.

Ta uwaga wywołała wybuch śmiechu wśród studentów.

– Wydawało się panu, co? – Dahlgren uśmiechnął się chłodno. – Tak się jednak składa, panie i panowie, że 1911 znajduje się na wyposażeniu FBI i jest przeznaczony dla agentów mających specjalne zezwolenie.

Gideon się uśmiechnął.

– Mój błąd – odparł, oddając pistolet wicedyrektorowi.

Dahlgren rzucił okiem na strzelnicę.

– Proszę o dwa cele, odległość sześć i pół metra – polecił oficerowi dyżurnemu.

– Tak jest, sir. – Dyżurny wcisnął przycisk na niewielkim panelu kontrolnym. Z niedużych wnęk na ziemi wyjechały dwie tarcze w kształcie ludzkiej sylwetki.

– Jak widzieliśmy, pan Davis niewątpliwie zna się na broni – powiedział Dahlgren, podnosząc pistolet do oczu. – Wobec tego urządzimy sobie małe ćwiczenie, które pokaże wam, na czym tak naprawdę polega szkolenie w FBI. Skinął ręką na dyżurnego. – Agencie Stimson, czy były pan tak uprzejmy i pożyczył swoją broń panu Davisowi?

Oficer dyżurny nie wyglądał na zachwyconego pytaniem, które w istocie było poleceniem służbowym, ale posłusznie odpiął pas i wręczył pistolet Gideonowi, który rozpoznał w nim glocka 22. Najpopularniejszy pistolet na wyposażeniu organów ścigania w Stanach Zjednoczonych. Glock był rozładowany i nie miał magazynka.

Gideon zapiął pas, mocując się nieco z klamrą. Chciał, aby niepewny wyraz jego twarzy na widok glocka wypadł przekonująco. Sam miał taki pistolet i radził sobie z nim doskonale.

Dahlgren stanął na białym pasie wymalowanym na trawie.

Oficer dyżurny położył ciężką dłoń na ramieniu Gideona i nachylił się do jego ucha.

– Wicedyrektor Dahlgren służył w jednostce odbijania zakładników, naszym odpowiedniku oddziału SWAT – powiedział cicho. – I był najlepszym strzelcem. Niech pan nie próbuje go pokonać, dobra? Proszę celować powoli i ostrożnie i nikogo nie postrzelić przy okazji.

– Ma się rozumieć – odparł Gideon.

– Tylko bez protekcjonalnego tonu – syknął dyżurny. – Mam w głębokim poważaniu, kim pan jest i co o panu mówi wicedyrektor. Jeśli zrobi pan coś głupiego albo niebezpiecznego, to wywalę pana stąd na zbity pysk. Jasne?

– Jak słońce.

Dahlgren niecierpliwie kiwnął ręką na Gideona.

– Podejdź tu, chłopcze. Stopy na linii.

Gideon poczuł dreszcz podniecenia. W młodości strzelał sportowo i miał na koncie kilka medali mistrzostw kraju, ale w dniu, w którym jego ojciec zamordował matkę i popełnił samobójstwo, Gideon przysiągł sobie, że nigdy więcej nie tknie broni palnej. Półtora roku temu musiał jednak złamać tę przysięgę. Od tamtego czasu dwa lub trzy razy w tygodniu jeździł popołudniami na strzelnicę i za każdym razem na nowo odkrywał poczucie mocy, jakie daje strzelanie ostrą amunicją.

Stanął na linii. Oficer dyżurny wręczył mu magazynek.

– Proszę przeładować – polecił Dahlgren.

Gideon włożył magazynek w rękojeść glocka, odciągnął zamek i wsunął pistolet do kabury.

Dahlgren ponownie zwrócił się do studentów.

– Tego typu sytuacjom często towarzyszy zdenerwowanie. To zupełnie naturalne. Panie Davis, może chciałby pan najpierw wypróbować broń, sprawdzić, jak leży w ręku?

– Jeśli nie ma pan nic przeciwko.

– Pięć strzałów wystarczy?

– Będzie musiało. – Gideon uśmiechnął się niepewnie do studentów, którzy zareagowali śmiechem.

– Proszę wyjąć broń i oddać pięć strzałów – powiedział oficer dyżurny. – Bez limitu czasu.

Gideon wyciągnął broń z teatralną ostrożnością i przyjął staromodny chwyt, podtrzymując lewą dłonią magazynek. Zacisnął powiekę lewego oka i powoli pięć razy pociągnął za spust. Trzy pociski trafiły w dziesiątkę, jeden w dziewiątkę, a jeden wylądował na siódemce.

– Nieźle! – Dahlgren wyciągnął dłoń w kierunku Gideona. – Proszę o brawa dla naszego gościa.

Studenci nagrodzili go słabymi oklaskami. Prawdopodobnie tylko jedna trzecia z nich potrafiła strzelać celniej, ale o tym nikt postronny nie musiał wiedzieć.

– Co pan powie na mały zakład? – zaproponował Dahlgren. – Jeśli pokona mnie pan na strzelnicy, pozwolę agentce Clement zająć się pańskim informatorem. Jeśli wygram, zapomni pan o tej sprawie.

Gideon spodziewał się tej propozycji. Spodziewał się jej od momentu, w którym Dahlgren zaprosił go na strzelnicę. Wicedyrektor nie miał najmniejszego zamiaru dawać Nancy wolnej ręki w sprawie Mixona, ale chciał wykorzystać okazję i upokorzyć Gideona. No cóż, skoro powiedziało się A, trzeba powiedzieć też B.

– Dość nonszalanckie podejście jak na sprawę takiej wagi – zauważył Gideon na tyle cicho, żeby nie słyszeli go studenci. – Ale to tylko moje zdanie.

– W takim razie dobrze, że nie pytałem pana o nie – odparł szeptem Dahlgren, po czym podnosząc głos, zwrócił się do studentów. – Za chwilę przeprowadzimy symulację niespodziewanego ataku. Wyobraźcie sobie, że jesteście w trakcie przesłuchiwania podejrzanego. Za sobą wyczuwacie ruch. Odwracacie się i widzicie napastnika szarżującego na was z naładowaną bronią. Co robicie?

– Symulacja będzie prosta – odezwał się oficer dyżurny, przejmując pałeczkę od Dahlgrena. – Panowie, twarzą do mnie. Na mój sygnał odwracacie się i oddajecie trzy strzały do przeciwnika – dwa w korpus, jeden w głowę. Na każdym stanowisku znajduje się stoper, więc jeśli obaj umieścicie wszystkie kulki w celu, wygra szybszy.

– Jasne – powiedział Gideon.

Przez chwilę stali w milczeniu plecami do celów. Po porośniętym trawą terenie strzelnicy hulał wiatr. Gideon czekał na sygnał dźwiękowy informujący o rozpoczęciu ćwiczenia.

Nagle rozległ się krzyk oficera dyżurnego:

– Broń! Broń! Broń!

To zaskoczyło Gideona, który na ułamek sekundy się zawahał. Ale wtedy kontrolę przejął instynkt. Obrócił się, płynnym ruchem wyciągając glocka, i przyjął współczesny, oburęczny chwyt na rękojeści. Tym razem nie mrużył oczu, tylko znalazł wzrokiem cel i nacisnął spust. Jego słuch zarejestrował wykonany wcześniej pierwszy strzał Dahlgrena. Gideon dwukrotnie strzelił w korpus w tak krótkim odstępie czasu, że trzask obu strzałów zlał się w jeden. Następnie uniósł lekko lufę i posłał pocisk w głowę kartonowego celu, który niemal natychmiast odsunął się w bok i zniknął we wnęce.

Na strzelnicy panowała kompletna cisza.

– Jasna cholera – skomentował ktoś wreszcie.

– Rozładować broń – polecił oficer dyżurny.

Gideon sprawdził komorę, wyjął magazynek i wsunął glocka do kabury.

– Czas? – zawołał dyżurny.

Na krańcu strzelnicy znajdował się nieduży komputer, nad którym pochylał się drugi oficer dyżurny.

– Wicedyrektor Dahlgren: jeden przecinek zero trzy sekundy – oznajmił.

Z grupy studentów dobiegły gwizdy i okrzyki podziwu.

– Pan Davis… Eee… – Drugi dyżurny zawahał się. – Nie jestem pewien, czy to prawidłowy odczyt…

– Jaki czas? – przerwał mu Dahlgren.

– Pan Davis... zero przecinek dziewięć dziewięć jeden sekundy.

Kilku studentów aż sapnęło ze zdumienia.

– Sprawdzić cele – warknął Dahlgren.

Dyżurny wcisnął przycisk. Cel wicedyrektora wysunął się z wnęki i obrócił przodem, pokazując trzy dziury po kulach. Dwie w tarczy na środku korpusu i jedną między oczami.

– Dziesiątka, dziesiątka i dziesiątka – obwieścił dyżurny. – Łącznie trzydzieści punktów, pełna pula.

Następnie wcisnął kolejny guzik i ukazał się cel Gideona. Z tłumu studentów dobiegł pomruk.

– Dziesięć, dziesięć, zero. Dwa trafienia, jedno pudło – dyżurny zapisał coś w zeszycie. – No cóż, gdyby pan Davis trafił trzykrotnie, miałby najlepszy wynik w historii FBI. Niestety, ostatni strzał poszedł w powietrze, więc wicedyrektor Dahlgren zwycięża stosunkiem trzydziestu punktów do dwudziestu.

Rozległ się gromki aplauz. Uciszenie studentów zajęło Dahlgrenowi dłuższą chwilę.

– No cóż, przyznaję, że pan Davis nieco nas zaskoczył. Okazuje się, że jest lepszym strzelcem, niż twierdzi. Dlatego raczej nie radziłbym zasiadać z nim do pokera. Ale cel ćwiczenia został osiągnięty. Szkolenie, które otrzymacie w FBI, pozwoli wam przetrwać... i zwyciężyć. – Mrugnął do Gideona. – Proszę wybaczyć, panie Davis. I tak znakomicie panu poszło.

Kiedy wicedyrektor udzielał studentom praktycznych wskazówek z czasów, kiedy służył w jednostce odbijania zakładników, Gideon przywołał do siebie oficera dyżurnego.

– Chciałbym obejrzeć cel.

Dyżurny wzruszył ramionami i wcisnął przycisk. Karton podjechał do linii strzału. Gideon przyjrzał mu się z bliska i pokazał palcem niewielki otwór w środku celu. Dyżurny obejrzał go uważnie.

– Niech mnie diabli! – wykrzyknął.

Odczekał, aż wicedyrektor zakończy przemowę i zwolni studentów, po czym zawołał go do siebie.

– O co chodzi? – warknął zirytowany Dahlgren.

– Eee… sir? – odparł niepewnie dyżurny, dotykając palcem kartonu. – Tu są dwie przestrzeliny.

Dahlgren podszedł bliżej i spojrzał na otwór.

– Bzdura.

– Mówię panu, co widzę, sir. Dwa strzały w jedno miejsce. Pan Davis trafił trzy razy. Idealna trzydziestka. Pan Davis wygrał.

– Jesteś pewien? – zapytał wicedyrektor. – Absolutnie pewien? – W pytaniu zabrzmiała wyraźna groźba.

Dyżurny popatrzył na cel. Teoretycznie mógł się mylić. Przełknął ślinę i zerknął ponownie na Dahlgrena.

– Nie, sir. Chyba jednak się pomyliłem.

– Doskonale – pochwalił go wicedyrektor. – Cieszę się, że się zgadzamy. Jedno trafienie, jedno pudło. Tak?

Dyżurny rzucił Gideonowi przepraszające spojrzenie, po czym skinął głową.

Gideon pokręcił głową z niesmakiem.

– Proszę nas na chwilę zostawić, agencie Stimson – polecił Dahlgren. Dyżurny natychmiast się ulotnił. Wicedyrektor położył masywną dłoń na ramieniu Gideona, który musiał zwalczyć w sobie chęć wykręcenia mu nadgarstka.

– Wydział antyterrorystyczny FBI codziennie otrzymuje dwanaście tysięcy zgłoszeń od wariatów takich, jak pański informator – powiedział Dahlgren. – Gdybyśmy chcieli sprawdzać każdego, musielibyśmy zajmować się tylko tym aż do emerytury. Gdyby agentka Clement przyszła do mnie z twardymi dowodami, poleciłbym jej wszcząć śledztwo. Ale na razie zamiast dowodów mam słowa ćpuna i wykładowcy uniwersyteckiego, który marzy o sławie. – Wicedyrektor uśmiechnął się zimno. – Nie możemy tracić czasu na weryfikowanie wymysłów każdego świra, panie Davis.

Innymi słowy, nie zamierzam marnować cennych zasobów FBI po to, żeby znów mógł poczuć się pan kimś.

Podeszła do nich Nancy Clement.

– Sir, świadkowie przekonująco sugerują, że Mixon został porwany. Po co ktoś miałby go uprowadzać, skoro…

– Przekonująco sugerują? – przerwał jej ostro Dahlgren. – Co to w ogóle oznacza?

Nancy była z natury wygadana, ale tym razem zamilkła, więc Gideon postanowił się wtrącić.

– To w gruncie rzeczy już nie moja sprawa, ale sądzę, że popełnia pan błąd. Rozmawiałem z tym facetem, słyszałem nagranie i uważam, że istnieje duże prawdopodobieństwo, że mówił prawdę.

Dahlgren zrobił krok w tył.

– Cóż, bardzo panu dziękuję za zgłoszenie – powiedział drwiąco, podając rękę Gideonowi. – Zawsze miło jest spotkać kogoś, kto ma poczucie obywatelskiego obowiązku. A teraz żegnam, panie Davis. Mój zastępca odprowadzi pana do bramy.

7

Alexandria, Wirginia

O co chodzi? – zapytała Kate.

Od godziny rozpakowywali kolejne pudła. Przez większość tego czasu Gideon milczał.

– Nie mogę przestać o tym myśleć – odparł, wyjmując z pudła stos książek i ustawiając je na półce.

– O tym całym Mixonie?

Gideon skinął głową. Opowiedział Kate ze szczegółami o swoim spotkaniu z Mixonem i bezproduktywnej wizycie w FBI w towarzystwie byłej dziewczyny. Kate nie robiła mu nawet żadnych wyrzutów o Nancy.

– Jeżeli ten facet mówił prawdę, to możemy mieć do czynienia z czymś naprawdę poważnym. Mixon wspominał o zorganizowanej operacji. Równie dobrze może chodzić o coś na skalę jedenastego września.

– Co o tym myśli Nancy?

Po wyjeździe z Quantico Gideon przeprowadził z byłą dziewczyną długą rozmowę, ale nie zdołał przekonać jej do szukania Mixona na własną rękę.

– Nancy jest przede wszystkim lojalną funkcjonariuszką Biura. Otrzymała od przełożonego wyraźny rozkaz porzucenia tej sprawy i dopóki nie wypłyną jakieś dowody, musi go przestrzegać.

Kate skinęła głową.

– Poszperałem trochę tu i ówdzie – ciągnął Gideon, stawiając kolejną książkę na półce. – Grupa milicji, o której mówił Mixon, mieszka w raczej odludnej części Wirginii Zachodniej. Pełno tam różnych dziwnych typów żyjących poza systemem – surwiwalistów, wariatów czekających na koniec świata, gangów motocyklowych i ludzi, którzy chcą uciec od wszystkiego i wszystkich.

– Czy twój brat przypadkiem tam nie mieszka?

Gideon się zawahał. Od wczoraj kiełkowała mu w głowie pewna myśl. Kiełkowała i coraz szybciej zapuszczała korzenie.

– Zabawne, że o tym wspomniałaś...

Kate przyglądała mu się przez chwilę.

– Poważnie? Tillman mieszka wśród tych dziwaków?

– Ich obóz znajduje się niedaleko jego domu. – Gideon zamilkł na moment. – Podejrzewam, że przetrzymują tam Mixona. Zakładając, że jeszcze żyje. Będą starali się wyciągnąć wszystko, co mi powiedział...

Urwał. Dobrze wiedział, co chciałby zrobić. Co musiał zrobić. Musiał pojechać do Wirginii Zachodniej, skontaktować się z bratem i dowiedzieć, co dokładnie stało się z Ervinem Mixonem.

Tylko że do ślubu zostało kilka tygodni. Wszystkie poradniki nowoczesnego, wrażliwego mężczyzny dwudziestego pierwszego wieku podpowiadały jednoznacznie, że w tym momencie jedynym słusznym wyjściem było zapomnieć o Mixonie i skupić się na wspólnym wybieraniu koloru tapety do salonu.

– Czekasz na moje pozwolenie, żeby móc zacząć go szukać? – zapytała Kate.

Gideon nie odpowiedział. Nie prosił o pozwolenie. Niezupełnie. Zdawał sobie sprawę z możliwych konsekwencji. Nie chodziło tylko o jego bezpieczeństwo, ale też o chaos, jaki nieuchronnie zapanuje. I dlatego nie chciał robić kolejnego kroku bez błogosławieństwa Kate.

– Jak wyglądała?

– Kto?

– Nie udawaj niewiniątka. Wiesz, o kogo pytam. Nancy.

Gideon wzruszył ramionami.

– Chyba dobrze.

– Pozwoliła ci potrzymać swój pistolet?

– Przestań. Chyba nie jesteś zazdrosna?

– A powinnam?

– Nie – odparł Gideon. – Ale myślę, że Mixon naprawdę coś wiedział.

– I uważasz, że możesz pomóc?

Zamiast odpowiedzi Gideon sięgnął do pudła i wyjął stamtąd grubą książkę.

– *Historia dyplomacji Jugosławii* – przeczytał tytuł.

– Zmieniasz temat.

– Poczekaj. – Gideon przekartkował książkę, po czym odwrócił grzbietem do siebie i pokazał Kate czarno-białą fotografię młodego człowieka z wąsami i smutnym wyrazem twarzy.

– Rozpoznajesz tego gościa?

– Wygląda całkiem jak Gawriło Princip.

– Przeczytałaś podpis.

Kate się uśmiechnęła.

– Winna, Wysoki Sądzie.

– Gawriło Princip był serbskim anarchistą, który zamordował arcyksięcia Franciszka Ferdynanda, dziedzica tronu Austro-Węgier. Strzelił mu w szyję. Jeden wściekły człowiek, jedna kula. Tylko tyle było trzeba do wybuchu pierwszej wojny światowej. A cztery lata później nie żyło prawie dziesięć milionów ludzi.

– Przypuszczam, że nie mówisz o tym tylko po to, żeby mi przypomnieć, od czego zaczęła się ta wojna?

Gideon spoważniał.

– A co, gdyby ktoś wtedy stwierdził: „E tam, arcyksięciu codziennie ktoś grozi. Nie ma czym się przejmować". – Odłożył książę na półkę. – Jedna kula naprawdę potrafi zmienić losy świata.

– Czyli chcesz podjąć ten trop i sprawdzić, dokąd cię zaprowadzi?

– Być może to wszystko wymysł. Pewnie tak właśnie jest. Ale co, jeśli okaże się, że Mixon mówił prawdę? Co, jeśli okaże się, że mogłem powstrzymać terrorystów, ale tego nie zrobiłem?

– Naprawdę tylko o to chodzi? – Włosy Kate, wciąż wilgotne po porannym prysznicu, przykleiły się do delikatnego łuku jej szyi.

– Oczywiście. A o co innego może chodzić?

– Daj spokój, Gideon. Myślisz, że niczego nie zauważyłam? Od kiedy zamieszkaliśmy razem, jesteś ciągle niespokojny. Może... – Urwała i pokręciła głową.

– Może co?

Po chwili, która ciągnęła się jak stulecie, Kate w końcu spojrzała mu w oczy.

– Może nie tego chcesz od życia. – Machnęła ręką nad pudłami. – Może tak naprawdę nie chcesz tego domu. Ani posady na uczelni. Ani ślubu.

– Kate...

– Jestem dużą dziewczynką, Gideon. Zniosę to.

– Nie chodzi o ciebie. Naprawdę. Chodzi o to, że jeśli nic nie zrobię, nie będę mógł spać po nocach.

To była prawie cała prawda. Prawie. Gideon nie powiedział jej tylko, że wtedy na Obelisku coś się w nim obudziło. I nie chciało ponownie zapaść w sen.

– To tylko kilka dni. Spotkam się z Tillmanem i zobaczymy, czego uda nam się dowiedzieć.

Kate spojrzała na niego, a Gideon miał nadzieję, że nie zauważyła jego niepewności.

– Spakuję ci torbę – powiedziała w końcu i wyszła z pokoju.

Gideon patrzył za nią, czując napływ adrenaliny do krwi. Lubił to uczucie. Więcej niż lubił. On je uwielbiał.

Kiedy Kate zniknęła na schodach, Gideon na telefonie komórkowym wybrał numer Nancy Clement.

– Cześć – przywitał się, kiedy odebrała. – To ja. Chyba będę mógł pomóc ci znaleźć Mixona.

– Gideon, dostałam wyraźne polecenie od Dahlgrena.

– Wiem. Dlatego właśnie chcę ci pomóc. Jeśli rozegramy to właściwie, Dahlgren nic nie będzie na ciebie miał. Jeżeli dowiem się czegoś, przekażę ci i będziesz mogła się tym zająć. Jeżeli nie, to i tak nikt nie zdoła cię ze mną powiązać. Ale będę potrzebował od ciebie kilku rzeczy...

Kate wyjrzała przez poręcz schodów.

– Kochanie, spakować ci glocka czy sig-sauera?

Gideon zasłonił słuchawkę dłonią i pomyślał przez chwilę.

– Sig-sauera, skarbie.

8

Anderson, Wirginia Zachodnia

Odyniec był podenerwowany. Reszta stada entuzjastycznie ryła w ziemi, ale samiec cały czas obserwował otoczenie, strzygąc uszami i jeżąc sierść na grzbiecie. Tillman Davis przykucnął za krzakiem kalmii szerokolistnej, około trzydziestu metrów od najbliższego zwierzęcia. Strzała była już założona na cięciwę, a łuk gotowy do strzału. Serce biło mu coraz szybciej, ale nie mógł nawet drgnąć. Odyniec natychmiast zauważyłby ruch.

Tillman podążał tropem dzików od kilku tygodni. Stado liczyło jedenaście osobników – sprytnych, szybkich i złośliwych, o czujnych oczach i węchu dorównującym każdemu drapieżnikowi. Jak większość dzików w okolicy wywodziły się od dzika środkowoeuropejskiego, przywiezionego do Stanów z Rosji przez magnata kolejowego Austina Corbina w dziewiętnastym wieku. Miały taką samą gęstą sierść, takie same uszy, takie same siedmiocentymetrowe kły. I taki sam wybuchowy temperament.

Największy odyniec ważył prawdopodobnie około dwustu dwudziestu kilogramów. Dziki uważano raczej za szkodniki niż prawdziwą zwierzynę łowną. Nikogo w gruncie rzeczy nie obchodził ich los. Jakiś czas temu w hrabstwie Bledsoe stado dzików zaatakowało dziecko. Zwierzęta wypruły mu wnętrzności kłami i pewnie pożarłyby go żywcem, gdyby jego babcia w porę nie złapała strzelby. Chłopiec przeżył, ale nie wrócił w pełni do zdrowia.

Gdyby Tillman polował ze strzelbą, zabicie kilku dzików nie stanowiłoby żadnego problemu. Śledził je od dawna, wiedział, kiedy i gdzie żerują. Ale Tillman chciał ubić odyńca z łuku. W tym celu musiał przechytrzyć jedenaście czułych nosów i jedenaście par czujnych oczu, a po wypuszczeniu strzały natychmiast wziąć nogi za pas, żeby nie skończyć jak tamten chłopiec z Bledsoe.

Od celu dzieliło go mniej więcej trzydzieści metrów. Cholernie duży dystans. W dodatku łuk Tillmana nie był jedną z tych zaawansowanych technicznie, kompozytowych maszyn, których używała większość myśliwych. Tillman wykonał go samodzielnie z cisu, tego samego drewna, którego używali angielscy łucznicy z zwycięskich bitwach pod Crécy i Agincourt. Łuk miał potężny naciąg, ale niełatwo było z niego trafić. Żadnych celowników, żadnych stabilizatorów, żadnych strzał z włókna węglowego – tylko drewniane łęczysko, cięciwa i strzała zrobiona domowym sposobem.

Tillman słyszał wyraźnie bicie własnego serca i szum krwi w uszach. Aż dziw, że stado nie wychwyciło tych odgłosów.

Wziął ostrożny, głęboki wdech i skupił się na byciu niewidzialnym. Nie chodziło rzecz jasna o niewidzialność taką jak w filmach, ale Tillman wierzył, że odpowiednia koncentracja pozwala całkowicie oderwać umysł od tego, co dzieje się tu i teraz, i w żaden sposób nie zdradzać swojej obecności – żadnego dźwięku, żadnego ruchu, niczego, co mogłoby zwrócić czyjąś uwagę. I po prostu rozpłynąć się w listowiu. Przećwiczył to już w dżunglach Mohanu. Przechodzący obok niego w odległości trzech–czterech metrów partyzanci nie dostrzegali go, chociaż stał na widoku – no, prawie na widoku.

Jego uwaga, skupiona dotąd w całości na odyńcu, rozproszyła się jak kręgi na powierzchni wody, wchłaniając otoczenie – ostry zapach orzesznika, łagodniejszy aromat dębu, ciepło na policzku w miejscu, na które padł promień słońca, plątaninę czarnych, nagich gałęzi na tle bladego nieba, ledwo słyszalny szelest kilku zeschłych liści na gałęziach ponad nim. Ale odyniec nie zniknął z jego pola widzenia. Przeciwnie. Tillman widział wyraźnie każdy włos sierści, każdy ruch uszu i pyska, każdy oddech zwierzęcia.

Tillman Davis nieczęsto czuł radość i nigdy jej nie szukał. Ale przepełniała go w tej chwili radość. Lub coś bardzo do niej zbliżone.

W jego życiu niewiele było przyjemnych chwil. Gdy miał szesnaście lat, jego ojciec zamordował matkę i popełnił samobójstwo, wcześniej spektakularnie bankrutując i pozbawiając Tillmana i jego brata Gideona wszystkiego. Później Tillman zaciągnął się do wojska i patrzył, jak jego przyjaciele umierają tysiące kilometrów od domu, zapomniani przez ludzi, których interesów bronili. Potem wiódł raczej ciężki żywot w dżunglach Azji Południowo-Wschodniej, tocząc w imieniu CIA małą wojnę domową, która ostatecznie zrobiła z niego kozła ofiarnego i wysłała na dwa lata do więzienia za cudze błędy. Tillman Davis nigdy nie był mężem ani ojcem, a jedyną prawdziwą relacją z drugim człowiekiem w jego życiu pozostawał napięty, chłodny związek z młodszym bratem.

„Przyjdź do mnie". Tillman zamknął oczy i skupił się na odyńcu. „Przyjdź, bracie". Odyniec był już stary. Na klatce piersiowej uwidoczniał się imponujący wzór starych blizn. Na pysku srebrzyły się siwe włosy, brakowało mu też sporej części lewego kła. Został mu być może jeszcze rok lub dwa, ale odyniec spłodził już potomstwo, władał swoim kawałkiem lasu i być może nadszedł jego czas. Myśliwy i zwierzyna, strzała i ciało. Przeznaczone sobie w nieskończonym kręgu.

Czasami Tillman żałował, że nie mógł tego samego powiedzieć o sobie. Że nie dostał kulki w plecy na tamtej platformie, na której ostatecznie zakończyła się jego kariera żołnierza. Ale oszczędzono go, jeśli można tak powiedzieć. W ostatniej chwili z pomocą przyszedł mu Gideon, uratował mu życie i uniemożliwił zamknięcie własnego kręgu.

Poczucie wstydu i bezsensowności własnego życia z każdym dniem coraz bardziej ciążyły Tillmanowi. Codziennie wstawał, gotował gulasz, uprawiał kukurydzę, fasolę, rzepę i marchewkę na kamienistym skrawku ziemi przy domu, zastawiał sidła na zające i polował na jelenie, czytał książki i z uporem lepszym godnej sprawy usiłował nauczyć się gry na banjo. I cały czas miał poczucie, że jego życie jest jedną wielką stratą czasu.

Na szczęście wciąż zostawały mu jeszcze łowy.

Odyniec na chwilę spuścił wzrok. Tillman jednym, płynnym ruchem naciągnął łuk. Czuł, że jeśli strzeli teraz, strzała znajdzie cel.

Gdy jednak tylko puścił brzechwę i cięciwę, usłyszał za sobą hałas. Warkot silnika na piaszczystej drodze prowadzącej do jego domu. Nie widział samochodu przez gąszcz gałęzi, ale słyszał go wyraźnie.

Odyniec, zaalarmowany hałasem, szarpnął się i pochylił łeb. W efekcie perfekcyjnie wycelowana strzała trafiła za wysoko, tuż nad płucami i sercem, po lewej stronie kręgosłupa. Strzał był wciąż śmiertelny. Tyle tylko, że nie zabił zwierzęcia od razu.

Samochód zagrzechotał na drodze. Warkot silnika stopniowo cichł.

„Psiakrew", pomyślał Tillman. „Co to za dupek?".

Nie miał jednak czasu na dłuższe rozważania na ten temat. Rozjuszony odyniec kwiknął głośno i rzucił się prosto na Tillmana. Za późno na założenie drugiej strzały, wycelowanie i strzał.

Odyniec szarżował. Strzała wystawała z grzbietu, mięsień musiał być w strzępach, a jednak dzik znalazł w sobie dość siły, by zaatakować.

Tillman wiedział, że nie zdąży uciec ani wspiąć się na drzewo. Odyniec za sekundę będzie przy nim. Rzucił łuk na ziemię i wyciągnął nóż. Ten sam, który nosił ze sobą od lat, w dżunglach Azji Południowo-Wschodniej i w górach Afganistanu. Cały czas był dostatecznie ostry, by można było się nim ogolić. Tillman traktował go niemal jak przedłużenie ręki.

W niewielkich, czarnych oczkach dzika płonęła żądza mordu. Nie było już mowy o żadnym braterstwie wojowników, odwiecznym kręgu i tym podobnych bzdurach. Odyniec chciał go zabić i rozwlec jego szczątki po okolicy. Z jednego z kłów spływała wąska strużka śliny.

Tillman nagle zauważył ironię sytuacji. Uczestniczył w bitwach i strzelaninach na trzech kontynentach, a zabije go ranny dzik w lesie.

Wyszczerzył się w uśmiechu.

– No dobra, draniu – powiedział do dzika. – Skoro tak chcesz to rozegrać...

Odyniec zaszarżował prosto na niego. Strzała uniemożliwiła mu jednak utrzymanie prostej linii biegu. Zboczył o kilka centymetrów, co wystarczyło, żeby Tillman mógł zrobić krok w bok i pchnąć nożem. Ostrze zagłębiło się w klatkę piersiową dzika.

I wtedy Tillman uświadomił sobie, że popełnił błąd. Dorosłe dziki mają na piersi kilkucentymetrowy pancerz ze skóry, służący do obrony przed ciosami kłów innych samców. Nóż Tillmana wszedł głęboko, ale odyniec nie zwrócił na to większej uwagi.

Zawrócił z nieprawdopodobną prędkością. Szarpnął łbem, ciskając Tillmana w krzak kalmii trzy metry dalej. Impet uderzenia wyrzucił Tillmana wysoko w górę. Wylądował na gałęziach prawie metr nad ziemią. Odyniec zaszarżował, ale Tillman był za wysoko. Tylko jego prawa noga zwisała na wysokości kłów.

Odyniec entuzjastycznie zaatakował stopę Tillmana, który kopnął zwierzę w pysk. Dzik kwiknął i odbiegł, żeby wziąć rozpęd do kolejnego ataku. Tillman drażnił się z nim, majtając nogą i podciągając ją w ostatniej chwili, jak torreador walczący z bykiem. I tak jak torreador odpłacił dzikowi za szarżę, wbijając nóż w jego grzbiet.

Dzik zakwiczał boleśnie i odbiegł kilka metrów. Po chwili jednak zawrócił i wbił w Tillmana rozjuszone, czarne oczy. Oddychał ciężko, jego boki unosiły się i opadały. Krew sączyła się z trzech ran, ale odyniec bynajmniej nie zamierzał się wycofywać.

Zaszarżował ponownie.

Tillman pomachał stopą w nadziei, że uda mu się powtórnie nabrać dzika. Ale odyniec był na to za sprytny. Zamiast jego nogę zaatakował podstawę krzaka, który zatrząsł się od uderzenia. Tillman poczuł, że się zsuwa. Ogarnęła go mieszanina strachu i podziwu.

Łup! Dzik ponownie uderzył w krzak.

Tillman uznał, że zamiast czekać, aż spadnie na ziemię, lepiej przejąć inicjatywę. Zeskoczył z krzaka, ale nogi ugięły się pod nim i przewrócił się w trawę. Na udzie zobaczył krew. Najwyraźniej odyniec zahaczył go kłem, kiedy cisnął go na krzak kalmii, ale Tillman w ogóle tego nie poczuł.

Z trudem dźwignął się na nogi i poczuł pierwsze uderzenie bólu. Wiedział jednak, że musi zagryźć zęby i walczyć dalej.

Spomiędzy drzew wyłoniła się reszta stada, obserwując Tillmana i odyńca z niepokojem, jak ludzie przyglądający się bójce w barze. Dziki patrzyły, czekając na sygnał przywódcy stada.

Ale stary odyniec nie zwracał na nie uwagi. Istniał dla niego tylko ten człowiek.

A Tillman był bezbronny. Dzik kwiknął wściekle, cały czas się w niego wpatrując. Wyraźnie tracił siły. Uderzył racicą w ziemię i pochylił łeb, szykując się do szarży. Z pyska sączyła mu się krew i ślina. Dolna warga drżała z bólu lub wściekłości.

Łuk.

Tillman dostrzegł swój łuk leżący na ziemi. W kołczanie zostały jeszcze trzy strzały. Zrobił krok w kierunku broni.

Odyniec szarpnął łbem i chrząknął.

Tillman wiedział, że ma tylko jedną szansę. Rzucił się w bok.

Dzik zaatakował. Świat nagle zwolnił. Tillman czuł pulsowanie w rozszarpanym udzie, słyszał stukot racic odyńca. Nie miał czasu, żeby zacząć się bać. Liczyła się tylko walka o przetrwanie.

Jego palce zacisnęły się na owiniętym skórą majdanie łuku. Drugą ręką sięgnął po strzałę z kołczana. Odyniec uderzył w niego. Tillman poczuł się, jakby wbił się w niego największy futbolista, przeciwko któremu kiedykolwiek grał. Tylko mocniej. I bez ochraniaczy.

Impet wyrzucił go do góry. Tillman zwalił się ciężko na ziemię i przetoczył na plecy, usiłując złapać oddech. Łuk przepadł, ale w garści wciąż trzymał strzałę. Odyniec zatoczył koło i stanął naprzeciwko niego, pochrząkując cicho.

Reszta stada okrążyła Tillmana, podchodząc coraz bliżej. Dziki cuchnęły starym moczem i odchodami. Wielki odyniec pochylił łeb, przygotowując się do kolejnego ataku.

Tillman instynktownie podniósł ostatnią broń, jaka mu pozostała, kierując w stronę dzika ostry jak brzytwa grot. To był jedyny element uzbrojenia, którego nie wykonał samodzielnie, tylko kupił w sklepie myśliwskim. Grot był zrobiony ze szpicy z utwardzanej stali i trzech ostrzy z chirurgicznej stali. Nie miał łuku, więc musiał użyć strzały jak miniaturowej włóczni. Zacisnął dłonie na brzechwie i oparł nasadkę o guzik wojskowych spodni. Następnie podciągnął nogi i ścisnął drzewce strzał butami.

Przez chwilę słyszał tylko kwik dzików.

A potem odyniec rzucił się do ostatniej szarży. Z impetem uderzył w podeszwy butów Tillmana, który przekoziołkował do tyłu i wylądował twarzą do ziemi.

Odyniec stanął nad nim. Reszta dzików ucichła.

– No dobra – syknął Tillman. – Tylko zrób to szybko.

Dzik zamrugał.

Potem przysiadł na zadzie, jakby szykując się do drzemki. Zamknął oczy. I padł martwy.

Brzechwa wystawała z piersi zwierzęcia na nie więcej niż dwanaście centymetrów. Grot trafił prosto w serce.

Zapadła cisza. Tillman podźwignął się na kolana. Stado pozbawionych przywódcy dzików przyglądało mu się przez chwilę, po czym zniknęło w zaroślach.

Tillman usiłował wstać, ale nie zdołał. Był zbyt zmęczony. Rozpoznawał objawy. Organizm pozbywał się adrenaliny po walce, zmuszając ciało do odpoczynku i odzyskania równowagi. Wiedział, że nie ma sensu się opierać.

Przetoczył się i oparł o jeszcze ciepły, zakrwawiony bok odyńca. Poklepał łeb zwierzęcia. Szczeciniasta sierść kłuła go w ręce.

Chciał coś powiedzieć, coś, co godnie podsumowałoby długie życie starego dzika i jego śmierć w walce. Ale nie potrafił. Słowa były domeną jego brata.

– Wyglądasz koszmarnie – odezwał się jakiś głos, przerywając myśli Tillmana.

Spojrzał w górę i zobaczył mężczyznę stojącego dwadzieścia metrów dalej.

– Ty dupku – mruknął Tillman, zamykając oczy. – Spłoszyłeś mi dzika.

Gideon się uśmiechnął.

– Czy tak należy witać się z bratem?

9

Anderson, Wirginia Zachodnia

Gideon przyniósł z łazienki wojskowy zestaw pierwszej pomocy z demobilu i zabrał się do oczyszczania i opatrywania rany na nodze brata. Rozcięcie wyglądało paskudnie i wymagało założenia co najmniej kilkunastu szwów. Na bucie Tillmana widniała smuga zaschniętej krwi wymieszanej z brudem. Gideon przemył ranę alkoholem. Jego brat leżał z zamkniętymi oczami, nie wydając z siebie żadnego dźwięku. Następnie posmarował brzegi maścią przeciwbakteryjną, opatrzył na krzyż bandażami i owinął całość gazą.

Kiedy skończył, rozejrzał się po spartańsko urządzonym pokoju. Za oświetlenie służyły dwie lampy naftowe. Ściany były nagie, ozdobione tylko wieszakiem, na którym wisiały cztery karabiny i strzelba. Kuchnia składała się z kempingowego palnika i piecyka wybudowanego z beczki na olej. W pomieszczeniu nie było prawie żadnych rzeczy osobistych. Gideon czuł żal, że życie jego brata zostało zredukowane do tej nędznej chatki, która przypominała raczej celę pokutującego mnicha.

Tillman zresztą wcale nie wyglądał lepiej. Był niższy i bardziej muskularny od Gideona, ale teraz sprawiał wrażenie wynędzniałego i wypalonego. I był wyczerpany. Gideon poczuł ukłucie winy. Winy… i smutku. Dwa lata wcześniej z jego brata zrobiono kozła ofiarnego i skazano na więzienie za grzechy, których nie popełnił. Gideon obiecał mu wtedy, że wyciągnie go z kłopotów, ale nie udało mu się dotrzymać słowa. Nie we wszystkim. Chociaż Tillman i tak nigdy nie dowie się, ile politycznych koneksji uruchomił w jego sprawie Gideon. W Waszyngtonie znalazło się sporo wpływowych ludzi, którzy najchętniej wsadziliby Tillmana za kratki na resztę życia. I gdyby nie Gideon, pewnie by im się udało. A jednak wciąż czuł się odpowiedzialny za to, jak skończył jego brat.

Gideon zaczął się zastanawiać, czy nie powinien jednak wrócić do domu. Mixon był jego problemem, nie Tillmana. Jego rozmyślania zostały jednak gwałtownie przerwane, gdy Tillman otworzył oczy.

– Gideon – odezwał się słabym głosem. – Nie przyjechałeś tu z Waszyngtonu tylko po to, żeby pomóc mi oprawić dzika. Mów, o co chodzi.

Gideon przyglądał się bratu przez chwilę.

– Jakiś czas temu opowiadałeś mi o grupie neonazistów w okolicy. Mówiłeś, że kontaktowali się z tobą kilka razy.

– To nie są neonaziści – wymruczał Tillman. – To milicja.

– Dobra. Powiedziałeś, że próbowali cię zwerbować. Podobno uznali, że macie zbieżne poglądy.

– No i...?

Gideon opowiedział mu wszystko, co wydarzyło się do tej chwili – o Mixonie, Nancy Clement i planowanym zamachu terrorystycznym na terytorium USA, za którym, jak sądził, stoi Verhoven. Kiedy skończył, Tillman westchnął i zsunął się ciężko z łóżka.

– Pieprzenie.

– Dlaczego?

Tillman znużonym gestem przeczesał sobie włosy ręką i pochylił się lekko.

– A dasz mi się przespać, jeśli ci wyjaśnię, co tak naprawdę dzieje się na farmie Verhovena i dlaczego mylisz się co do niego?

– Zgoda.

– Dobra, to pozwól, że najpierw naświetlę ci tło i podzielę się z tobą nabytą w więzieniu wiedzą na temat różnych odmian prawicowego oszołomstwa w Ameryce. – Tillman wyciągnął prawą rękę i pokiwał palcami. – Tu, na samym końcu, masz neonazistów, skinheadów i chrześcijańskich suprematystów – generalnie, wszystkich, którzy wierzą w dominację białej rasy. Do tego dochodzi jeszcze Bractwo Aryjskie. To w gruncie rzeczy zwykła banda kryminalistów, ale wyznają tę samą filozofię rasową. – Nieco bliżej centrum masz milicje. Niektóre grupki współpracują z neonazistami, rasistami i suprematystami, ale większość trzyma się od ekstremistów z daleka. Z niektórymi mam o czym porozmawiać. To są najczęściej libertarianie, wyznawcy Konstytucji, Drugiej Poprawki, prawa do noszenia broni, ogólnie ludzie, którzy mają dość gówna, którym rząd Stanów Zjednoczonych zalewa ten kraj. Co parę tygodni biegają po lesie z karabinami i w kamuflażu, ale na tym koniec. Dużo mówią, ale są nieszkodliwi.

– No dobrze, a Verhoven?

Tillman uśmiechnął się słabo.

– Podobno dużo mówi o tym, jak to Amerykę zbudowali miłujący Konstytucję protestanci, jak to zapomnieliśmy o naszym dziedzictwie i tym podobne brednie. Wmawia swoim chłopakom, że muszą się zbroić na jakąś wielką konfrontację z rządem, że za chwilę szturmowcy Imperium odbiorą im konstytucyjnie zagwarantowane prawo do noszenia spluw i tak dalej. Ale o ile wiem, to tylko przykrywka. Verhoven tak naprawdę nie interesuje się polityką.

– A czym się interesuje?

– Prochami. Głównie metamfetaminą.

– Jesteś pewien?

– Wszyscy w okolicy o tym wiedzą. Verhoven to spory producent. Zaopatruje w towar dilerów, głównie z gangów motocyklowych i spośród skinheadów.

– Skoro wszyscy o tym wiedzą, to jakim cudem go jeszcze nie przymknęli?

– Z tego, co słyszałem, dziadek Verhovena był jednym z największych bimbrowników w okolicy, a przy okazji szeryfem hrabstwa. Tutaj to tradycja. Dopóki nie nadepniesz komuś na odcisk, nikt nie wsypie cię przed federalnymi.

Gideon czuł narastający niepokój. Czyżby dał się aż tak podpuścić? Co będzie, jeśli okaże się, że Dahlgren miał stuprocentową rację co do Mixona?

– Więc mówisz, że...

– Mówię tylko to, co usłyszałem od innych ludzi. Podobno Verhoven zarejestrował swoją milicję jako organizację non-profit. Dzięki temu nie płaci podatków. A ideologia się przydaje, kiedy trzeba pozyskać nowych rekrutów. Broń służy głównie ochronie, żeby przypadkiem nie skasowała go konkurencja. Czy Verhoven rzeczywiście wierzy w to, co opowiada tym chłopakom? Być może. Ale przede wszystkim jest biznesmenem. Jemu chodzi o kasę, więc po co miałby odpalać bombę na Times Square? Zamachy szkodzą interesom.

Gideon nachylił się do brata.

– Słuchaj, być może robię dużo hałasu o nic, ale wydaje mi się, że kroi się coś poważnego. – Opowiedział Tillmanowi o spotkaniu z Mixonem i jego informacjach o planach zamachu na rząd, powstających na farmie Verhovena.

Kiedy skończył mówić, Tillman tylko wzruszył ramionami.

– No i...?

– Powiedziałeś mi kiedyś, że ci faceci z milicji znają twoją historię i chcą, żebyś do nich przystał. Miałem nadzieję, że mógłbyś się z nimi spotkać, odwiedzić ich obóz, zobaczyć, czy nie przetrzymują tam Mixona. W razie czego dałbyś mi znać, a ja powiadomię FBI.

Tillman zrobił zniesmaczoną minę.

– Z jakiej racji miałbym pomagać rządowi federalnemu? Żeby znowu mnie zamknęli? – Wstał, ściągnął koszulę i rzucił na łóżko. – Złaź z mojego wyra. Jestem zmęczony.

Gideon wstał. Tillman położył się i zamruczał ze znużeniem.

– Zrobisz to?

– Według mnie to jeden wielki stek bzdur.

– Ale jeśli to nie jest stek bzdur, zginie wielu niewinnych ludzi.

Tillman wyciągnął spod łóżka gruby wełniany koc.

– Ja już służyłem ojczyźnie i zobacz, jak mi podziękowała. Nie, ja się na to nie piszę.

Gideon z niejakim trudem przełknął te słowa.

– Wiesz, co dla ciebie zrobiłem – odezwał się po chwili. – Gdyby nie ja, już byś nie żył. Albo wciąż siedział w więzieniu.

Tillman był o dziewięć kilogramów cięższy od Gideona, ale leżąc na łóżku wyglądał na mniejszego, jakby ściśniętego. Otworzył jedno oko i rzucił bratu zmęczone spojrzenie.

– Co na to wszystko Kate?

– Kate nie ma tu nic do rzeczy – odparł szybko Gideon. Odrobinę za szybko.

– Wie, że tu jesteś?

– Jasne. Kazała cię pozdrowić.

– Gdybym był na twoim miejscu, braciszku, już byłbym w drodze z powrotem do domu i łóżka.

– Jak tylko to sprawdzimy.

– Dobra. Jak chcesz. Rozejrzę się z rana, ale potem będziemy kwita. – Tillman odwrócił się twarzą do ściany. – A teraz mogę już iść spać?

Gideon poszedł do samochodu po sportową torbę, wypełnioną sprzętem komunikacyjnym, który wycyganił od Nancy Clement.

Zanim skończył go rozpakowywać, Tillman już chrapał.

10

Pocatello, Idaho

Jak długo jeszcze? – zapytał Wilmot.

Stali wraz z Collierem na tarasie, skąd rozciągał się widok na zajmującą ponad osiem tysięcy hektarów posiadłość Wilmota. Nad zieloną ścianą lasu wznosiły się ośnieżone szczyty gór Bitterroot. Błękitna wstęga rzeki wiła się w dolinie poniżej. O istnieniu fabryki manioku przypominał tylko niewielki obłok dymu w oddali.

– Niedługo – odparł Collier.

Obaj zamilkli. Pod nimi nieużywany padok prowadził w dół do stajni, które dawniej były domem dla stada pięknych koni. Collier wyczuł silne wzruszenie szefa.

– Bardzo długo pracowałem, żeby stworzyć to miejsce – odezwał się Wilmot. – Niełatwo będzie to wszystko zostawić.

– Dziedzictwo, które pan po sobie pozostawi, będzie znacznie większe.

Odpowiedź Wilmota przerwał hałas dochodzący od strony drzew. Spomiędzy ośnieżonych drzew sto metrów dalej wyłoniła się jakaś postać i rzuciła biegiem w kierunku domu. To była jedna z kongijskich kobiet z fabryki, Amalie. Ta, która w kółko wypytywała Colliera o Christiane.

– *S'il vous plait!* – zawołała kobieta, brnąc w śniegu. – *S'il vous plait!*

Wilmot żelaznym chwytem złapał Colliera za ramię.

– Zejdź tam i zajmij się tym, John – powiedział. – Już czas.

– Tak jest!

Collier szybkim krokiem pomaszerował z powrotem do domu. Po drodze minął Evana, który jechał swoim wózkiem w przeciwnym kierunku. Jak tylko zniknął z pola widzenia syna szefa, puścił się biegiem. Kiedy dotarł na parter, rozległo się łomotanie do drzwi wejściowych. Collier przebiegł przez kuchnię, zatrzymując się na chwilę przy lodówce. Z maselniczki wyjął nieduże, czerwone pudełko z kartonu, które następnie schował do kieszeni kurtki.

Otworzył drzwi wejściowe i zobaczył na werandzie Amalie. Oczy dziewczyny rozszerzyły się, jakby oczekiwała kogoś innego.

– *Bonjour, ca va?* – zapytał Collier z uśmiechem. – W czym mogę ci pomóc?

Evan podjechał wózkiem tak blisko poręczy, jak się dało. Po odstawieniu środków przeciwbólowych nieustannie cierpiał. Ból był ostry i przenikliwy, jak zimowe powietrze. Ale z jakiegoś powodu nie przeszkadzał mu tak bardzo.

– Co tu się, do cholery, dzieje, tato? – zapytał. – Kto to jest?

Poniżej widać było Johna Colliera, prowadzącego szczupłą, ładną Murzynkę w kierunku stajni.

Wilmot spojrzał uważnie w twarz Evana.

– Wyglądasz dzisiaj jakoś inaczej – stwierdził. – Dlaczego?

Evan nie przyznał się ojcu, że przestał brać pigułki. Leki go otumaniały, a on musiał w końcu trzeźwo ocenić sytuację. Jeżeli ojciec wplątał się w jakąś brudną historię, Evan nie chciał wzbudzać jego podejrzeń.

– Zadałem ci pytanie – przypomniał. – Co to za kobieta? Co wy robicie z Johnem w tym lesie?

– John to niezwykły człowiek – odparł Wilmot. – Prawdę mówiąc, to geniusz. Pracuje nad nową metodą uzyskiwania energii – próbuje otrzymać etanol ze ścieru drzewnego. Sam wiesz, ile tego zostaje w tartaku. Pomyślałem, że ściągnę go tutaj, dofinansuję jego badania i zobaczę, co z tego wyniknie.

– Więc John ma w lesie jakąś fabrykę?

Wilmot skinął głową.

– W tej okolicy ciężko o pracowników fizycznych. W Coeur d'Alene w ubiegłym roku zjawiła się grupa kobiet. Uciekały przed ludobójstwem we wschodnim Kongu. Zatrudniłem je do pomocy w przedsięwzięciu Johna.

– Pytam, bo tak sobie myślę... – wyjaśnił Evan. – Kiedy go tutaj zobaczyłem... Zdziwiłem się, że zatrudniłeś akurat jego, żeby mi pomagał.

– Przecież to twój przyjaciel – odparł ostrym tonem Wilmot. – Znacie się od dziecka.

Evan nie odpowiedział. John odnosił się do niego z sympatią i zawsze sumiennie wypełniał swoje obowiązki. Ale Evan znał się na ludziach i był przekonany, że John Collier wciąż nienawidzi go tak samo, jak kiedyś.

Wilmot otoczył syna ramieniem. To było miłe uczucie. Evan wiedział, że ojciec go kocha. Tylko że nigdy wcześniej nie okazywał mu tego tak otwarcie.

– Zmarzniesz.

– Nic mi nie będzie. Prawdę mówiąc, tu jest całkiem przyjemnie.

Ojciec ścisnął go za ramię. Wyglądał na dziwnie zamyślonego. Zazwyczaj był w ciągłym ruchu, zawsze zajęty, wydający polecenia, prący wciąż naprzód.

– Wracajmy do środka, zanim się przeziębisz – powiedział Wilmot i popchnął wózek do wnętrza, nie czekając na odpowiedź Evana.

Od kilku miesięcy ojciec prowadził z Collierem przyciszone rozmowy i natychmiast zmieniał temat, gdy tylko Evan zjawiał się w pobliżu. Jego otępiały od środków przeciwbólowych mózg rejestrował ich dziwne zachowanie, ale teraz, gdy miał w końcu czysty umysł, zaczął dostrzegać to z pełną ostrością. I nabierać podejrzeń. Kiedy ojciec popychał wózek z powrotem do ciepłego salonu, Evan miał już pewność, że coś jest nie tak. Po co ojciec miałby zatrudniać Afrykanki, które nie znają angielskiego do pracy w eksperymentalnej fabryce etanolu w środku lasu w Idaho, skoro w okolicy mieszkało wielu bezrobotnych drwali, którzy z radością przyjęliby każdą pracę za każde pieniądze.

Evan był dumny ze swojej służby w wojsku, choć zakończył ją jako wrak człowieka. Jednak odkąd wrócił z wojny, ojciec się zmienił. Dawniej głośno i dobitnie wyrażał swoje izolacjonistyczne poglądy, a teraz przeżuwał swoją wściekłość w milczeniu. Dlatego Evan musiał dowiedzieć się, co ojciec planuje razem z Collierem.

Popchnął drążek wózka, odjeżdżając od Wilmota.

– Do zobaczenia później, tato.

– Proszę mi powiedzieć, gdzie jest Christiane – zażądała Amalie. – Mówi pan, że wszystko jest w porządku, ale chcę ją zobaczyć!

– Dobrze, dobrze – odparł Collier. – Uspokoisz się, jeśli obiecam, że cię do niej zawiozę?

Poprowadził Amalie przez półkolisty podjazd przed domem Wilmotów. Z początku zamierzał załatwić sprawę w stajni, ale dziewczyna była zbyt wzburzona, żeby dała się tam spokojnie zaprowadzić.

– Wsiadaj. – Położył dłoń na jej ramieniu.

Amalie strząsnęła jego rękę i rzuciła mu rozwścieczone spojrzenie.

– Mam cię do niej zabrać czy nie?

Dziewczyna po chwili skinęła głową i podeszła do jego forda F-150. Collier westchnął głośno i obejrzał się przez ramię. Wolał się upewnić, że Wilmot aprobuje jego postępowanie.

Evan i jego ojciec wciąż patrzyli na niego z tarasu.

Widząc Wilmota obejmującego syna ramieniem, Collier poczuł się, jakby ktoś wbił mu w żołądek nóż. I obrócił. John Collier nie należał do ludzi rozpamiętujących przeszłość, ale nie mógł uwolnić się od wspomnienia dnia, w którym opuścił to miejsce.

To nie było przyjemne rozstanie i tylko pan Wilmot wiedział, co się naprawdę wydarzyło.

Collier urodził się w posiadłości Wilmotów. Jego matka była pokojówką i nianią Evana. Nigdy nie dowiedział się, kto był jego ojcem. Matka nie chciała mu tego powiedzieć. Zmarła, zanim zdążył wydusić z niej prawdę. Czasami Collier wyobrażał sobie, że jest synem Wilmota, ale im był starszy, tym mniej wydawało się to prawdopodobne. Dale Wilmot świetnie prezentował się jako wysoki, potężny mężczyzna o kwadratowej szczęce, natomiast John był niski i szczupły, o delikatnych, prawie kobiecych rysach i rudych włosach. A ponieważ jego matka nie była ani szczupła, ani delikatna, ani ruda, uznał, że odziedziczył te cechy po ojcu.

Dorastając w posiadłości, nie mógł jednak nie traktować Wilmota jako kogoś w rodzaju przybranego ojca. Innego kandydata nie było, jeśli nie liczyć Arne Szellenborga, który u Wilmotów pełnił funkcję lokaja, ogrodnika lub każdego innego fachowca, jeśli jakiegoś akurat potrzebowano, a poza tym był stuprocentowym gejem i alkoholikiem.

Wilmot od czasu do czasu nagradzał wyjątkowe zdolności Colliera, obdarzając go zegarkiem albo wiatrówką za wygraną w konkursie ortograficznym albo matematycznym. Tyle że zainteresowanie okazywane mu przez Wilmota zawsze było jak ochłap rzucony ze stołu. John Collier dorastał bowiem w cieniu Evana Wilmota.

Evana, złotego chłopca. Syna idealnego. Evana, w którym Wilmot ulokował wszystkie swoje nadzieje na przyszłość.

I Evan, niech go szlag, nigdy nie zawiódł jego oczekiwań. Wilmot senior miał urodę przystojnego brutala, natomiast jego syn wyglądał jak model. Wilmot zdobył stypendium sportowe na Uniwersytecie Idaho dzięki uporowi i determinacji (oraz zapewne sporej domieszce brutalności). Evan zdobywał kolejne futbolowe trofea bez większego wysiłku. Miał dar. Potrafił przebiec całą długość boiska bez zadyszki. Dostrzegał luki w linii obronnej przeciwnika, prześlizgiwał się między obrońcami, zdobywając kolejne metry. Wilmot traktował ludzi jak narzędzia, które w razie potrzeby wyjmuje się ze skrzynki. Jego syn okazywał innym szczere zainteresowanie. Był urodzonym przywódcą. Ludzie podążali za nim, ponieważ chcieli być jego przyjaciółmi, a nie dlatego, że ulegali jego manipulacjom. Collier mógł rywalizować z Evanem wyłącznie w nauce, choć lepsze wyniki zdobywał jedynie z matematyki i fizyki.

Tydzień przed osiemnastymi urodzinami Evan wygrał w Nampa stanowe mistrzostwa w ujeżdżaniu w swojej kategorii wiekowej. Na urodziny dostał od ojca konia wartego siedemdziesiąt pięć tysięcy dolarów.

Urodziny Colliera przypadały dwa dni później. Wilmot podarował mu kupon do sklepu z elektroniką, wart pięćset dolarów.

John Collier poczuł się skrzywdzony. Codziennie, gdy wstawał i wyglądał przez okno małego domku, w którym mieszkał z matką na terenie posiadłości, widział Evana oporządzającego swojego konia. Słuchał charczenia i kaszlu matki, która właśnie zapalała pierwszego papierosa, i wpatrywał się w bryłę domu Wilmotów. Dale Wilmot pozostawiał swój odcisk na wszystkim, czego się dotknął, i dom nie był tu żadnym wyjątkiem. Na pierwszy rzut oka wyglądał jak typowa, wiejska posiadłość, jakich pełno w górach na zachodzie Stanów Zjednoczonych. Dopiero gdy spojrzało się z odpowiedniej perspektywy na dom i otaczający go teren, dawało się zauważyć, jak olbrzymi był to budynek.

Przypominał fałszywie mówiącego człowieka, który mówił: „Jestem taki jak ty. Zwyczajny, ciężko pracujący facet. Sól tej ziemi. Tylko że jestem od ciebie lepszy pod każdym względem".

Któregoś ranka Collier obserwował, jak Evan puszcza konia kłusem i galopem, ćwicząc skoki przez kolejne przeszkody. Od czasu do czasu Collierowi pozwalano jeździć konno, więc potrafił ocenić, jak znakomitym jeźdźcem jest Evan. Było wcześnie rano, niezbyt gorąco, ale Evan ściągnął koszulkę. Na jego perfekcyjnie wyrzeźbionym torsie perliły się kropelki potu.

Po chwili Collier dojrzał postać w szlafroku na tarasie domu. Dale Wilmot stanął przy barierce i długo wpatrywał się w syna. Collier nie widział jego twarzy. Nie musiał. Z każdego ruchu ciała Wilmota przebijała duma i poczucie spełnienia. To wszystko jest moje, mówił Wilmot. Moja ziemia, mój dom, mój las, mój widok... Mój doskonały syn.

Collier poczuł gwałtowny przypływ wściekłości. Bez względu na to, co kiedykolwiek osiągnie, nigdy nie będzie miał ojca, który spojrzy na niego tak, jak Wilmot patrzył na Evana. Nigdy.

W garażu Collier urządził małe laboratorium chemiczne. Zaczął je budować jeszcze w podstawówce, przez lata gromadząc zlewki, probówki, pipety i chemikalia. Była tam wirówka, palnik Bunsena i autoklaw. John Collier był nieszczęśliwym dzieckiem, które jedyną radość znajdowało w swoim laboratorium. Przeprowadzanie reakcji chemicznych dawało mu poczucie siły. W laboratorium królowała dokładność, precyzja i skupienie, w przeciwieństwie do kompletnego chaosu świata zewnętrznego. Fałszywy chichot dziewczyn, tępe okrucieństwo faceta od WF, głupota nauczycieli, głupota uczniów – jeśli światem rządziły jakieś reguły, to John Collier ich nie znał. Jego dzieciństwo jawiło się jako jedno wielkie pasmo udręk.

Rozumiał tylko chemię. W pewnym sensie nawet ją kochał. Uspokajające kapanie z biurety podczas miareczkowania, kontrola temperatury i ciśnienia, katalizatory, reagenty i piękno strzałek na wykresach, które ustalały, że a plus b daje c. W laboratorium wszystko miało swoje miejsce.

Tamtego dnia obserwował Evana na koniu ponad godzinę. A potem na sześć godzin zamknął się w garażu. Potrzebował całkowitej ciszy i skupienia, aby wyprodukować to, co zamierzał, i nie wywołać przy tym eksplozji, nie zatruć się śmiertelnie wyziewami, a przede wszystkim nie stworzyć bezwartościowej papki.

Chemia zadziałała perfekcyjnie. W przeciwieństwie do całej reszty planu.

Collier wyprodukował truciznę, którą zamierzał umieścić w torbie z owsem konia. Wcześniej wypróbowywał rozmaite substancje na innych zwierzętach, ta jednak miała wywołać u konia jak największy ból. Precyzyjnie odmierzył dawkę. W sam raz, żeby uśmiercić zwierzę, ale za mało, żeby stało się to szybko.

Zalał owies trucizną, a następnie powiesił torbę w boksie. Koń obwąchał ją nieufnie. Przez chwilę Collier obawiał się, że nie zechce zjeść zatrutego owsa, że bezwonna trucizna w jakiś jednak sposób zaalarmowała bardzo czuły koński węch.

Ale koń po krótkim wahaniu zabrał się ochoczo do jedzenia, opróżniając torbę do czysta. Kilka minut później przewrócił się i zaczął wić z bólu, rżąc głośno.

Collier patrzył na umierającego konia i czuł ogarniające go poczucie siły. Stał tam, zahipnotyzowany swoim morderczym dziełem i zachwycony nowo odkrytą władzą nad życiem i śmiercią. Koń miotał się i wierzgał rozpaczliwie, a John Collier uśmiechał się, pęczniejąc z dumy.

A potem usłyszał hałas. Odwrócił się i zobaczył Wilmota, stojącego w drzwiach boksu z zastygłą twarzą. Wzrok Colliera padł na stojącą na słupku zlewkę, wypełnioną bezbarwnym płynem, następnie na Wilmota i znów na zlewkę.

Collier zamarł, spodziewając się, że Wilmot wpadnie do boksu i zatłucze go na śmierć. Zamiast tego Dale Wilmot odezwał się cichym, spokojnym głosem, który tylko podkreślał kipiącą w nim wściekłość:

– Zabieraj swoje rzeczy i wynoś się stąd.

Collier wybiegł przez podwójne drzwi stajni, pędząc ile sił w nogach.

Kiedy wpadł do domu, jego matka akurat zaszywała jakieś ubranie.

– Gdzieś ty się znów podziewał?

W odpowiedzi Collier poszedł do garażu, zamknął drzwi na klucz i zaczął metodycznie tłuc wszystkie zlewki, pipety i probówki.

– Co ty znowu wyprawiasz, niewdzięczny smarkaczu? – darła się zza drzwi matka.

Po rozbiciu całego szkła w laboratorium Collier wyszedł z garażu, mijając ją bez słowa. W domu spakował swoje nieliczne rzeczy do starego, wojskowego plecaka, kupionego poprzedniego lata na dorocznym meczu futbolowym Armii z Marynarką Wojenną w Coeur d'Alene. Z pensji za pracę w supermarkecie Pak N Save odłożył dwa tysiące siedemset dolarów. Na początek wystarczy, żeby znaleźć jakieś mieszkanie w Boise.

To było sześć lat temu. W tym czasie Collier trafił do Wirginii Zachodniej, gdzie spotkał pułkownika Verhovena, który – bardzo zainteresowany jego uzdolnieniami chemicznymi – zatrudnił go do produkcji amfetaminy. Przez cały ten czas nie widział się i nie kontaktował z Wilmotami. Aż do dnia, w którym Dale Wilmot nieoczekiwanie wszedł do sklepu Verhovena, gdzie Collier za dnia zajmował się zamówieniami i księgowością. Wilmot powiedział mu, że Evan został ranny i potrzebuje jego pomocy. Matka Colliera już nie żyła i nikt nie nosił po niej żałoby, ale niespodziewane pojawienie się Wilmota było dla niego jak druga szansa na posiadanie rodziny, której zawsze pragnął.

Otrucie konia było szczytem głupoty. Co on sobie w ogóle myślał?

Trzeba było otruć Evana.

***

Amalie siedziała w samochodzie, wsłuchując się w szmer termowentylatora. Z początku myślała, że pan Collier ją uszczypnął. Teraz jednak uświadomiła sobie, że miał coś w ręku, gdy otwierał jej drzwi. Coś, czym ukłuł ją w biodro. Z jakiegoś powodu Amalie czuła się zdezorientowana, więc siedziała cierpliwie, czekając, aż pan Collier zamknie drzwi po jej stronie i wsiądzie za kierownicę.

Collier uruchomił forda i ruszył.

Za oknem migały mijane drzewa. W środku zrobiło się bardzo ciepło. Amalie zaczęła się odprężać. „Byłam strasznie spięta, od kiedy znalazłam się w tym miejscu", pomyślała.

Cały czas się zamartwiała, a przecież tak naprawdę nie zdarzyło się nic złego. Owszem, Christiane zachorowała. Ale w Afryce ludzie też chorowali na *konzo*, a Christiane przynajmniej trafiła pod opiekę amerykańskiego lekarza. W Kamie w ogóle nie było lekarzy. Do najbliższego trzeba było płynąć łodzią czterdzieści kilometrów w dół rzeki.

Wkrótce Amalie poczuła rozlewający się po całym ciele spokój. Spokój, jakiego doświadczyła w życiu tylko kilka razy. Uświadomiła sobie, jak bardzo jest zmęczona. Stanowczo za dużo pracowała.

Była taka zmęczona.

Nadchodzący sen był jak zbawienna burza po długiej suszy. Wyobraziła sobie zbliżający się deszcz, rozbłyski piorunów i ciemne, skłębione chmury. Wicher przyginający drzewa do ziemi.

W końcu czarna nawałnica dotarła do niej. A potem przyszedł spokój.

11

Anderson, Wirginia Zachodnia

Wolę pracować, siedząc na krześle – oznajmiła Lorene Verhoven. – Może jestem leniwa, ale kiedy za długo stoję, szybko się męczę.

Ervin Mixon siedział na krześle. Jednak w przeciwieństwie do Lorene Verhoven, był do niego przywiązany taśmą klejącą za nadgarstki, stopy, szyję i klatkę piersiową. Usta również zaklejono mu taśmą, skutecznie uniemożliwiając mówienie. Krzesło znajdowało się w ciemnym betonowym bunkrze, w którym ludzie Verhovena na co dzień zajmowali się produkcją metamfetaminy. Ponure pomieszczenie, starannie zaplanowane przez Johna Colliera, mieściło się ponad dwanaście metrów pod ziemią. Na tyle głęboko, by nikt nie mógł usłyszeć krzyku.

Mixon tkwił na krześle od kilku godzin, zupełnie sam. Lorene pojawiła się dopiero przed chwilą.

– Dostałam to krzesło od Jima. To Steelcase i w dodatku ma kółka. – Lorene odepchnęła się stopami od ściany i przejechała krzesłem po betonowej podłodze. – Prawda, że fajne?

– Pieprz się – wystękał Ervin. Ponieważ jednak usta miał zaklejone taśmą, zabrzmiało to jak: „Pmmmpfftpmm".

– Ervin – upomniała go Lorene. – Czy naprawdę musisz przeklinać? Wiesz, w moim rodzinnym domu wszyscy cały czas klęli.

Ale Jim przekonał mnie, że ja nie muszę. Nie przeklinałam od ośmiu lat. Ani razu. Dzięki Jimowi wiem, że kiedy przestanie się kląć, człowiek od razu czuje się lepiej. Powinieneś spróbować.

Odpychając się od podłogi, podjechała do niego i zatrzymała się tuż przed nim. Ich kolana niemal się stykały. Lorene miała na sobie zwykłą białą bawełnianą bluzkę, zapiętą pod szyję i obcisłą, czarną spódnicę, którą w innych okolicznościach Mixon zapewne uznałby za całkiem seksowną. Na bluzkę miała narzuconą dziwaczną kamizelkę, zapewne własnej roboty, pokrytą niezliczonymi kieszeniami o nietypowych kształtach.

– Zawsze miałam uzdolnienia artystyczne – kontynuowała Lorene. – Kiedy poznałam Jima, odkryłam w sobie talent do wypychania zwierząt. Najbardziej lubię pracować z wiewiórkami. Są takie małe. Trzeba się nad nimi nieźle namęczyć. Trzeba być precyzyjnym, zwłaszcza gdy obrabia się pyszczek. Oczy, wargi są wręcz mikroskopijne. A skóra cienka jak papier.

Ervinowi zrobiło się niedobrze. I był przerażony. Jeśli zwymiotuje, udusi się własnymi rzygami. Potrzebował działki. Ale nie chodziło tylko o głód amfetaminy. Ervin Mixon bał się Jima Verhovena, ale największy strach budziła w nim jego żona. Chociaż nigdy nie widział, żeby robiła coś złego, w jej oczach czaiło się zimne okrucieństwo. Różnobarwne tęczówki Lorene dawały schizofreniczny efekt. Jej oczy lśniły złym blaskiem, kiedy pochyliła się ku niemu.

– Sama uszyłam sobie tę kamizelkę, Ervin – mówiła dalej Lorene. – Na narzędzia do wypychania. Na każde mam osobną kieszeń. Wiem dokładnie, gdzie są, i oszczędzam w ten sposób mnóstwo czasu. – Zaczęła po kolei wyjmować narzędzia. – Tarnik. Igła. Nić. Różne końcówki do szlifierki. Nóż do skórowania. Mniejszy nóż do skórowania. I jeszcze mniejszy. – Wyjęła z kieszeni mały, zakrzywiony nożyk. – Ten zrobił dla mnie na zamówienie producent w Arkansas. Używam go do pracy z powiekami. To najtrudniejsza część roboty podczas wypychania wiewiórki. Uwielbiam wiewiórki. Mają takie malutkie ząbki. – Lorene podwinęła wargi, udając wiewiórkę gryzącą orzech.

Następnie przesunęła się z krzesłem do jego boku, zbliżając ostrze nożyka do twarzy Ervina. Jej skóra pachniała mydłem. Serce Ervina Mixona łomotało coraz szybciej.

– Nie ruszaj się – powiedziała cicho, delikatnie przyciskając palec do jego policzka. – Nie chciałabym przypadkiem cię skaleczyć. – A potem jednym, płynnym ruchem rozcięła taśmę zaklejającą jego usta. Cięcie było tak precyzyjne, że Mixon w ogóle nie poczuł ostrza. Głośno odetchnął z ulgą.

– Widzisz? Ani kropli krwi.

– Pieprz się, szurnięta pizdo – wymamrotał.

Z ciemności bunkra wyłoniła się wysoka postać. Ervin rozpoznał w niej Jima Verhovena.

– Prosiłbym, żebyś nie zwracał się do mojej żony w ten sposób – powiedział.

Jednak Ervin Mixon nawet na niego nie spojrzał. Nie potrafił oderwać wzroku od twarzy Lorene, która wpatrywała się w niego szeroko otwartymi oczami, uśmiechając się lekko.

Verhoven położył dłoń na ramieniu żony.

– Komu opowiedziałeś o naszej małej operacji? – zapytał.

– Nie mam pojęcia, o czym ty w ogóle, kurwa, mówisz – odparł Mixon drżącym, łamiącym się głosem. Usiłował zapanować nad własnym przerażeniem. Bez powodzenia.

Verhoven wyjął z kieszeni dyktafon, na którym Mixon nagrał jego rozmowę telefoniczną. I wtedy Ervin Mixon uświadomił sobie, że ma naprawdę przesrane.

– Powieki – powiedział łagodnie Verhoven. – Oczy zostawimy na później.

Lorene nachyliła się do Mixona z nożem.

– Czekajcie! – wrzasnął Ervin, szarpiąc się w więzach, które jednak nawet nie drgnęły. – Powiem wam wszystko, co…

Nie zdążył jednak dokończyć. Lorene szybkim ruchem przecięła jego lewą powiekę. Zanim jeszcze jego mózg zdążył zarejestrować straszliwy ból, krew zalała mu oko, oślepiając go w połowie.

Ervin Mixon zaczął krzyczeć.

12

Anderson, Wirginia Zachodnia

Tillman podjechał swoją piętnastoletnią półciężarówką dodge na tyły rzeźni i masarni Circle Seven. Zwłoki odyńca były przywiązane do paki. Tillman zaparkował tyłem przy rampie rozładunkowej. Zatrąbił. Metalowe drzwi powoli się uniosły.

Na rampę wyszedł właściciel firmy, Jim Verhoven, ubrany jak zawsze w bojówki i wojskowe buty. Circle Seven było przykrywką dla faktycznej działalności Verhovena, który dzięki niskim, ale regularnie płaconym podatkom skutecznie unikał zainteresowania federalnych organów ścigania. Wszyscy jednak wiedzieli, że pracownicy firmy zajmowali się przede wszystkim rozprowadzaniem metamfetaminy. Sam Verhoven zaś oficjalnie trudnił się prowadzeniem rzeźni.

– Dobry Boże – powiedział, gdy Tillman wysiadł z samochodu. – Toż to prawdziwy olbrzym.

Uwagę Tillmana zwrócił sposób wysławiania się Verhovena. Pułkownik mówił jak obcokrajowiec, który angielskiego nauczył się z podręcznika. Tillman zerknął na pakę półciężarówki i skinął głową.

– No – potwierdził.

– W jaki sposób go pan zabił?

– Trudno w to uwierzyć, ale powiem.

Verhoven uniósł brew.

– Polowałem z łukiem – wyjaśnił Tillman. – Spłoszył się i spudłowałem. W rezultacie musiałem walczyć z sukinkotem wręcz. W starciu straciłem nóż. W końcu zadźgałem go strzałą.

Na suficie nad rampą rozładunkową poprowadzona była stalowa szyna z łańcuchem i hakiem. Verhoven ściągnął łańcuch i zaczepił hak o sznur pętający tylne nogi odyńca.

– Co za szable! – ekscytował się, podnosząc ciało zwierzęcia. – Miał pan szczęście, że pana nie wypatroszył.

Tillman się roześmiał.

– Trzeba przyznać, że próbował. – Podciągnął nogawkę spodni, pokazując dwudziestocentymetrowy bandaż na udzie.

– No, no – skomentował Verhoven. Następnie chwycił drugi koniec łańcucha i pociągnął odyńca do niewielkiej rzeźni.

– Normalnie oprawiłbym go do jutra w południe – oznajmił, wychodząc po chwili z powrotem na rampę. – Ale jeśli zechce pan poczekać i dotrzymać mi towarzystwa, mógłbym zabrać się do tego od razu.

Tillman zerknął na zegarek. Wiedział, że Verhoven interesuje się nim od pewnego czasu. Ludzie z takim życiorysem nie trafiali się w tych okolicach zbyt często. Członkowie milicji Verhovena kontaktowali się z nim już wcześniej, zapraszając go od czasu do czasu na spotkania lub ćwiczenia. Ale Tillman dotąd zawsze odmawiał – i nie zawsze robił to grzecznie.

Tym razem jednak czekał na zaproszenie, ale nie chciał sprawiać wrażenia, że się narzuca. To Verhoven musiał zrobić pierwszy ruch.

– Jasne – powiedział Tillman. – Akurat mam trochę czasu.

Podążył za Verhovenem do środka i w milczeniu obserwował, jak „pułkownik" ostrzy długi nóż do cięcia kości na kamieniu szlifierskim. W tym sterylnym pomieszczeniu było coś niepokojącego. Lampy fluorescencyjne na suficie zalewały pokój bladym światłem. Ściany ze stali nierdzewnej obwieszone były łańcuchami, hakami i narzędziami rzeźniczymi, lśniącymi czystością i ostrymi jak brzytwa.

Szybkim pociągnięciem noża Verhoven rozciął odyńca od miednicy po mostek. Na podłogę wylały się sine wnętrzności.

– Przepraszam, nie zdążyłem go wypatroszyć – odezwał się Tillman. – Kiedy w końcu udało mi się zataszczyć tego drania do domu, padłem na pysk.

– Prawdę mówiąc, wolę sam to zrobić – odparł Verhoven, sprawnie wycinając odbyt odyńca i wywlekając resztę wnętrzności. – Nie pamiętam już, ile widziałem mięsa, które nadawało się tylko do wyrzucenia, bo jakiś kretyn przebił wnętrzności, zalewając kałem wszystkie jamy ciała.

Przez następną minutę Verhoven pracował w milczeniu.

– Wiem, kim pan jest – odezwał się w końcu.

Tillman odpowiedział mu długim, twardym spojrzeniem.

– Przeprowadziłem się tutaj właśnie po to, żeby zostawiono mnie w spokoju.

– Zrobiłbym to samo – powiedział Verhoven. – Gdyby Stany Zjednoczone Ameryki wyrządziły mi taką krzywdę, jak panu.

Tillman nie skomentował jego słów.

– Nie wiem, czy zdaje pan sobie z tego sprawę – ciągnął Verhoven – ale dla ludzi takich jak ja, dla ludzi, którzy wciąż wierzą w prawdziwą Amerykę z marzeń naszych ojców założycieli, Tillman Davis jest symbolem prawdziwego bohaterstwa.

– Miło z pańskiej strony – odparł Tillman. – Ale wszystko, co zrobiłem lub czego nie zrobiłem dla Stanów Zjednoczonych Ameryki, należy już do przeszłości. Teraz próbuję po prostu jakoś poukładać sobie życie.

To nie była tylko poza. Tillman doskonale zdawał sobie sprawę, że jego proces stał się czymś w rodzaju ideologicznego pola bitwy. W oczach skrajnej lewicy Tillman Davis był bandytą i awanturnikiem, natomiast prawica robiła z niego ludowego bohatera, kozła ofiarnego nieskutecznej polityki zagranicznej. Przez pewien czas po wyjściu z więzienia Tillmana nachodzili różni ludzie, namawiając go na udział w jakimś wiecu, napisanie jakiegoś artykułu albo występ w telewizji w nadziei, że pozwoli się wykorzystać jako chłopiec do bicia lub niewinna ofiara despotycznego rządu. Tillman nie miał najmniejszej ochoty na występowanie w żadnej z tych ról, więc któregoś dnia po prostu wyrzucił telefon komórkowy i wyjechał do Wirginii Zachodniej w poszukiwaniu świętego spokoju.

– Zamierza pan powiesić łeb tego wspaniałego zwierzęcia jako trofeum? – zapytał Verhoven, wskazując dłonią odyńca.

– Prawdę mówiąc, nie bardzo mam gdzie.

– Szkoda byłoby, żeby się zmarnował. Chętnie zawiesiłbym takiego odyńca u siebie w sklepie, to byłby doskonały temat do rozmowy z klientami.

– Proszę bardzo.

– Jestem zobowiązany. W ramach zapłaty proponuję swoje usługi.

Tillman skinął głową. Wyczuwał, że Verhoven okrężną drogą do czegoś zmierza. Nie miał jednak pewności, czego może od niego chcieć samozwańczy pułkownik. Być może chodziło tylko o to, żeby pobawił się w wojsko z milicją Verhovena, ale Tillman podejrzewał, że pułkownik ma na myśli coś więcej.

Verhoven w milczeniu oprawiał dzika, powolnymi i metodycznymi ruchami zdejmując skórę ze łba. Od czasu do czasu przerywał, żeby naostrzyć nóż, sprawdzając ostrość na włoskach na przedramieniu.

Tillman skrzyżował ręce na piersi i oparł się o ścianę.

– Czy będę wścibski, jeśli zapytam, z czego pan żyje? – odezwał się po pewnym czasie Verhoven. – Pytam, bo słyszałem, że odebrano panu emeryturę wojskową.

Tillman nie odpowiedział od razu.

– Wiodę proste życie – odparł w końcu. – Poluję, łowię ryby, uprawiam kukurydzę, pomidory, fasolę.

Verhoven nadal zdejmował skórę z okolic oczu odyńca.

– Od czasu do czasu jednak – ciągnął Tillman – przyjmuję zlecenia od ludzi, którym ufam. Albo kontaktuję kogoś, komu ufam, z kimś innym, kogo również darzę zaufaniem.

Verhoven nie podnosił wzroku znad łba odyńca. Na jego twarzy malowało się pełne skupienie.

– Zapytałem, ponieważ niedawno okazało się, że muszę zaopatrzyć się w kilka rzeczy. Rzeczy, których raczej nie można znaleźć na eBayu – powiedział.

– I sądzi pan, że mogę panu pomóc je zdobyć?

Verhoven zdjął skórę z dzika, pokrył wewnętrzną stronę grubą warstwą soli i ostrożnie umieścił ją w dużym, plastikowym koszu. Następnie zabrał się do ćwiartowania mięsa.

– Obrót przedmiotami, co do których rząd federalny może mieć zastrzeżenia, zazwyczaj wiąże się ze sporą marżą – odparł Verhoven. – Wspominam o tym tylko w kontekście tego, jak niesprawiedliwie pana potraktowano.

– W dodatku ktoś chyba uznał, że za mało odpokutowałem – powiedział gorzko Tillman. – Niedawno dowiedziałem się, że straciłem prawo do leczenia się w szpitalu wojskowym. Zawiadomili mnie oficjalnym pismem. Piętnaście lat wyróżniającej się służby w armii, potem dziesięć kolejnych w agencji, której nazwy pozwolę sobie nie wymieniać, a rząd federalny po prostu... – Wymownym gestem potarł dłonie.

Twarz Verhovena skurczyła się ze złości.

– Pieprzeni zdrajcy – warknął, ale po chwili się uspokoił. – Przepraszam, ale takie historie budzą mój gniew.

Tillman nagle poczuł się, jakby w jego wnętrzu rozpuściła się bryła lodu. Uświadomił sobie, jak bardzo czuł się samotny, jak ciężko było mu każdego dnia wstać z łóżka ze świadomością, że oskarżono go o zdradę kraju, dla którego ryzykował życie. Przez chwilę czuł olbrzymią wdzięczność wobec Verhovena.

Ale to uczucie szybko minęło. Przyjechał tu w określonym celu i na tym musiał się skupić. Obiecał to Gideonowi.

– W pewnym momencie zaufanie komukolwiek staje się problemem – powiedział Tillman. – Ja chcę ufać ludziom. Naprawdę. Ale rzadko mogę sobie na to pozwolić.

Verhoven smutno pokręcił głową.

– To bardzo, bardzo celne spostrzeżenie, przyjacielu. Często czuję się dokładnie tak samo. – Odciął pokaźny kawał szynki z zadu odyńca i położył na papierze. – Sądzę, że jest to największy dramat naszego narodu. Musimy na nowo sobie zaufać, odnowić więzy braterstwa. Potrzebujemy tego jak powietrza. Ale najpierw trzeba pokonać wrogów w naszych szeregach. – Niedużym tasakiem wyciął żebra dzika. – Wyczuwam między nami pewną więź, panie Davis. Dlatego zaryzykuję i zaufam panu. Przedmioty, o których wspominałem... Muszę zdobyć je dość szybko. Pewien człowiek obiecał mi pomóc, a potem tchórzliwie się wycofał, stawiając mnie w nader kłopotliwej sytuacji.

Tillman milczał.

Verhoven zdjął z haka ostatnie kości, wyrzucił do śmieci, po czym zaczął polewać betonową podłogę wodą ze szlaucha.

– Czy gdybym przekazał panu listę przedmiotów, których potrzebuję, byłby pan w stanie je dla mnie zdobyć? Czy zrewanżuje się pan za moje zaufanie?

Tillman obserwował czerwoną od krwi wodę spływającą do kratki ściekowej.

– Ma pan przy sobie tę listę?

Verhoven oderwał arkusz z rolki grubego, rzeźniczego papieru, naskrobał coś na nim ołówkiem i wręczył Tillmanowi.

Lista zawierała cztery pozycje:

Lont detonujący
Amunicja przeciwpancerno-zapalająca BMG .50
Spłonki
Ładunki C4

– Zdaje się, że urządza pan niezłą imprezę – skomentował sucho Tillman.

– Mogę powiedzieć tylko tyle, że wkrótce dojdzie do wydarzeń o znaczeniu historycznym. Jeżeli zdecyduje się pan mi pomóc, weźmie pan udział w czymś bardzo ważnym.

– Dlaczego miałbym to zrobić? – zapytał Tillman – Po tym wszystkim, co mnie spotkało?

– Każdy z nas musi w końcu podjąć decyzję, po której stronie stanąć, prawda? Sam musi pan sobie odpowiedzieć na pytanie dlaczego.

Tillman zamilkł. Przynęta została rzucona bezbłędnie. Czas zacząć zwijać żyłkę.

– Mogę zadzwonić w kilka miejsc – powiedział w końcu.

Verhoven w tym czasie skończył spłukiwanie podłogi.

– A może przyjmie pan zaproszenie na obiad i spokojnie omówimy szczegóły? – zaproponował, odwieszając szlauch na hak. – Moja żona będzie zaszczycona, mogąc pana poznać.

– Chętnie – odparł spokojnie Tillman. – Przyjmę zaproszenie z przyjemnością.

13

Pocatello, Idaho

Wracamy do domu!

Amalie przez dłuższą chwilę nie wiedziała, co się wokół niej dzieje. Obudziła się półprzytomna, było jej niedobrze i potwornie bolała ją głowa. Okrzyki i śmiechy pozostałych kobiet wwiercały się jej w mózg jak rozpalony pogrzebacz. Usiadła i rozejrzała się wokół, wciąż czując się niepewnie. Znajdowała się na swoim łóżku w pozbawionej okien sali, w której zakwaterowano ją wraz z pozostałymi Kongijkami.

– O, śpiąca królewna się obudziła – powiedziała Estelle Olagun, najstarsza z nich, spoglądając na Amalie i wydymając z niezadowoleniem wargi.

Pozostałe kobiety się roześmiały. W sali były wszystkie pracownice z fabryki. I wszystkie świętowały.

Jedna z młodszych dziewcząt uniosła plik amerykańskich studolarówek.

– Pan Collier nam zapłacił! – wykrzyknęła radośnie. – Patrz! Wszystkie dostałyśmy też po pięćset dolarów premii. Wrócimy do domu jako bogaczki!

– Wracamy do domu! Wracamy do domu! – wołały kobiety, tańcząc po całym pomieszczeniu.

Amalie pokręciła głową. Częściowo po to, by wyrazić swój sceptycyzm, a częściowo po to, żeby pozbyć się z włosów pajęczyn.

Przypomniała sobie rozmowę z Collierem i tamto uszczypnięcie. Teraz uświadamiała sobie, że to od niego zachciało jej się spać. Pan Collier usiłował ją uciszyć. Okłamał ją, obiecując, że zawiezie ją do lekarza, który opiekował się Christiane.

– Nie! – zawołała. – On kłamie!

Kobiety przerwały taniec i spojrzały na nią z niechęcią.

– Dlaczego ty musisz wiecznie narzekać? – zapytała Estelle.

– Powiedział mi, że zabierze mnie do Christiane! – odparła ze złością Amalie. – Ale tego nie zrobił. Podał mi jakąś truciznę, która mnie uśpiła.

Jedna z kobiet pokazała palcem stolik obok łóżka Amalie, na którym leżała gruba koperta z wypisanym jej imieniem.

– Może jeszcze powiesz, że te półtora tysiąca dolarów, które dla ciebie zostawił, też jest zatrute?

Amalie złapała kopertę i wyrzuciła zawartość na łóżko. Na koc wysypała się pokaźna kupka banknotów. Podniosła jeden i obejrzała pod światło. Nawet w Kongu człowiek szybko uczył się sprawdzać autentyczność amerykańskich pieniędzy – znaki wodne, nitki zabezpieczające, zmieniające się kolory. Rebelianci z Burundi i Rwandy masowo podrabiali dolary, więc należało szybko posiąść umiejętność rozpoznawania fałszywek. A tu najwyraźniej – dolary były prawdziwe.

Na chwilę ogarnęły ją wątpliwości.

– Spójrzcie na jej minę! – zaświergotała jedna z dziewcząt, pokazując Amalie palcem. – Była tak pewna, że dzieją się tu jakieś straszne historie, że kiedy w końcu spotyka ją coś dobrego, ona się złości!

Kobiety wybuchły śmiechem.

Śmiech i pokrzykiwania trwały, dopóki w rogu pokoju nie rozległ się złowieszczy syk. Amalie poczuła w powietrzu dziwny zapach, jakby gorzkich migdałów.

Wszystkie kobiety odwróciły się w stronę źródła dźwięku. Amalie nigdy jeszcze nie słyszała takiego syku w tym budynku.

– Ogrzewanie chyba się psuje – powiedziała Estelle, marszcząc brwi.

Ale Amalie wiedziała, że to nie ogrzewanie. Nie miała pojęcia, co się dzieje, ale czuła, że to coś złego. Musiała wyjść. Pobiegła do drzwi i przekręciła klamkę, ale ani drgnęły.

– *Ouvrez! Ouvrez la porte!* – wrzasnęła, szarpiąc klamkę.

Pozostałe kobiety zaczęły krzyczeć. A potem jedna z nich upadła. Po niej następna. Za chwilę dwie kolejne złapały się za gardła. Z ust pociekła im ślina. Inna zaczęła drapać się po twarzy. Po jej palcach pociekła krew i również przewróciła się na ziemię.

Przy życiu została tylko Amalie, która wciąż waliła z pasją w drzwi.

– *Tu bâtard! Monsieur Collier, tu putain bâtard!*

Wściekłość zaczęła w końcu ustępować panice. Amalie wydała z siebie wysoki, nieludzki wrzask, przypominający zgrzyt nienaoliwionego silnika. Potem upadła na ziemię. Całym jej ciałem wstrząsały konwulsje. Głowa z głuchym stukotem uderzała o podłogę po kolejnych spazmach.

Po drugiej stronie lustra weneckiego Collier i Wilmot obserwowali umierające Afrykanki.

– Według mojego modelu przy drzwiach znajduje się niewielka kieszeń powietrza – oznajmił Collier. – Ruch powietrza tworzy wir, dlatego gaz dopiero po pewnej chwili dociera do drzwi. Ten, kto przy nich stanie, umiera ostatni.

Wilmot patrzył na zwijającą się w agonii Amalie.

– Nazwała mnie *putain bâtard* – powiedział kpiąco Collier. – Bardzo niegrzecznie. Czuję się obrażony.

Wilmot nie widział w tym nic zabawnego. Złośliwa radość, jaką Collierowi sprawiało trucie i mordowanie, przyprawiała go o mdłości. Ale takie są koszty pracy z psychopatą. Wilmotowi zostało na tyle przyzwoitości, żeby czuć żal z powodu śmierci tych niewinnych kobiet. Powtarzał sobie jednak, że straty wśród cywilów stanowią nieuchronną część wojny, a niewinnych często poświęca się w imię większego dobra.

– Cyjanowodór w temperaturze pokojowej jest lotną cieczą – kontynuował Collier. – W momencie uruchomienia dysz natychmiast paruje. – Zerknął na zegarek.

Z ust Amalie płynęła piana. Jej ciało szarpnęło się w ostatniej konwulsji i znieruchomiało.

– Osiemnaście sekund – powiedział Collier.

Wentylatory wciąż pracowały, ale cyjanowodór został już w całości usunięty. Za szybą nie było żadnego ruchu.

Obaj założyli maski przeciwgazowe, po czym Collier otworzył drzwi. Weszli do środka.

Pomieszczenie, w którym zakwaterowano kobiety z Konga, tylko z pozoru sprawiało wrażenie zwykłego budynku. W rzeczywistości wnętrze, kontury ścian i wysokość sklepienia zostały zaprojektowanie dokładnie według planów sporządzonych w 1854 roku przez architekta Thomasa Waltera na potrzeby rozbudowy Kapitolu, podczas której pierwotną, miedzianą kopułę zastąpiono żelazną, istniejącą do dziś. W pomieszczeniu mieściło się dokładnie 50 319 036,4 metra sześciennego powietrza.

Wilmot pozyskał kontrakt na modernizację systemu ogrzewania i wentylacji Kapitolu rok wcześniej. Pomysł wyszedł od niego, ale to Collier opracował cały plan. I tylko dlatego Wilmot ponownie sprowadził go z Wirginii Zachodniej. Po otruciu konia Evana wyrzucił Colliera z domu. Nie spodziewał się jeszcze kiedykolwiek go zobaczyć, ale na wojnie, podobnie jak w polityce, nie zawsze można dowolnie wybierać sojuszników. A Wilmot potrzebował kogoś absolutnie lojalnego i kompetentnego.

Collier wskazał dłonią potężny zespół wentylatorów i kanałów, znajdujący się za budynkiem.

– To dokładna replika systemu wentylacyjnego Kapitolu – powiedział. – Zaprojektowanego przez firmę Clauser Industries z Bettendorf w stanie Iowa i zainstalowanego w marcu ubiegłego roku. Urządzenie zawiera cztery kompresory, piec na gaz ziemny o mocy ośmiu milionów BTU oraz zespół trójdzielnych dmuchaw, które mogą przemieszczać ponad dwadzieścia osiem tysięcy metrów sześciennych powietrza na minutę. System aktywnych deflektorów pozwala na ogrzewanie strefowe, dzięki czemu w poszczególnych częściach budynku można ustawić różną temperaturę. Kiedy przejmiemy kontrolę nad układem sterowania, będziemy mogli obejść deflektory i skierować wszystkie dmuchawy w jedno miejsce, potrajając natężenie przepływu.

Wilmot trącił jedno z ciał czubkiem buta. Nagle zapragnął jak najszybciej stąd wyjść.

– Przepraszam, za dużo gadam. – Pomimo lodowatej temperatury wewnątrz budynku, nad górną wargą Colliera perlił się pot, a dłonie lekko drżały. Na jego twarzy na chwilę pojawił się przerażający uśmiech.

– Przejdź od razu do konkluzji.

Collier odchrząknął.

– Konkluzji? No cóż, kiedy przejmiemy kontrolę nad systemem, będziemy mieli około czterdziestu pięciu sekund, zanim włączy się zapłon i kolejne trzydzieści sekund, zanim włączą się dysze. Zanim się zorientują, co się dzieje, będzie już za późno.

Sygnał telefonii komórkowej i częstotliwości radiowe na Kapitolu będą zablokowane, więc będą musieli wejść do paszczy lwa i włączyć zapłon ręcznie. Wiedzieli, że nie przeżyją, ale obaj byli gotowi poświęcić życie dla sprawy.

Przyglądając się ciałom kobiet, zastygłym w przerażeniu w dziwacznych pozycjach, Dale Wilmot uświadomił sobie, że przekroczył właśnie granicę, za której nie ma już odwrotu. Do tej pory plan pozostawał wyłącznie w fazie teoretycznej, ale z chwilą zamordowania tych kobiet stał się krwawą rzeczywistością. Obserwując życie uchodzące z Afrykanek, Wilmot czuł, że opuszczają go resztki niepewności. Przed oczami, jak na pokazie slajdów, przesuwały mu się twarze wszystkich tych hipokrytów, polityków i biznesmenów, których zdjęcia wisiały na ścianie jego domu.

– Posprzątaj tu – polecił Collierowi. – Wyjeżdżamy o świcie.

14

Kwatera główna FBI, Waszyngton

Ray Dahlgren nie wstał zza biurka, gdy do jego gabinetu weszła Nancy Clement. Gabinet wicedyrektora Federalnego Biura Śledczego był nijaki, bez żadnych widocznych oznak sprawowanego stanowiska, bez rodzinnych zdjęć i dyplomów na ścianach. Równie dobrze mógłby być celą mnicha. Na biurku nie leżało nic oprócz pojedynczej kartki papieru.

Dahlgren pisał na komputerze, uderzając w klawisze z pasją boksera próbującego zepchnąć przeciwnika na liny. Nie podniósł wzroku znad monitora, gdy Nancy weszła, nie zaproponował jej również, żeby usiadła.

– Czy chodzi o mnie? – zapytał.

– Proszę?

– Pytam, czy jest we mnie coś, co zachęca do nielojalności. Co? Czy to jakaś cecha mojego charakteru skłania cię do niesubordynacji?

Nancy odchrząknęła, ale nie odpowiedziała. Tego typu pytania w wykonaniu Dahlgrena miały charakter retoryczny. Wicedyrektor nigdy nie oczekiwał odpowiedzi.

Pisał jeszcze przez chwilę, po czym, kończąc zdanie zamaszystym uderzeniem w klawisz kropki, obrócił się na fotelu. Poprawił ułożenie kartki na biurku.

– Sądzę, że wiesz, co to VORTEX?

Nancy wiedziała. VORTEX był systemem komputerowym, który zbierał i porównywał dane z wielu baz w celu zidentyfikowania potencjalnych zagrożeń terrorystycznych. W bazach znajdowały się numery telefonów, rejestry zakupów farmaceutycznych, dane kart kredytowych, informacje o zakupionych biletach lotniczych, dane z wyszukiwarek internetowych i tak dalej.

– Jestem tylko prostym gliną – ciągnął Dahlgren. – Nie udaję, że rozumiem, w jaki sposób działa VORTEX. Wyjaśniano mi to wielokrotnie, ale za każdym razem, kiedy słyszę o trzeciorzędnych korelacjach i zmiennych stochastycznych, dostaję migreny. Wiem jednak tyle, że jeśli system wygeneruje raport, który twierdzi, że to i to wiąże się z tym i tamtym, to należy się temu przyjrzeć.

Nancy skinęła głową. Brała udział w tworzeniu systemu i szybko przekonała się, że jak na narzędzie, w które zainwestowano kilkaset milionów dolarów, VORTEX okazał się raczej rozczarowaniem niż sukcesem. Ale uznała, że wyrażanie w tej chwili swojej opinii nie jest najlepszym pomysłem.

– Z tego, co pamiętam, podstawą działania VORTEX-u jest wyszukiwanie powiązań, wektorów. Następnie do każdego wektora przypisuje się wartość numeryczną, wykorzystując potencjalne powiązania między jednym bandziorem a drugim. Im wyższa wartość, tym silniejsze powiązanie. Dobrze rozumiem?

Nancy ponownie skinęła głową. Serce biło jej nieco szybciej. Dahlgren nie należał do ludzi, który owijają w bawełnę. A jeżeli już mu się to zdarzało, to zwykle miał na celu upokorzenie rozmówcy.

– Wspominam o tym dlatego – ciągnął wicedyrektor – że sprawdziłem twojego przyjaciela Gideona Davisa. Nie wierzyłem, że tak po prostu zostawi tę sprawę. I teraz mam przed sobą raport, który łączy niejakiego Gideona Davisa z niejakim Jimem

Verhovenem. Pozwolisz, że oszczędzę ci technicznego bełkotu o węzłach zagrożeń i wektorach oceny. W każdym razie zacząłem grzebać nieco głębiej i zgadnij, czego się dowiedziałem? Twój kumpel Davis dwie i pół godziny temu tankował na stacji benzynowej w Anderson w Wirginii Zachodniej. A jeśli mnie pamięć nie myli, to niejaki Ervin Mixon bywał na farmie należącej do Jima Verhovena, właśnie w Anderson w Wirginii Zachodniej.

Nancy milczała. Cokolwiek by w tej chwili powiedziała, nie poprawiłoby to jej sytuacji.

– Zapewne zauważyłaś, że kiedy tu weszłaś, zapisywałem coś w komputerze – mówił dalej Dahlgren. – Założyłem ci kartotekę w OPR. – Wicedyrektor urwał, delektując się miną Nancy. – Za pobranie sprzętu bez upoważnienia, niewykonanie bezpośredniego polecenia służbowego i sporą liczbę nieprawidłowości w rozliczeniach wydatków… A to jeszcze nie są wszystkie przykłady twojej niesubordynacji.

OPR, Biuro Odpowiedzialności Zawodowej FBI, było odpowiednikiem wydziału wewnętrznego w policji. Zajmowało się wszystkimi sprawami dyscyplinarnymi, wszczętymi wobec agentów FBI, od molestowania seksualnego po zdradę. Kartoteka w OPR w najlepszym wypadku oznaczała utratę perspektyw na jakikolwiek awans. W najgorszym – dyscyplinarne zwolnienie, sprawę karną, a czasami nawet więzienie.

– Nancy, Federalne Biuro Śledcze ma dwa podstawowe zadania związane z organizacjami terrorystycznymi na terenie kraju – kontynuował Dahlgren pogardliwym tonem. – Po pierwsze, ścigamy tych, którzy łamią prawo. Proste i zrozumiałe. Jednak nasze drugie zadanie jest znacznie bardziej skomplikowane. Mamy monitorować, przewidywać zagrożenia i kontrolować tych, którzy mogą złamać prawo, ale jeszcze tego nie zrobili. Te wszystkie milicje, neonaziści, rasiści, nawet ci psychole z Bractwa Aryjskiego to w większości banda kretynów, która lubi sobie pokrzyczeć i pomachać szabelką, ale w rzeczywistości nie stanowi i nigdy nie będzie stanowić realnego zagrożenia dla bezpieczeństwa Stanów Zjednoczonych. Istnieją jednak tacy – i grupa Verhovena do nich należy – którzy balansują na cienkiej, czerwonej linii. I pewnego dnia mogą ją przekroczyć. – Dahlgren zdjął okulary do czytania i położył na biurku. – Nancy, Federalne Biuro Śledcze musi zrobić wszystko, żeby ci ludzie nigdy nie przekroczyli tej linii. Nie mam najmniejszego zamiaru urządzać powtórki z Waco. Nie na mojej zmianie.

– Sir...

– Milcz, Nancy. – Dahlgren nie podniósł głosu. – Jestem rozsądnym człowiekiem. A ty jesteś na swój sposób wartościową agentką. Otworzyłem kartotekę, zaznaczyłem odpowiednie pola, wypełniłem rubryczki i udzieliłem odpowiedzi na pytania. Ale jeszcze jej nie wysłałem. To, czy ta kartoteka znajdzie się w Biurze Odpowiedzialności Zawodowej, będzie zależało od tego, czy Gideon Davis popchnie Jima Verhovena poza cienką, czerwoną linię.

– Sir, nie wiem, czego pan ode mnie oczekuje.

– Czy wysłałaś Gideona Davisa do Anderson, żeby dowiedział się, co się stało z Ervinem Mixonem?

– Wysłałam? – powtórzyła ze zdziwieniem Nancy. – Ja go donikąd nie wysłałam.

Dahlgren ze smutkiem pokręcił głową.

– Chryste, czy ty w ogóle jesteś w stanie odpowiedzieć mi na jedno proste pytanie?

Nancy milczała.

– Czy pobrałaś własność Federalnego Biura Śledczego z Działu Technologii Operacyjnej, obejmującą jednopasmowy radiotelefon Motorola, model 231A, lokalizator GPS Bluewater, noktowizor Bushnell 2,5 na 24 i dwa cyfrowo szyfrowane telefony komórkowe?

– Tak – przyznała.

– I czy przekazałaś wymienione wyżej wyposażenie bez upoważnienia Gideonowi Davisowi, cywilowi niezwiązanemu w żaden formalny sposób z Federalnym Biurem Śledczym?

Nancy starała się skutecznie zatrzeć za sobą ślady. Najwyraźniej jednak nie dość skutecznie. Pozostawało jej tylko jedno wyjście.

– Nie – skłamała. – Pobrałam to wyposażenie na potrzeby szkolenia.

Dahlgren westchnął teatralnie.

– Nie wierzę ci. A kiedy się dowiem, że mnie okłamałaś, bądź pewna, że twoja kartoteka natychmiast powędruje do OPR.

– Ale…

– Widzę, że nie obejdzie się bez mojej osobistej interwencji. Jestem z tego powodu bardzo niezadowolony. Jeszcze nie zdecydowałem, w jaki sposób powstrzymać twojego przyjaciela Gideona przed sprowadzeniem wizerunkowej katastrofy na FBI, ale z całą pewnością udam się do Anderson. Porozmawiam z panem Verhovenem i postaram się przekonać go, żeby nie strzelał od razu, kiedy zobaczy pana Davisa pętającego się po jego posesji.

– Ale sir, co jeśli…

Spojrzenie wicedyrektora sprawiło, że momentalnie umilkła.

Wróciła do swojego gabinetu, zamknęła drzwi, usiadła i ukryła twarz w dłoniach. Co teraz? Musiała skontaktować się z Gideonem i ostrzec go. Dahlgren będzie w Wirginii Zachodniej jutro i z całą pewnością natychmiast go aresztuje. A potem wyrzuci ją z pracy. A jeśli Gideon i jego brat jednak czegoś się dowiedzieli?

Nancy podjęła decyzję. Wstała i wyszła z gabinetu.

15

Anderson, Wirginia Zachodnia

Uwagę Tillmana od razu zwrócił fakt, że posiadłość Jima Verhovena przypominała fortecę. Znajdowała się na szczycie wysokiego wzgórza, do którego prowadziła tylko gruntowa droga, otoczona z obu stron gęstym szpalerem sosen, rosnących tak blisko siebie, że na drodze mieścił się jeden samochód. Sam dom z kolei stał na środku sporego pastwiska. Dobrze uzbrojony obrońca mógłby przez długi czas skutecznie blokować dojście do budynku. Za domem postawiono kilka metalowych zabudowań, wyglądających na gospodarcze. W oddali widoczne były dwa wały w kształcie litery „U", niewątpliwie służące jako strzelnice.

Kiedy Tillman podjechał swoją półciężarówką pod dom, Verhoven akurat urządzał musztrę. Około dwudziestu młodych mężczyzn w maskujących mundurach maszerowało tam i z powrotem po podwórku.

– Odmaszerować! – warknął Verhoven, gdy Tillman wysiadł z ciężarówki. Jego podwładni posłusznie ruszyli w kierunku przypominającego stodołę budynku, przy którym stało kilka zdezelowanych samochodów.

– Na papierze mój oddział ma siłę kompanii – powiedział Verhoven, ściskając dłoń Tillmana. – Ale to ci młodzi ludzie stanowią trzon mojej milicji.

W ten nieco zawoalowany sposób pułkownik Jim Verhoven przyznawał, że pomimo pompatycznej nazwy Siódmy (Ochotniczy) Pułk Milicji Wirginii Zachodniej w rzeczywistości miał liczebność tylko trochę większą niż pluton piechoty. Tillman jednak pokiwał z uznaniem głową.

– Celem pułku jest ochrona konstytucyjnych i nadanych przez Boga wolności obywateli w tych stronach – ciągnął oficjalnym tonem Verhoven. – Z pewnością zgodzi się pan, że mamy w tej chwili do czynienia z bezprecedensowym zamachem na naszą wolność. Jeśli nikt nie powstrzyma międzynarodowego kapitału i żydów, wkrótce zostaniemy zredukowani do roli głodujących niewolników, których jedynym zadaniem będzie służenie spasionym złodziejom z Nowego Jorku i Waszyngtonu, żeby mogli nadal rozbijać się limuzynami i popijać szampana.

Tillman uśmiechnął się lekko, w żaden sposób nie komentując słów Verhovena, który wpadał w coraz większą pasję.

– Jeśli policja kiedykolwiek pojawi się w naszych progach, żeby odebrać nam broń, szybko przekona się, że ludzie z Wirginii Zachodniej nie tolerują deptania ich praw. – Tyrada Verhovena przypominała recytowanie z pamięci napisanego wcześniej tekstu ulotki propagandowej. Zapewne skopiowanej w kilkuset egzemplarzach i pozostawianej w toaletach na parkingach dla kierowców ciężarówek w całym stanie.

Przed nimi przejechało kilka samochodów z młodymi ludźmi w środku. Kilka z nich miało na zderzakach naklejki z napisem „NIE ZDEPCZECIE NAS". Verhoven wyćwiczonym ruchem salutował każdemu mijającemu go pojazdowi.

– Służył pan w wojsku, pułkowniku? – zapytał Tillman.

– Nie dostąpiłem tego zaszczytu – odpowiedział Verhoven. – Przez dziesięć lat służyłem jednak w biurze szeryfa. W końcu zostałem zastępcą dowódcy oddziału taktycznego szeryfa hrabstwa Hertford. Oferowano mi objęcie dowództwa nad oddziałem, ale wtedy już miałem powyżej uszu służby państwowej, więc odmówiłem i przeszedłem do cywila.

Tillman słyszał w okolicy, że odejście Verhovena z organów ścigania miało związek z okradaniem innych dilerów metamfetaminy w okolicy i przejmowaniem ich klientów, ale nie uznał za stosowne poruszyć w tej chwili tego tematu.

– Moja żona, Lorene – powiedział Verhoven, wskazując niezwykle wysoką kobietę o prostych, nienaturalnie jasnych włosach.

Lorene Verhoven miała w sobie coś, co wywoływało u Tillmana dreszcze od pierwszej chwili, gdy ją ujrzał. Ubierała się w ostentacyjnie prosty sposób, który kojarzył mu się z nazistowskimi plakatami propagandowymi z lat trzydziestych: wąska spódnica, wykrochmalona biała bluzka i brak jakiejkolwiek biżuterii oprócz obrączki małżeńskiej. Lorene emanowała skromnością. Oczy – jedno brązowe, drugie niebieskie – wwiercały się w niego z intensywnością, którą widywał czasami w bitwie. To były oczy kogoś, kto lubił w pojedynkę rzucać się na stanowisko karabinu maszynowego.

– Bardzo mi miło wreszcie pana poznać, panie Davis – odezwała się Lorene, wbijając w niego dwubarwne spojrzenie. – Wiele słyszeliśmy o pańskich przejściach.

Tillman ponuro skinął głową. Lorene miała taki sam irytująco formalny sposób wyrażania się, jak jej mąż.

– Mam nadzieję, że przyrządziłam dzika w sposób, który przypadnie panu do gustu.

– Jestem o tym przekonany.

Kwadrans później siedzieli przy ciężkim drewnianym stole w salonie. Ściany udekorowane były obrazami orłów, stojakami z zabytkową bronią i wyblakłą reprodukcją Konstytucji Stanów Zjednoczonych.

Tillman zauważył, że Lorene Verhoven przygląda mu się, kiedy tylko ma wrażenie, że on tego nie widzi. Próbował złowić jej spojrzenie, ale natychmiast odwracała wzrok i udawała pochłoniętą obiadem. To tylko zwiększało dyskomfort Tillmana.

Verhoven w tym czasie rozpoczął kolejną tyradę, która najwyraźniej była jego ulubioną formą rozmowy. Rozprawiał o szkodliwości wegetarianizmu, historii Persji, odgłosach rozmaitych ptaków drapieżnych, subtelnościach przekładu Nowego Testamentu z greki, tajnych przyczynach utworzenia Unii Europejskiej i powodach, dla których żydzi nigdy nie będą mogli wejść do Królestwa Niebieskiego.

– Mam dość bankomatów, które pytają mnie, czy chcę włączyć obsługę w obcym języku – mówił Verhoven, pochłaniając tłuczone ziemniaki i dziczyznę. – Mam dość patrzenia, jak ciężko pracujący Amerykanie tracą pracę przez nielegalnych imigrantów. Czuję obrzydzenie, kiedy widzę, jak bogacze na nich zarabiają. Nie mam osobiście nic przeciwko Meksykanom, ale nie podoba mi się, że moi przyjaciele muszą żyć z zasiłku, bo nikt już nie chce zatrudniać amerykańskich dekarzy i cieśli. Jestem zmęczony astronomicznymi podatkami. Jestem zmęczony gadaniem liberałów, którzy widzą we mnie krwiożerczego potwora, bo wierzę w Drugą Poprawkę do Konstytucji Stanów Zjednoczonych. Jestem zmęczony tym, że telewizja w kółko sączy brud, przemoc, demoralizację i wulgarność.

Przerwał na chwilę. Dłonie drżały mu z emocji.

Dla Lorene był to sygnał, że należy opuścić towarzystwo.

– Wiem, że macie ważne sprawy do omówienia – powiedziała. – A ja muszę posprzątać w kuchni, więc teraz was przeproszę.

Wyszła z salonu. Verhoven odprowadził ją spojrzeniem, w którym była zarówno drapieżność, jak i uwielbienie.

– Miałby pan ochotę wyprostować nogi? – zwrócił się po chwili do Tillmana. Nie czekając na odpowiedź, wstał i wyprowadził swojego gościa na niewielki taras na tyłach domu.

Słońce zdążyło już zajść, ale czyste, wieczorne niebo wciąż było jasne. Verhoven zatoczył ręką szeroki łuk, obejmujący ścianę lasu, rozległe pola, kilka koni pasących się na łące, stodoły, dom – w gruncie rzeczy całą dolinę.

– Jestem dumny z tego, co udało mi się tu osiągnąć – powiedział. Jego głos, zazwyczaj szorstki i natarczywy jak u kogoś przyzwyczajonego do przemawiania do niezbyt rozgarniętej publiczności, nabrał miękkich tonów i stał się niemal poufały. – Zdałem sobie jednak sprawę, że moje wysiłki najprawdopodobniej w żaden sposób nie zmienią ogólnego obrazu. Jasne, staram się edukować młode umysły, które będą kontynuować moją walkę, gdy mnie już zabraknie. Bronię naszej wolności, przynajmniej na tym skrawku świata, ale prawdziwa bitwa rozegra się na znacznie większym polu. – Dojście do tego wniosku zajęło mi sporo czasu. – W głosie Verhovena zabrzmiał smutek i nawet coś na kształt wstydu. – Kiedy człowiekowi udaje się w życiu coś osiągnąć, nadrzędnym celem staje się utrzymanie tego stanu. Komfort. Samozadowolenie. Ale w tej walce uczestniczą też inni, odważniejsi i ambitniejsi ode mnie… – Zawiesił głos.

Zmrok zapadał szybko. Powietrze przenikał chłód.

– Jeśli chodzi o tę listę, którą dałem panu w sklepie – zagadnął po chwili Verhoven. – Czy moglibyśmy porozmawiać o niej bardziej szczegółowo jutro rano?

„Idealnie", pomyślał Tillman. Będzie mógł spokojnie zbadać posiadłość w nocy.

– Oczywiście. Zdążyłem już zadzwonić do moich kontaktów.

– Doskonale. – Verhoven popatrzył na horyzont. – O świcie urządzamy manewry. Pańskie rozległe doświadczenie wojskowe z pewnością przyniosłoby wielką korzyść mojemu oddziałowi. Zechce się pan do nas przyłączyć?

– Z największą przyjemnością.

16

Anderson, Wirginia Zachodnia

Gideon wyłożył sprzęt otrzymany od Nancy na stole w domu Tillmana. Dał bratu radiotelefon, ale wiedział, że trudno będzie mu go użyć. Nie było najmniejszych wątpliwości, że Verhoven natychmiast nabierze podejrzeń, jeśli zobaczy Tillmana rozmawiającego przez radiotelefon. Aby skontaktować się z Gideonem, Tillman będzie musiał znaleźć jakieś ustronne miejsce.

Według planu bracia mieli spotkać się w posiadłości Verhovena po kolacji i poszukać dowodów na obecność Ervina Mixona. Od ziemi pułkownika dzieliło go w prostej linii około ośmiu kilometrów, ale wąska droga prowadząca do posiadłości liczyła ponad dwadzieścia cztery kilometry. Na zewnątrz było chłodno i z każdą minutą robiło się coraz zimniej, jednak perspektywa spędzenia nocy w lesie sprawiała Gideonowi przyjemność.

Dwukrotnie sprawdził całe wyposażenie, po czym zorientował się, że nie ma się czym zająć. Tillman nie miał w domu ani radia, ani telewizora. Na ścianie wisiało na gwoździu banjo, ale Gideon nigdy nie potrafił grać na żadnym instrumencie. W rogu znajdowała się nieduża półka z książkami. Stało tam kilka thrillerów, ale głównie historia wojskowości – od wojen punickich po Afganistan.

Nie było również żadnej szafy. Cała garderoba Tillmana mieściła się w dwóch kartonowych pudłach. Jedyny zaskakujący element wnętrza stanowił powieszony na ścianie smoking w plastikowym pokrowcu z logo wypożyczalni. Za kilka tygodni Tillman miał być świadkiem na ślubie Kate i Gideona.

Spartańskie warunki, w jakich żył jego brat, przygnębiały Gideona. Tillman nie miał ani majątku, ani nikogo, z kim mógłby dzielić życie. A jednak gdzieś w głębi duszy Gideon mu zazdrościł. Zazdrościł mu tej surowej egzystencji, bliskości natury, pierwotnego zewu krwi na polowaniu. Czekając na kontakt radiowy z bratem, Gideon poczuł to samo podniecenie, co na Obelisku i podczas spotkania z Mixonem. Całe dorosłe życie starał się unikać konfliktów, a teraz okazywało się, że jakaś część jego osobowości pragnie konfrontacji.

Rozmyślania przerwał mu dzwonek telefonu komórkowego. Nie rozpoznawał numeru na wyświetlaczu.

Kiedy odebrał, odpowiedział mu znajomy, kobiecy głos:

– Masz pojęcie, co to znaczy znaleźć dziś w Ameryce automat telefoniczny?

– Nancy?

– Nie mam za wiele czasu, więc słuchaj – powiedziała. – Dahlgren wie o wszystkim. Dzwonię z automatu, bo najprawdopodobniej moja komórka jest na podsłuchu. Dowiedział się, że jesteś w Wirginii Zachodniej i boi się, że jeśli zaczniesz węszyć po posiadłości Verhovena, to cię złapią, postrzelą albo jeszcze gorzej, a potem Dahlgren będzie miał na głowie powtórkę z Waco. Nie wiem, co dokładnie planuje, ale sądzę, że zamierza ostrzec Verhovena przed tobą.

– A co z Tillmanem? Wie o nim?

– Nie.

– Kiedy ma tu przyjechać?

– Nie wiem. Do domu Verhovena są dwie godziny jazdy. Wydaje mi się, że zaczeka najwyżej do jutra, więc cokolwiek masz do zrobienia, musisz zrobić to dziś w nocy. Jutro będzie za późno.

– Czekam na kontakt od Tillmana.

– Myślę, że powinien jak najszybciej się stamtąd wynieść. Obaj powinniście.

Gideon się zastanowił.

– W tej chwili nie mam jak się z nim skontaktować.

– Wyciągnij go stamtąd jak najszybciej. Gra nie jest warta świeczki.

– Mówiłaś poważnie, że Dahlgren założył ci podsłuch na komórkę?

– Zagroził mi kartoteką w Biurze Odpowiedzialności Zawodowej. Nie potrzebowałby nawet nakazu sądowego, żeby założyć podsłuch. Nie w przypadku śledztwa wewnętrznego. Ryzyko zawodowe każdego agenta FBI.

– Więc jak mogę się z tobą skontaktować?

– To ja skontaktuję się z tobą. – Głos Nancy zaczął drżeć.

– Ale…

Usłyszał sygnał przerwanego połączenia.

„Cholera jasna", pomyślał, zbierając sprzęt do inwigilacji. „Muszę jak najszybciej się tam dostać".

17

Anderson, Wirginia Zachodnia

Lorene Verhoven była nocnym markiem. Tillman słyszał ją krzątającą się po domu jeszcze długo po tym, jak sam się położył. Wiedział, że to Lorene, bo Verhoven kilka raz wołał ją z sypialni. W końcu jednak poszła do sypialni, za co Tillman był jej głęboko wdzięczny. Przynajmniej do momentu, gdy Verhovenowie zabrali się do wypełniania małżeńskich obowiązków. Lorene najwyraźniej lubiła sobie pokrzyczeć w łóżku. Kiedy wydawało się, że pułkownik i jego żona w końcu skończyli igraszki, krzyki zaczęły się na nowo. Tillman miał wrażenie, że minęły całe godziny, zanim w domu wreszcie zapadła cisza i mógł zacząć poszukiwania Ervina Mixona.

Wstał, wymknął się z pokoju i bezszelestnie dotarł do drzwi frontowych.

Gideon dał mu zdjęcie lotnicze posiadłości. Jim Verhoven był właścicielem kilkudziesięciu hektarów ziemi, głównie porośniętej sosnowym lasem. Pośrodku rozpościerała się polana o powierzchni sześciu–ośmiu hektarów, na której stał dom. Za domem znajdowała się stajnia, szopa na narzędzia i kilka przybudówek. Około stu trzydziestu metrów dalej w kierunku wjazdu na tereny pułkownika stał długi szereg baraków, przypominający szałasy, w których stacjonowali „żołnierze" Verhovena. Tillman domyślał się, że w barakach nocuje co najmniej dwudziestu ludzi, którzy mieli wziąć udział w porannych ćwiczeniach.

Noc była bezchmurna i zimna. Wąski rogal księżyca rzucał akurat tyle światła, by można poruszać się po posiadłości bez latarki.

Tillman skierował się do stajni. Kiedy znalazł się poza zasięgiem słuchu Verhovenów, włożył w ucho słuchawkę radiotelefonu, który dostał od Gideona. Urządzenie przypominało słuchawkę Bluetooth, ale w rzeczywistości pracowało na szyfrowanej częstotliwości używanej przez organy ścigania i miało zasięg około dwóch kilometrów.

– Już myślałem, że zasnąłeś – odezwał się w słuchawce głos Gideona. – A mnie tymczasem odmarza tu zadek.

– Miałem opóźnienie – wyjaśnił Tillman. – Jak wygląda sytuacja?

– Zmiana planów – poinformował go Gideon. – Mamy czas do świtu, żeby znaleźć Mixona.

– Niewiele.

– To długa historia, ale szef Nancy przyjedzie tu jutro. I zamierza mnie zgarnąć.

– Od czego zaczynamy?

– Bramy na drodze dojazdowej z autostrady pilnuje jeden strażnik – powiedział Gideon. – Ma AK-47. Światła w barakach zgasły mniej więcej trzy godziny temu.

– Psy?

– Nie. Verhoven chyba woli koty.

– To by sporo wyjaśniało.

Gideon zaśmiał się po cichu.

– Bądź na nasłuchu.

Tillman wszedł do stajni. W boksach spały trzy konie. Nawet nie drgnęły, kiedy obok nich przechodził. Przyklęknął i zaczął badać podłogę w poszukiwaniu ewentualnych zapadni.

Zalegająca wszędzie słoma nie ułatwiała zadania. W kościach czuł przejmujący chłód.

Uzgodnili, że Tillman sprawdzi teren w pobliżu domu i wnętrza budynków, natomiast Gideon zajmie się perymetrem[3] i drogą dojazdową. Ziemia Verhovena była olbrzymia. Tillman nie zdołał dokładnie określić granic posiadłości, ale zajmowała dobrze ponad czterdzieści hektarów. Po wyjściu ze stajni Tillman przeszukał stodoły. Zegarek wskazywał 3.15 rano. Baraki znajdowały się w pobliżu bramy wjazdowej. Zajmowało je kilkunastu „żołnierzy" Verhovena. Kiedy wzrok przyzwyczaił mu się do ciemności, zauważył jednego z młodych ludzi, stojącego na straży przy bramie. To oznaczało, że musiał nie tylko zachować absolutną ciszę, ale także poruszać się powoli i ostrożnie, żeby nie zwrócić na siebie uwagi.

Za barakami zaczął powoli czołgać się ku przybudówkom w pobliżu domu. Kiedy dotarł do pierwszej szopy, jego czoło pomimo zimna pokrywały kropelki potu. W szopie znalazł traktor, prasę do siana, wiekową półciężarówkę International Harvester i białego vana z drabinami na dachu. Nie odkrył natomiast żadnej piwnicy, żadnej krwi, kajdanek ani śladów przykucia kogokolwiek do ściany lub podłogi.

Wyglądał przez kolejne okna, starając się skontrolować jak największy obszar. Nikogo nie zobaczył. Nagle przyszedł mu do głowy pewien pomysł. Podniósł do ust radiotelefon.

– Podaj położenie – powiedział cicho do mikrofonu.

– Jestem w lesie, czterysta metrów na zachód od ciebie.

– Czy przy bramie jest strażnik?

– Tak, ale zdaje się, że śpi. Znalazłeś coś?

– Nic. Ani śladu krwi i ukrytych pomieszczeń.

– Może trzymają go w barakach razem z tą ich milicją.

---

[3] Perymetrem określa się pole widzenia żołnierza od punktu obserwacyjnego do najdalej wysuniętego punktu na horyzoncie (przyp. tłum.).

– Bez sensu – stwierdził Tillman. – Umieszczenie go tam to potencjalnie dwudziestu dodatkowych świadków przestępstwa federalnego. Myślisz, że Verhoven ufa im do tego stopnia?

– Wątpię. A dom? Może jest w nim piwnica.

– Nie, to typowy wiejski dom bez podpiwniczenia. Ale chyba mam pomysł, gdzie mogą trzymać Mixona.

– Zamieniam się w słuch.

– Verhoven produkuje metamfetaminę, zgadza się? No, to gdzieś musi mieć fabrykę. Nie widziałem żadnych śladów produkcji chemicznej, żadnych probówek, zlewek ani zbiorników sprężonego powietrza. Niczego też nie poczułem, a podobno smród powstający podczas produkcji metamfetaminy potrafi wypalić śluzówkę w nosie.

Gideon milczał przez chwilę.

– Może gdzieś w okolicy jest jeszcze jakiś budynek. Możliwe, że Verhoven ma jakąś szopę w górach.

– A jeśli jest pod ziemią? – zasugerował Tillman. – W pobliżu strzelnicy widziałem coś na kształt wejścia.

– Warto sprawdzić – zgodził się Gideon. – Ale wciąż mam jeszcze do przeszukania dwadzieścia procent terenu.

– Zbadam po drodze – zdecydował Tillman.

Rozmawiając z bratem, cały czas przemieszczał się w kierunku bramy wjazdowej, przy której zauważył strażnika. Gideon się nie mylił: dzieciak tkwił przechylony na krześle. Najprawdopodobniej spał jak zabity.

Ale Tillman nie mógł ryzykować. Na czworakach ruszył w kierunku nasypów, znajdujących się w odległości mniej więcej czterystu–czterystu pięćdziesięciu metrów od niego. Po pokonaniu trzech metrów rozpłaszczył się na ziemi, rozejrzał wokół i przeczołgał kolejne trzy metry. Polowanie na odyńca wymagało cierpliwości, ale teraz mozolne czołganie się ku nasypom uświadomiło mu, jak bardzo zestarzał się od czasu, gdy po raz ostatni robił to jako snajper. W tym tempie czterysta metrów jawiło się jako kawał drogi. Ale innego sposobu nie było. Tillman westchnął i przeczołgał się o kolejne trzy metry.

Gideon powolnym krokiem szedł przez las, uważnie obserwując teren. Niechętnie godził się na pozostawienie Tillmana samego, ale nie miał wyboru. Mixon mógł być wszędzie, a noc zmierzała ku końcowi. Las był pocięty ścieżkami, prowadzącymi od domu Verhovena. „Dokąd prowadzą?", zastanawiał się Gideon. Jeżeli gdzieś w okolicy znajdowała się wytwórnia metamfetaminy, jedna ze ścieżek mogła go do niej zaprowadzić. To oznaczało, że miał jeszcze do sprawdzenia spory kawał terenu. A świt był coraz bliżej.

Ruszył powoli ścieżką. Dwa kroki, przerwa, sprawdzenie terenu, kolejny krok. Ojciec Gideona nauczył go poruszać się w ten sposób po lesie podczas polowania. Przemieszczanie się żółwim tempem to jedyny sposób, żeby nie dać się zauważyć.

W lesie panował niepokojący mrok. Powolny marsz rozgrzał go odrobinę, ale wciąż było mu potwornie zimno. Przyszło mu do głowy, że właściwie mógłby wyjść z lasu, wsiąść do samochodu i wrócić do domu. Gdyby zrobił to teraz, znalazłby się w ciepłym łóżku obok Kate, zanim jeszcze słońce pojawi się nad horyzontem.

Ale oczywiście nie mógł. Nie mógł zostawić Tillmana. Nie po tym, jak sam go tutaj ściągnął, w dodatku wbrew jego woli.

Westchnął. Cały czas miał przeczucie, że marnuje czas. I w dodatku bez sensu naraża się na niebezpieczeństwo.

Tillman dotarł do strzelnicy około wpół do szóstej. Po jednej stronie placu znajdował się długi na dwieście metrów plac do ćwiczeń z bronią długą, po drugiej natomiast mniejszy do strzelania z pistoletu, otoczony wałem w kształcie litery „U". Pośrodku strzelnicy stała metalowa szopa, zamknięta na łańcuch i kłódkę.

Tillman spróbował otworzyć kłódkę wytrychem, ale bez powodzenia. W czasie służby w siłach specjalnych nauczył się otwierania zamków, ale najwyraźniej nie była to umiejętność z gatunku jazdy na rowerze, zwłaszcza że od zakończenia kursu zdarzyło mu się skorzystać z niej raptem pięciokrotnie.

Porzucił zmagania z kłódką i obszedł szopę dookoła. Budynek stał na betonowej podbudowie. Między ścianą a podłożem widniała wąska szczelina. Jeśli skierowałby tam światło latarki, zdołałby rozejrzeć się po wnętrzu szopy. Snop światła mógłby jednak obudzić strażnika.

Ryzyko było spore, ale Tillman znajdował się już ponad osiemset metrów od domu. Położył się na ziemi i skierował latarkę do szczeliny. W środku zobaczył tarcze strzelnicze, szyny do przesuwania celów i dwa duże wiadra, zapewne wypełnione łuskami. Ale ani śladu Mixona czy czegokolwiek, co mogłoby wskazywać na jego obecność.

W okolicy był jeszcze tylko jeden budynek – nieduży, betonowy bunkier, wystający zaledwie nieco ponad metr nad ziemię, którego przeznaczenie Tillman odgadł dopiero z bliska. Bunkier z jednej strony był otwarty i mieścił mechanizm wyrzucający w powietrze gliniane dyski do ćwiczeń strzeleckich. Dopiero po chwili Tillman zauważył, że teren za bunkrem usiany jest pomarańczowymi odłamkami, ledwie widocznymi w świetle księżyca.

Spojrzał na zegarek i uświadomił sobie, że najwyższa pora wracać. Musiał dostać się do domu, nie budząc Verhovenów, a potem znaleźć jakąś przekonującą wymówkę, żeby się stamtąd wymknąć o świcie, zanim zjawi się szef Nancy Clement.

Od strzelnicy dzieliło go dwieście metrów, od domu kolejne czterysta. Nie miał szans przebyć tego dystansu na czworakach. Obszedł wał na skraju strzelnicy, znikając z pola widzenia potencjalnego obserwatora w domu, a następnie przebiegł na drugą stronę.

– Lorene?

– Po co włóczysz się tu po nocy? – Lufa karabinu była skierowana na niego.

– Pomyślałem, że wstanę i rozejrzę się po okolicy, zanim zaczniemy manewry – zełgał Tillman.

– Nie powinno cię tu być – warknęła.

– Przecież powiedziałem…

– Co ty tu tak naprawdę robisz? – Dwukolorowe oczy Lorene zwęziły się w szparki, gdy zrobiła krok w jego kierunku. – I nie pieprz mi tutaj głupot. Mój mąż to dobry człowiek, ale czasami bywa naiwny.

Tillman wytrzymał jej spojrzenie, ale zanim zdążył odpowiedzieć, w nocne powietrze wdarł się trzask wystrzału. Wyćwiczone ucho Tillmana rozpoznało amunicję kalibru .223, stosowaną w karabinie M-16 i jego wariantach: M-4, AR-15 i tak dalej. Serce zaczęło mu bić jak oszalałe. Czy ktoś nakrył Gideona?

– Wrobiłeś nas! – wrzasnęła Lorene. – A mówiłam Jimowi, żeby ci nie ufał!

– Poczekaj – odparł Tillman, obronnym gestem unosząc dłoń. W pobliżu bramy dostrzegł trzy rozbłyski. Płomienie wylotowe z lufy. Po sekundzie dobiegł ich dźwięk: ba-bang… bang. Ktoś strzelał z ciężkiego pistoletu, prawdopodobnie kalibru .45.

Lorene machnęła karabinem.

– Idziesz ze mną – oznajmiła. – Jeśli coś się stanie Jimowi, przysięgam, zabiję cię gołymi rękami.

Tillman miał w głębokim poważaniu los Jima Verhovena i groźby Lorene, ale jeśli te strzały miały coś wspólnego z Gideonem…

Czując na plecach nacisk lufy karabinu Lorene, ruszył szybko w kierunku, z którego dochodziła strzelanina.

Kiedy Gideon usłyszał strzały, zdążył już zbadać połowę szlaków w zachodniej części posiadłości Verhovena. Bez skutku. Nie znalazł żadnych zabudowań ani podziemnych bunkrów. Gdy padł strzał, wywołał Tillmana przez radio, ale nie dostał odpowiedzi. Puścił się biegiem z powrotem na strzelnicę, którą miał sprawdzić jego brat. Tillmana nigdzie jednak nie widział. Przez lornetkę noktowizyjną dostrzegł jednak w oddali dwie postaci. Jedną z nich był z całą pewnością jego brat. Druga wyglądała na kobietę uzbrojoną w karabin.

W ferworze poszukiwań Ervina Mixona Gideon naraził brata na niebezpieczeństwo. Padły kolejne strzały. Kobieta lufą karabinu popchnęła Tillmana w kierunku domu. Gideon wyciągnął pistolet i rzucił się biegiem przez las.

18

Anderson, Wirginia Zachodnia

Sześćdziesiąt sekund wcześniej wicedyrektor Ray Dahlgren jechał długą, stromą dróżką do posiadłości Verhovena. Jego ford crown victoria trząsł się i podskakiwał na wertepach, więc nawet przy otwartych oknach nie sposób było usłyszeć czegokolwiek z zewnątrz. Dahlgren wyłączył światła w nadziei, że uda mu się podjechać bez zwracania uwagi, ale rumor, jaki czynił na wybojach jego samochód, skutecznie wyeliminował jakikolwiek element zaskoczenia.

Jeśli w posiadłości Verhovena są jacyś strażnicy, to z pewnością od dawna wiedzą o jego obecności.

Nagle, z mętnej szarości świtu wyłoniła się brama. Dahlgren z całej siły wcisnął hamulec, ale i tak z hukiem na nią wpadł.

Kątem oka dostrzegł ruch. Jakaś postać zerwała się z krzesła. Młody człowiek, ubrany w mundur maskujący i uzbrojony w AR-15.

– Co jest, kurwa?! – wykrzyknął młody człowiek, rozglądając się ze zdumieniem.

Dahlgren otworzył drzwi i postawił stopę na ziemi.

– Ej, koleś, trafiłeś pod zły adres – powstrzymał go chłopak. – Wypierdalaj stąd.

Wicedyrektor wysiadł i podniósł ręce.

– Spokojnie – powiedział. – Nie zrób niczego głupiego, chłopcze. Nazywam się Ray Dahlgren i jestem wicedyrektorem Federalnego Biura Śledczego. Chcę się zobaczyć z pułkownikiem Verhovenem.

– Pierdolisz. – Młodzieniec cały się trząsł. Dahlgren nawet w ciemnościach widział, że chłopak jest śmiertelnie przerażony.

– Weź się w garść, chłopcze – warknął wicedyrektor. – Przyjechałem zobaczyć się z Jimem Verhovenem.

– Gówno prawda – odparł strażnik piskliwym głosem. Drżącymi dłońmi wycelował AR-15 w Dahlgrena.

– Posłuchaj, chcę porozmawiać z pułkownikiem Verhovenem o człowieku, który nazywa się Gideon Davis. – Dahlgren sięgnął do kieszeni płaszcza po fotografię Gideona. Nie zdążył. Najwyraźniej wystraszony strażnik uznał, że sięga po broń. Albo po prostu stracił panowanie nad sobą i nacisnął spust.

Tak czy inaczej, AR-15 wystrzelił z trzaskiem, a Dahlgren poczuł tępe uderzenie w bok, jakby ktoś przyłożył mu kijem baseballowym.

Ray Dahlgren ćwiczył posługiwanie się bronią latami, dochodząc do stanu, w którym w ogóle nie musiał o tym myśleć. Instynkt działał za niego.

W mgnieniu oka wyciągnął pistolet i strzelił. Dwa strzały w korpus, trzeci w twarz. Dopiero po trzecim naciśnięciu spustu jego oczy zdołały skupić się na muszce, ale to już nie miało żadnego znaczenia. Trzeci pocisk wydrążył w twarzy strażnika pokaźną dziurę i wyszedł z tyłu głowy w fontannie krwi.

Chłopak zwalił się na ziemię.

– Szlag – wymamrotał Dahlgren.

Kawałek dalej znajdowały się dwa samochody FBI. W każdym z nich jechało po czterech agentów, którym wicedyrektor kazał na razie czekać. Radio Dahlgrena zatrzeszczało i odezwał się głos jednego z jego podwładnych:

– Sir, słyszeliśmy trzy strzały. Proszę się zgłosić.

Dahlgren zdołał odpowiedzieć dopiero po chwili:

– Zagrożenie zneutralizowane. Czekać. Broń w pogotowiu.

– Zrozumiałem, sir.

Dahlgren sięgnął do samochodu i wyciągnął megafon. Kiedy podnosił go do ust, zorientował się, że trzęsą mu się ręce.

– Pułkowniku Verhoven, mówi Ray Dahlgren z FBI. Zostałem ostrzelany przez pańskiego człowieka i odpowiedziałem ogniem. Nie chcę walczyć z panem ani pańskimi ludźmi. Powtarzam, nie chcę z wami walczyć. – Wypowiadając te słowa, wicedyrektor poczuł na karku zimny dreszcz. Przyjechał tu zapobiec potencjalnemu konfliktowi, a teraz, widząc ciemne postacie wybiegające z budynku sto metrów dalej, uświadomił sobie, że prawdopodobnie sam do niego doprowadził. Budynek wyglądał na kurnik. Tyle że zamiast kur wybiegali z niego ludzie. Uzbrojeni ludzie.

Po kilku sekundach otworzyli do niego ogień.

Dahlgren rzucił megafon w krzak opornika przy bramie, opróżnił cały magazynek w kierunku napastników, po czym wskoczył do samochodu i wrzucił wsteczny bieg.

– Jestem pod ostrzałem! – ryknął do mikrofonu, wciskając gaz do dechy i wycofując się w dół żwirowej ścieżki. – Uchylam poprzedni rozkaz. Zespoły Jeden i Dwa – nawiązać kontakt z przeciwnikiem, strzelać bez rozkazu. Dołączyć do mnie na żwirowej drodze, zabezpieczyć perymetr.

Jadąc tyłem w dół wzgórza i słysząc pociski rykoszetujące o karoserię, Dahlgren myślał tylko o jutrzejszych nagłówkach w prasie. Ci cholerni blogerzy natychmiast obwieszczą powtórkę z Ruby Ridge i Waco.

Pieprzony Gideon Davis. „To wszystko jego wina", wściekał się w myślach. Uświadomił sobie też, że jedyny sposób, żeby wyjść cało z tej historii, to przekonać prezydenta, że to Gideon Davis ponosi pełną odpowiedzialność za wszystko, co się tu wydarzyło i co, jak się obawiał, za chwilę się wydarzy.

19

Anderson, Wirginia Zachodnia

Tillman szybkim krokiem zmierzał w kierunku domu. Lorene podążała kilka kroków za nim, cały czas trzymając lufę karabinu wycelowaną w środek jego pleców. Po pierwszych strzałach na chwilę zapadła cisza, teraz jednak na terenie posiadłości trwała regularna bitwa.

W pobliżu baraków co najmniej dwunastu ludzi prowadziło ogień do wycofującego się w kierunku lasu policyjnego forda crown victoria.

Wniosek mógł być tylko jeden. Gideon twierdził, że szef Nancy przyjedzie tu po niego. Ludzie Verhovena najwyraźniej zaskoczyli go przy bramie. Tillman musi znaleźć brata. A potem obaj wyniosą się stąd jak najszybciej.

Po kilku minutach FBI przypuściło kontratak. Pomiędzy drzewami błyskał płomień wylotowy. Agent prowadził ogień spokojnie i metodycznie, jak na zawodach strzeleckich. Odgłosy wystrzałów były głębsze i głośniejsze niż charakterystyczny trzask kalibru .223, dochodzący od baraków. Jeśli słuch Tillmana nie mylił, strzelec posługiwał się bronią kalibru zbliżonego do trzydziestki. Prawdopodobnie .308.

Karabin snajperski. Na którymś z drzew usadowił się policyjny strzelec wyborowy. A to oznaczało, że muszą jak najszybciej gdzieś się ukryć.

Tillman ponownie zobaczył rozbłysk lufy, tym razem po tej stronie lasu, gdzie znajdowali się wraz z Lorene. Snajper był około dwustu metrów na wschód od bramy wjazdowej, zaledwie kilkaset metrów od domu.

– Lorene! – krzyknął Tillman, wskazując dłonią ścianę lasu – Musimy się ukryć!

– Ani drgnij! – Jej oczy lśniły z podekscytowania, a palec niebezpiecznie zacisnął się na spuście.

– Nie, tam jest snajper...

Nagle z jej pleców buchnęła czerwona mgła. Lorene wrzasnęła i upadła na ziemię.

Tillman wiedział, że najrozsądniej byłoby ulotnić się do lasu. Ale nie mógł tak jej tu zostawić.

Wziął ją na ręce i ruszył biegiem ku drzewom w nadziei, że strzelec znajdzie sobie jakiś atrakcyjniejszy cel. Serce łomotało mu jak szalone od wysiłku. Lorene miała prawie metr dziewięćdziesiąt wzrostu i ważyła niemal siedemdziesiąt kilo.

Tillman niepewnym krokiem wpadł do lasu. Dostrzegł kryjówkę snajpera. Liście i gałęzie, których nie powinno tam być, otaczające ciemny kształt, niepasujący do otoczenia. Od kryjówki – głębokiego koryta potoku – dzieliło ich niecałe dziesięć metrów. W gęstym listowiu dojrzał czarny owal. Obiektyw celownika. Snajper obrócił karabin, próbując ich namierzyć.

Tillman skoczył. Obiektyw zniknął za krawędzią brzegu potoku. Z pluskiem wpadli do wody.

– W porządku? – zapytał.

Lorene się skrzywiła. Jej twarz poszarzała. Tillman od razu rozpoznał objawy zbliżającego się wstrząsu. Musiał działać natychmiast.

– Nie wiem. Nie mogę... Chyba... Skurwysyny. Pierdolone, zasrane skurwysyny.

– Zobaczmy, czy mocno oberwałaś. – Tillman rozerwał jej koszulę. Rana była poważna. Nie śmiertelna, ale bardzo poważna. Kula weszła pod pierwszym żebrem i wyszła mniej więcej dwa i pół centymetra obok kręgosłupa, parę centymetrów pod zapięciem stanika. Na szczęście pocisk nie pozostawił odłamków, więc rana wylotowa była czysta.

– Poruszaj palcami u stóp – powiedział Tillman. – Możesz nimi poruszać?

– Osiem lat – wymamrotała Lorene. – Nie przeklinałam od ośmiu lat. – Pokręciła słabo głową. – Ale teraz chyba znowu zacznę. – Uśmiechnęła się drapieżnie. – Pierdolone skurwysyny.

– Poruszaj palcami.

– Moje palce są w porządku. Nie dostałam w kręgosłup. – Z kabury na biodrze wyjęła glocka 17 i wręczyła go Tillmanowi. – Przepraszam, że ci nie ufałam. Znajdź ich. Znajdź i pozabijaj tych pieprzonych skurwieli, zanim oni pozabijają nas.

Tillman usłyszał nad głową gwizd. Ktoś do nich strzelał, usiłując przygwoździć do koryta potoku.

Lorene miała rację. Jeśli miał wydostać się stąd żywy, będzie musiał jakoś zneutralizować strzelca. Snajperzy z reguły pracują w parach – strzelec wyborowy i obserwator. Strzelec prawdopodobnie wciąż ostrzeliwał baraki, więc do nich zapewne strzelał obserwator, próbując ogniem zaporowym zatrzymać ich w miejscu.

Będzie musiał zajść ich z boku i wypłoszyć z kryjówki. Sprawdził komorę glocka. Pistolet był przeładowany.

– Zostań tu.

Pochylił się i pobiegł wzdłuż potoku.

Dahlgren pozostawił dwa zespoły przy wjeździe do posiadłości Verhovena jako odwód. Snajper był już na pozycji. Drugi zespół dotarł do wicedyrektora po trzydziestu sekundach. Dahlgren wcisnął hamulec i wyskoczył z samochodu.

– Sir, jest pan ranny? – zawołał dowódca zespołu.

– Nic mi nie jest – zaprzeczył wicedyrektor. Czuł krew spływającą pod koszulą. Pocisk z AR-15 przebił kamizelkę kuloodporną obok jego lewego ramienia. Bolało jak wszyscy diabli, ale uraz na razie nie był groźny. Kula nie strzaskała kości, nie naruszyła też żadnych ważniejszych nerwów ani naczyń krwionośnych.

– Tamci mają cholerną siłę ognia, sir – powiedział dowódca. – A my dysponujemy tylko snajperem. Jeśli wstrzelą się w jego pozycję, a my nie zdążymy ze wsparciem, będzie miał przesrane.

– No to poślijcie mu wsparcie.

– No tak, tylko że mamy w sumie ośmiu ludzi, z czego połowę uzbrojoną jedynie w strzelby i broń osobistą, a tamtych jest dwudziestu i wszyscy mają karabiny wojskowe. Jeśli wkroczymy teraz, będą ranni. Chce pan zaryzykować?

Dahlgren rzucił mu wściekłe spojrzenie. Jeżeli w tej strzelaninie zginą agenci FBI, to jego kariera z hukiem się zakończy, co do tego nie było wątpliwości. Zostawało jedno wyjście. Włączył radiotelefon.

– Zespół snajperski, wycofać się do punktu zbornego. Przegrupowujemy się. Powtarzam, natychmiast wycofać się do punktu zbornego. Zrozumiano?

– Tak jest.

Dahlgren odłożył radiotelefon i odwrócił się do agenta Ferrisa.

– Zabezpieczyć teren. Wezwijcie wsparcie z Charlestonu. Niech przyślą nam wszystkich wolnych agentów.

Wyjął z samochodu mapę i rozłożył na masce, udając, że nie zauważa krwi kapiącej na zalaminowany papier.

– Południowy perymetr mamy na razie zabezpieczony, ale zobacz, w tym miejscu z posiadłości biegnie droga do lasu. Trzeba postawić tam blokadę, w przeciwnym razie te sukinsyny zwieją na wzgórza i będziemy ich szukać przez najbliższe trzydzieści lat.

– Tak jest, sir.

– I skontaktujcie się z Waszyngtonem. Potrzebujemy oddziału szturmowego na wczoraj. Także wsparcia z powietrza i… Poczekajcie chwilę. – Dahlgren mógł być wściekły, ale to nie zwalniało go z odpowiedzialności. Musiał się opanować. Jego ludzie powinni widzieć dowódcę, który dokładnie wie, co robić. Wyjął telefon komórkowy i wybrał numer. – Dyrektor Wilson? Tak, sir, mówi Dahlgren. Obawiam się, że sytuacja w Wirginii Zachodniej jest trudniejsza, niż przewidywaliśmy. Tak, sir. Tak jest. Prawdopodobnie czeka nas otwarta wymiana ognia. To przez tego kretyna Gideona Davisa. Obawiam się, że to on sprowokował całą tę sytuację.

Tillman biegł pochylony korytem potoku, mając nadzieję, że uda mu się zajść snajpera z flanki. Mniej więcej po pięćdziesięciu metrach szczelina wyżłobiona przez potok wypłaszczyła się, pozbawiając go osłony. Tillman opadł na kolana, a następnie zaczął się czołgać, zatrzymując się w końcu przed kępą rododendronów.

Po chwili z trudem dojrzał sylwetki snajpera i obserwatora. Obaj mieli na sobie stroje maskujące, tak zwane *ghillie suits*, z poupychaną tu i ówdzie roślinnością, która załamywała krawędzie sylwetek i umożliwiała wtopienie się w zieleń lasu. Strój jednego z agentów był podciągnięty do góry na tyle, że Tillman był w stanie dojrzeć duże, białe litery na jego plecach.

FBI.

Federalni.

Tillman rozważył możliwości. Zastrzelenie agentów nie wchodziło w rachubę. Mógł też uciec do lasu, pozostawiając Lorene na pewną śmierć. Tę ewentualność odrzucił z kilku powodów. Pozostawienie kobiety na pewną śmierć – nawet tak szurniętej – nie było w jego stylu. Poza tym w jego myślach zaczął kiełkować inny plan. Zanim jednak będzie mógł podzielić się nim z Gideonem, musiał uporać się z dwoma dobrze wyszkolonymi i uzbrojonymi agentami, leżącymi w trawie niecałe trzydzieści metrów od niego.

Agentami, którzy zastrzeliliby go bez mrugnięcia okiem. A on nie mógł ich zabić.

Obserwator miał przed sobą celownik o dwudziestokrotnym powiększeniu. W rękach trzymał M-4 i od czasu do czasu prawie bez celowania posyłał serie po trzy strzały w kierunku Lorene. Żona Verhovena i Tillman nie byli jednak głównym celem. Obserwator bardziej niż na strzelaniu skupiał się na celowniku, szeptem podając kolejne namiary strzelcowi, który wybierał obiekty w pobliżu domu. Strzelec leżał nieruchomo, z okiem stale przytkniętym do celownika karabinu, koncentrując się wyłącznie na celu.

Tillman wyciągnął z kieszeni kominiarkę i włożył, zakrywając twarz i szyję. Ostatnia rzecz, jakiej sobie życzył, to zostać rozpoznanym przez ludzi, których za chwilę zamierzał zaatakować. Podsunął się bliżej. Obserwator w końcu opróżnił magazynek swojego M-4. Kiedy obrócił się na bok, żeby włożyć nowy, Tillman skoczył i wylądował między nim a strzelcem.

– Niech ci nawet nie przyjdzie do głowy drgnąć – powiedział cicho, celując z glocka w jego głowę.

Zaatakowany mężczyzna był potężnie zbudowany i nie wyglądał na bojaźliwego. Prawdopodobnie były żołnierz. Tillman zauważył, że facet zastanawia się, czy spróbować go rozbroić. Strzelec odwrócił głowę i znieruchomiał jak jeleń w świetle reflektorów samochodu. Tillman wiedział, że w zespołach snajperskich to z reguły obserwator był starszy i bardziej doświadczony, więc strzelec najprawdopodobniej będzie podążał za jego przykładem. Jeśli uda mu się zmusić go do współpracy, będzie po sprawie.

Zanim potężny agent zdążył podjąć niewłaściwą decyzję, Tillman oparł but o jego dłoń.

– Panowie, nie zamierzam robić wam krzywdy, ale jeśli nie będziecie dokładnie wykonywać moich poleceń, zabiję was. – Tillman cały czas mówił przyciszonym głosem. Sukces jego planu opierał się na pozostawieniu Lorene w nieświadomości. Zwrócił się do obserwatora. – Teraz wyjmiesz swojego siga kciukiem i palcem wskazującym, nie próbując nawet dotknąć spustu. Potem wyjmiesz magazynek, powoli odciągniesz zamek i opróżnisz komorę.

Obserwator sprawiał wrażenie uspokojonego profesjonalnym tonem Tillmana. Zawahał się tylko na sekundę, po czym rozładował pistolet.

– Teraz M-4.

Po rozbrojeniu obserwatora Tillman powtórzył całą operację ze strzelcem, który posłusznie rozładował broń osobistą i karabin wyborowy Remington 700. Następnie Tillman zwrócił się szeptem do obserwatora:

– Daj mi swoje radio.

Włożył słuchawkę do ucha akurat w momencie, gdy w eterze odezwał się rozkazujący głos:

– Zespół snajperski, wycofać się do punktu zbornego. Przegrupowujemy się. Powtarzam, natychmiast wycofać się do punktu zbornego. Zrozumiano?

– Powiedz „Tak jest" – rozkazał Tillman strzelcowi. – I ani słowa więcej.

Strzelec się nie wahał. Wcisnął przycisk nadawania i zameldował zgodnie z instrukcją.

– Macie się wycofać do punktu zbornego – zwrócił się Tillman do obserwatora. – Proponuję wam następujący układ: pozwolę wam zabrać ze sobą broń. Naładujecie ją w punkcie zbornym, więc wasz dowódca nigdy się nie dowie, że daliście się podejść.

Agenci spojrzeli po sobie i kiwnęli głowami.

– Jak się nazywasz? – zapytał obserwatora.

– Crane.

– Agencie Crane, powiecie dowódcy, że radio zostało zniszczone, zgubiliście je albo coś w tym stylu. Ani słowa o mnie, nikt nie musi wiedzieć, że spapraliście robotę na pozycji. Ho-ah?

– Ho-ah – odpowiedział Crane, potwierdzając przypuszczenia Tillmana, że przed wstąpieniem do FBI służył w wojsku.

– No dobrze, chłopaki... Teraz wyjmiecie zamki z remingtona, M-4 i sigów, i schowacie wszystko do torby. Następnie oddam w powietrze cztery–pięć strzałów. Jak tylko zacznę strzelać, ruszacie biegiem do punktu zbornego. Zrozumiano?

Agenci popatrzyli na niego ze zdziwieniem.

– Nie musicie wiedzieć, co robię i po co, chłopcy – warknął Tillman głosem starego sierżanta. – Po prostu róbcie, co mówię. Jasne?

– Tak jest, sir.

Obaj federalni schowali broń do torby snajperskiej, w której strzelec wyborowy przechowywał karabin do momentu znalezienia się na pozycji.

– Nigdy mnie tu nie było – przypomniał Tillman. – W ogóle mnie nie widzieliście.

Nie czekając na odpowiedź, strzelił z glocka w ziemię, na tyle blisko, że rozbryzgi ziemi trafiły agentów w twarz.

Federalni natychmiast rzucili się biegiem w las.

Tillman odczekał, aż znikną między drzewami, a następnie popędził do potoku. Lorene leżała na boku. Była blada i spocona.

– Co się stało? – wychrypiała. – Słyszałam strzały.

– Nie żyją – odparł. – Chodź, zabierzemy cię do męża.

Strzelanina ucichła po kilku minutach, co zaskoczyło Tillmana. Nie był pewien, co mogło zmusić FBI do przerwania akcji, ale podejrzewał, że mieli zbyt mało ludzi, żeby zmierzyć się z milicją Verhovena.

Tak czy inaczej, kiedy doholował bladą, zakrwawioną Lorene z powrotem do domu, nikt już nie strzelał.

– Dzięki Bogu! – wykrzyknął Verhoven, gdy Tillman wtaszczył jego półprzytomną żonę tylnym wejściem. – Co się stało?

– Oberwałam – powiedziała, bezskutecznie próbując się uśmiechnąć. – Ale nic mi nie jest. Tillman mnie uratował.

– Połóż ją tutaj. – Verhoven wskazał pokój gościnny na pierwszym piętrze.

W domu panował chaos. Regularne manewry i ćwiczenia na strzelnicy nie zdołały psychicznie przygotować ludzi pułkownika, którzy w większości pierwszy raz w życiu znaleźli się pod ostrzałem. I dla wielu z nich był to wstrząs. Dwóch wymiotowało, kolejny krążył po pokoju, mamrocząc pod nosem:

– Co my teraz zrobimy? Co my zrobimy?

– Sir – odezwał się jeden z młodych ludzi. – Chłopaki uważają, że powinniśmy się poddać.

– Won! – ryknął Verhoven, zatrzaskując mu drzwi przed nosem.

– To nie jest najgłupszy pomysł, Jim – powiedział spokojnie Tillman. – FBI nie będzie wiecznie kryło się po lesie. Jaki właściwie masz plan?

Verhoven rozejrzał się ukradkiem.

– Wynosimy się stąd – powiedział. – Taki jest mój plan.

– A twoi ludzie? – zapytał Tillman, starając się ukryć pogardę w głosie.

– Ciszej! – syknął Verhoven. – Mówiłem ci wczoraj, że Lorene i ja mamy do wykonania misję. Misję, która jest ważniejsza niż życie moich ludzi. Zatrzymają federalnych na tyle długo, żebyśmy zdążyli się ulotnić. Na tyłach domu mamy dwa quady.

Tillman uniósł brew.

– Cokolwiek planujesz, twoja żona raczej nie będzie w stanie ci pomóc. Ale jeśli zechcesz, to jestem do usług.

Lorene z grymasem bólu uniosła się na łóżku.

– On mi uratował życie, Jim. Snajper przygwoździł nas do ziemi. Tillman zabił jego i obserwatora, i przyniósł mnie tutaj.

– Być może, jednakże…

– Mógł zostawić mnie na pewną śmierć w tym zasranym rowie! Ale tego nie zrobił. Możesz mu zaufać.

Verhoven spojrzał żonie w oczy, po czym krótko skinął głową.

– Pomóż mi przenieść ją do quada.

– A może je tu przyprowadzę? Lepiej, żeby twoi ludzie nie zobaczyli za wcześnie, że się wycofujesz.

– Racja – przyznał Verhoven. Rzucił Tillmanowi kluczyk.

Tillman wyszedł tylnymi drzwiami i pobiegł do szopy, w której stały quady. Uruchomił najbliższą maszynę, podjechał do domu i zostawił z włączonym silnikiem.

– Jim, poczekaj na mnie, pójdę po drugi – powiedział do Verhovena. – W ten sposób nie będziemy się musieli szukać po lesie.

Pobiegł z powrotem do szopy. Kiedy tylko zniknął z pola widzenia pułkownika, wyjął radiotelefon od Gideona.

– To ja – zgłosił się. – Odbierasz?

– Wszystko w porządku? – W głosie Gideona słychać było zdenerwowanie.

– Tak. Verhoven zamierza zwiać z żoną quadem. Jadę z nimi.

– O czym ty mówisz? Trzymaj się jak najdalej od tego faceta.

– Verhoven coś wie. Z całą pewnością to nie on pociąga za sznurki, nie wie nawet, jaki jest cel. Jeśli będę się go trzymał, w końcu trafię do tego, kto dowodzi całą operacją.

– Tillman…

– Jeśli chcesz zabić węża, utnij mu łeb.

Gideon westchnął.

– Nie chciałem cię w to wplątywać.

– Za późno.

– Na pewno jesteś na to gotowy?

– Nie mam chwilowo nic lepszego do roboty. Poza tym nie lubię mieć u ciebie długów, ale chyba spodoba mi się, jeśli to ty będziesz miał dług u mnie.

Gideon się roześmiał. Choć pogodzili się już wcześniej, łącząca ich więź stała się właśnie jeszcze mocniejsza. Byli już nie tylko braćmi, ale towarzyszami broni. Ale głęboką wdzięczność, jaką odczuwał Gideon, przesłaniała obawa, że jego brat naraża swoje życie przez niego.

– Dobra, zostań z Verhovenem, ale będę cię pilotował. Zwłaszcza przez perymetr FBI – powiedział Gideon. – Monitoruję ich częstotliwość, więc będę mógł cię bezpiecznie przeprowadzić. Pamiętasz tę grę, w którą się bawiliśmy w lesie? W tropicieli?

Od strony domu dobiegł głos Verhovena:

– Tillman? Co ty tam robisz?

– Muszę lecieć – szepnął Tillman do mikrofonu.

– Jedź do ścieżki na tyłach posiadłości. Stamtąd cię poprowadzę.

– Jasne. – Tillman wyjął z ucha słuchawkę radiotelefonu i wepchnął urządzenie głęboko w kieszeń. Dziesięć sekund później podjechał quadem pod dom. Verhoven i Lorene siedzieli już w drugim pojeździe. Spodnie żony Verhovena były czerwone od krwi.

– Sir! – zawołał ktoś z budynku. – Dokąd pan jedzie? Co mamy robić?

– Zabieram Lorene w bezpieczne miejsce. Pod żadnym pozorem nie pozwólcie FBI pojechać naszym śladem.

– Ale sir, musi pan…

Zanim młody człowiek skończył zdanie, quad Verhovena ruszył naprzód, wyrzucając spod kół fontannę żwiru. Pułkownik otworzył przepustnicę quada i z maksymalną prędkością skierował się ku ścieżce na granicy posiadłości.

20

Anderson, Wirginia Zachodnia

Ervin Mixon tkwił na krześle od dłuższego czasu. Na tyle długo, że strzęp skóry po odciętej powiece przestał krwawić.

Białka jego oczu były wyschnięte i pokryte zakrzepłą krwią. Widział przed sobą tylko rozmazaną plamę. W pewnym momencie zaczął rozmyślać o swoich dzieciach. O synu, którego porzucił. O córce, która dawno temu wpatrywała się w niego jak w obrazek, a teraz najprawdopodobniej uważała go za wartego mniej więcej tyle, co psie gówno na podeszwie.

I miała rację.

Mixon się rozpłakał. Łzy powoli spływały po wyschniętych oczach, kłując jak tysiąc maleńkich igiełek.

Stopniowo spłukiwały zakrzepniętą krew, przez co rozmyta plama wyostrzała się w kształty otoczenia.

Wciąż był w tym samym pomieszczeniu. Te same betonowe ściany, zbiorniki z eterem i pojemniki z chemikaliami.

Wychodząc, Verhoven i ta chora dziwka – jego żona, wyłączyli wentylację. Mixon wiedział, że bunkier jest całkowicie odizolowany od świata zewnętrznego. Przeżycie umożliwiał wyłącznie skomplikowany system filtracji i cyrkulacji powietrza. Po jego wyłączeniu człowiek wewnątrz bunkra zaczynał pochłaniać cały tlen. A kiedy stężenie dwutlenku węgla osiągało trzy–cztery procent, następowało uduszenie.

Mixon wyczuwał, że ta chwila jest już blisko.

Bez względu na to, dokąd pojechał Verhoven i jaką wariacką misję miał do spełnienia, nie zamierzał tutaj wracać. Mixon popełnił kardynalny błąd, próbując zarobić na sprzedaży informacji o pułkowniku. Błąd, za który przyjdzie mu zapłacić życiem.

Ta psychopatka Lorene odcięła mu lewy kciuk i uszy, i zdjęła skórę z jego prawej dłoni, która teraz przypominała wilgotną, brązową masę. Zdartą skórę rzuciła na podłogę. Leżała tam nadal, jak skurczona, staromodna rękawiczka.

A najgorsze było to, że ta stuknięta suka nie zrobiła mu tego, żeby wyciągnąć z niego informacje. Nie, torturowała go dla własnej przyjemności.

Widząc, co Lorene robi z jego ciałem, Mixon co chwilę mdlał. Zwłaszcza gdy zabrała się do obdzierania ze skóry jego pieprzonej ręki. Nie chodziło o ból. Najbardziej przerażało go to, że ta dziwka bezceremonialnie wdzierała się do jego wnętrza, odcinając skórę precyzyjnymi ruchami swojego cholernego nożyka.

Z początku próbował kłamać. Mówił, że ujawnił tylko istnienie fabryki metamfetaminy. Ale kiedy odcięła mu kciuk, dał sobie spokój z kłamstwami i przyznał, że wie o planowanym zamachu terrorystycznym. Potem ze szczegółami opowiedział, z kim rozmawiał i o czym. Nie zdradził jednak Gideona Davisa. Bynajmniej nie ze względu na opory moralne czy poczucie honoru. Po prostu odzyskiwał przytomność na zbyt krótko, żeby jej o nim powiedzieć. I nie wyjawiając tej jednej informacji, przypadkiem udało mu się ocalić jakiś okruch godności. Ta świadomość przynosiła mu ukojenie, gdy wyschnięte oczy stopniowo ogarniała ciemność, i w końcu Ervin Mixon zapadł w wieczny sen.

21

Anderson, Wirginia Zachodnia

Gideon znajdował się za strzelnicą, obserwując teren posiadłości Verhovena w poszukiwaniu bezpiecznego przejścia dla Tillmana przez kordon FBI. Federalni wezwali posiłki. Gideon widział wyraźnie parę quadów, którymi jechali Tillman oraz Verhoven z żoną, pojazdy wspinały się na wzgórze. Gideon rzucił się biegiem przez las w kierunku drogi, którą nadjeżdżali agenci FBI. Tuż nad linią drzew krążył helikopter.

Dotarł do drogi akurat w momencie, w którym zza zakrętu wyłonił się czarny SUV. Samochód gwałtownie zatrzymał się na żwirowej nawierzchni, wzbijając fontannę piachu spod kół. Gideonowi zostało już niewiele czasu. Podsłuchiwał rozmowy agentów przez radio. Jeden zespół przydzielono do zabezpieczenia ścieżki na tyłach posiadłości. Gideon nie wiedział jednak, jaką liczebność ma zespół agentów FBI. Jeden samochód? Cztery? Dziesięć? Nie mógł zdobyć tych informacji, ale przez radio usłyszał wezwanie dla policji stanowej i biura szeryfa hrabstwa Millner. Mieli zablokować drogę na wschód, co oznaczało, że musiał pokierować Tillmana na zachód. W tym kierunku przez kilka kilometrów nie było żadnych utwardzonych dróg, a ścieżek i szlaków drwali nie zaznaczano na żadnych mapach.

Wrócił do lasu, przedzierając się przez kępę wrzośców, które rozdarły mu ubranie. Po wyjściu na drugą stronę dłuższą chwilę zajęło mu poszukiwanie śladów pozostawionych przez quady. Następnie wybrał solidny dąb i w korze wyciął scyzorykiem podwójne, odwrócone „V". Po lewej stronie drzewa ułożył w stos trzy kamienie. Potem powoli zszedł ze wzgórza ścieżką.

Gideon i Tillman dorastali na wsi w północnej Wirginii, właściwie bez towarzystwa innych dzieci w swoim wieku. W rezultacie bawili się głównie ze sobą, wymyślając rozmaite, skomplikowane gry, używając drzew, patyków, kamieni i innych rzeczy, które można było znaleźć tylko w lesie. Jedną z ich ulubionych gier byli „Tropiciele", zainspirowani postacią Sokolego Oka z książek Jamesa Fenimore Coopera, który przyprawiał o frustrację miliony chłopców, usiłujących dorównać mu w umiejętności tropienia śladów.

Kiedy w końcu uświadomili sobie, że nie zdołają posiąść takiej biegłości w odczytywaniu wskazówek w kałużach i złamanych gałęziach, jak Sokole Oko, wymyślili własny system wskazówek, oparty na splecionych w specjalny sposób pnączach i ułożonych w stosy kamieniach. System nie miał wiele wspólnego z talentami Sokolego Oka, ale był skuteczny.

Podwójne odwrócone „V", które Gideon wyciął w korze dębu, oznaczało niebezpieczeństwo z przodu. Stos kamieni wskazywał, że bezpieczny szlak prowadzi na zachód od drzewa. Do Gideona docierał stłumiony warkot silnika V8 na ścieżce. Jeśli tylko uda mu się dokładnie określić położenie federalnych, będzie mógł poprowadzić Tillmana i Verhovenów naokoło. Ryzykował wprawdzie, że natknie się na agentów, ale był na to przygotowany. Musiał wydostać Tillmana z tego lasu, a potem podążyć za nim i uniemożliwić Verhovenom realizację ich planu. Niezależnie od tego, co zamierzali.

Wędrując w kierunku drogi, od czasu do czasu zatrzymywał się i obserwował las przez noktowizor, który w szarym świetle poranka pomagał lepiej rozpoznawać kształty między drzewami. W końcu dojrzał kilku agentów i czarnego chevroleta suburban. Wyglądało na to, że na drodze jest tylko jeden wóz. A to oznaczało maksymalnie czterech funkcjonariuszy.

Szybkim krokiem wrócił na wzgórze i ułożył kolejny stos, wskazując Tillmanowi, że powinien trzymać się zachodniego kierunku. Po pewnym czasie natknął się na przecinkę – szeroką połać ziemi po świeżo wyciętym lesie. Na przecince stała ciężarówka. Podniszczona, ale wyglądająca na sprawną. Jeżeli Tillman lub Verhovenowie zdołają spiąć ją na krótko, będą bezpieczni. Gideon wsunął się pod zarośla porastające brzeg przecinki i czekał.

Tillman przejechał wzniesienie po drugiej stronie strzelnicy i pełnym gazem ruszył w dół wzgórza, starając się wyprzedzić Verhovena. Musiał jechać przodem, na wypadek gdyby Gideon zostawił mu jakieś wskazówki.

Pierwszą zauważył, kiedy mijał quad Verhovena – dawny symbol zagrożenia, wymyślony w dzieciństwie.

Zahamował tak gwałtownie, że pułkownik prawie na niego wpadł.

– Co ty wyprawiasz, do cholery?! – krzyknął Verhoven.

Tillman uciszył go podniesioną dłonią i gestem nakazał wyłączyć quada.

Verhoven pokręcił głową. Nie było wątpliwości, że najchętniej zjechałby jak najszybciej ze wzgórza i ruszył ścieżką.

Tillman wyłączył swój pojazd, po czym wychylił się i przekręcił kluczyk w quadzie Verhovena.

– Czyś ty zwariował, chłopcze?

Tillman przyłożył palec do ust, a potem wskazał dłonią w kierunku ścieżki, wciąż niewidocznej zza drzew.

– O co znowu chodzi? – zapytał pułkownik z wściekłością.

– Chyba coś słychać. Jeżeli tam w dole jest FBI, usłyszą nas.

Verhoven rzucił mu gniewne spojrzenie.

– Nie możemy iść piechotą. Lorene jest ranna.

– Musimy.

Verhoven sięgnął do kluczyka, ale gdy tylko go dotknął, z oddali dobiegło przytłumione trzaśnięcie. Odgłos zamykanych drzwi samochodu.

Pułkownik powoli cofnął rękę.

– Jim, posłuchaj, w wojsku przemierzałem setki kilometrów z trzydziestopięciokilogramowym plecakiem. Poniosę ją na plecach. Dam radę przejść dwa–trzy kilometry. Pójdziemy na zachód. W ten sposób ominiemy ścieżkę i federalnych.

– Nie – zaprotestował Verhoven. – Powinniśmy iść na wschód, do drogi.

– Właśnie o to chodzi – powiedział Tillman. – Jeśli FBI postawiło swoich ludzi na ścieżce drwali, to gwarantuję ci, że blokują też wszystkie większe drogi.

– Musimy zaryzykować – nie ustępował Verhoven.

– Jim, znam się na tym lepiej od ciebie – odparł Tillman. – Musisz mi zaufać.

– On ma rację – odezwała się Lorene.

– Musimy zawieźć ją do lekarza – upierał się pułkownik.

– Nic mi nie jest. – Na potwierdzenie Lorene zeszła z quada.

– Daj mi ręce – polecił jej Tillman. Złapał ją za nadgarstki i zarzucił sobie na plecy. – Idziemy.

Lorene Verhoven ważyła znacznie więcej niż standardowy plecak, który nosił w wojsku. Po kilku krokach Tillman uświadomił sobie, jak wiele czasu upłynęło, odkąd ostatni raz maszerował w pełnym oporządzeniu przez las.

Ruszył szybkim krokiem w dół wzgórza, starając się rozłożyć jej ciężar równomiernie na plecach. Przy każdym kroku Lorene jęczała cicho.

– Dwa lub trzy kilometry – powiedział. – Dasz radę.

– Dam. A ty?

– Bułka z masłem – wystękał.

Wyjście z lasu zajęło im około pół godziny. Plecy Tillmana bolały coraz bardziej, a kolana zrobiły się niebezpiecznie miękkie. Verhoven kilka razy przejął od niego żonę, ale był o ponad dziesięć lat starszy i znacznie słabszy od Tillmana, więc nie zdołał nieść jej zbyt długo.

W końcu dotarli do szerokiej przecinki. Na jej krańcu stała zardzewiała półciężarówka, wypełniona gałęziami.

– Poczekajcie, spróbuję ją odpalić – powiedział Tillman, sadzając Lorene na ziemi.

Podbiegł do półciężarówki. Drzwi były otwarte. Wśród licznych umiejętności, które nabył podczas służby w CIA, było także spinanie stacyjki na krótko. I był pewien, że pamięta ją znacznie lepiej niż otwieranie zamków wytrychem. Po trzydziestu sekundach rura wydechowa starego forda plunęła błękitnym dymem. Tillman podjechał do miejsca, w którym zostawił Lorene i Verhovena.

– Wsiadajcie na pakę! – zawołał. – Mnie FBI nie szuka, więc nawet jeśli nas zatrzymają, nie powinno być problemu.

Wygrzebał kilka gałęzi spod spodu, robiąc w ten sposób kryjówkę dla Lorene i Verhovena. Kiedy oboje znaleźli się na pace, przykrył ich z powrotem gałęziami, a na całość narzucił plandekę.

Wsiadając do kabiny, zauważył jakąś postać na skraju lasu. Jego serce zatrzymało się na chwilę, ale szybko zorientował się, że to Gideon.

Jego brat w milczeniu uniósł kciuki i się uśmiechnął. Potem przyłożył do ucha dłoń z wyciągniętym kciukiem i najmniejszym palcem. Był to uniwersalny gest, oznaczający „zadzwonię". A potem zniknął w gęstej roślinności.

Tillman uśmiechnął się, włożył do ucha słuchawkę radiotelefonu, po czym ruszył na południe, ku granicy Wirginii.

22

Anderson, Wirginia Zachodnia

Sir, widzę białą flagę w oknie.

Ray Dahlgren obrócił się do snajpera, który śledził dom przez celownik z punktu dowodzenia u stóp wzgórza.

– To może być podstęp – stwierdził dowódca oddziału szturmowego. – Być może próbują zwabić nas w pułapkę.

– Albo nie – odparł Dahlgren. Wicedyrektor desperacko chciał jak najszybciej zakończyć tę operację, obawiając się powtórki z krwawej jatki, jaką było oblężenie przez FBI rancza Branch Davidian w pobliżu Waco w Teksasie w 1993 roku. Media rozszarpałyby go na strzępy. Jeżeli istniała jakakolwiek możliwość uniknięcia tego koszmaru, Dahlgren zamierzał ją wykorzystać – nawet ryzykując życie swoich ludzi. Zwrócił się do snajpera:

– Jesteś w stanie zapewnić mi stąd osłonę?

– Tak jest, sir.

– Dobra, niech negocjator wywołuje ich po kolei. Kiedy wyjdą, aresztować i doprowadzić do punktu dowodzenia. Jeżeli ktoś zacznie do was strzelać, wycofacie się pod osłoną ognia snajpera i oddziału szturmowego. I zaczniemy od początku. Zrozumiano?

– Tak jest, sir.

Wyciąganie członków milicji po kolei z domu trwało całe wieki. Dahlgren próbował przyspieszyć całą operację, ale było już za późno. Na długo przed tym, jak ostatni z mężczyzn opuścił dom Verhovena, pojawiły się telewizyjne helikoptery i teleobiektywy. Na drodze zaparkował najeżony antenami wóz transmisyjny CNN.

Cała akcja skończyła się jednak po dwóch godzinach i dziesięciu minutach. Wszystkich członków milicji aresztowano, przeszukano dom i zabezpieczono zabudowania gospodarcze.

„Żołnierzy" Verhovena spędzono w grupę, skuwając każdego za nadgarstki i kostki. Nie przypominali krwiożerczych terrorystów. Raczej bandę wystraszonych dzieciaków z nadmiarem tatuaży i niedoborem uzębienia.

– To już wszyscy, sir – zameldował dowódca oddziału szturmowego.

Dahlgren z wściekłością przyglądał się twarzom aresztowanych.

– Gdzie Verhoven? I jego żona?

Dowódca pokręcił głową.

– Tu ich nie ma, sir.

– Szlag by to trafił – warknął Dahlgren. Rozległ się dzwonek jego telefonu. Dzwonił dyrektor FBI.

– Mówią o tym dosłownie wszędzie – powiedział dyrektor Wilson. – W CNN, Fox, na każdym kanale. Powiedz mi, że złapaliście Verhovena.

Dahlgren nie był w stanie wydusić z siebie słowa. Co dla dyrektora Wilsona stanowiło wystarczającą odpowiedź.

– Dahlgren, do jasnej cholery, masz dorwać tego faceta. Dopóki go nie zamkniesz, media będą w kółko wałkować tę historię.

– Mamy podstawy przypuszczać, że był tu Gideon Davis. Mamy również podejrzenia co do kierunku, w którym się udał – odpowiedział oficjalnym tonem Dahlgren, boleśnie świadomy, że jego kariera właśnie zawisła na włosku. Mógł w jednej chwili stracić wszystko, na co pracował przez tyle lat. Wstrzymał oddech, czekając na odpowiedź szefa.

– Jak mam to rozumieć? – odpowiedział w końcu pytaniem Wilson.

Dahlgren nakreślił mu sprawę Gideona, która zmusiła go do udania się do posiadłości Verhovena z niewielką grupą agentów. Wyśmiał teorię Gideona o planowanym zamachu jako wymysł paranoika i zasugerował, że to Davis jest odpowiedzialny za strzelaninę.

– Nie masz żadnego dowodu, że on tam w ogóle był, Ray! To ty wsadziłeś kij w mrowisko. To twój bajzel.

– Z całym szacunkiem, sir, mój bajzel jest również pańskim bajzlem. Proponuję, żeby skontaktował się pan z działem prawnym i znalazł jakiś paragraf na Davisa. Na wszelki wypadek. W tym czasie musimy pokazać w telewizji rannego agenta, który będzie robił za bohatera i przekonywał media, że nie patyczkujemy się z terrorystami w naszym kraju.

Dyrektor FBI westchnął z rezygnacją. Dahlgren wiedział, że udało mu się kupić trochę czasu. Pomimo szczerych chęci Wilson nie rzuci go lwom na pożarcie. Jeszcze nie.

– Znajdź Verhovena, Ray.

– Znajdę go, sir.

– Mam nadzieję. Dla twojego własnego dobra.

23

Gmach Rayburna, Waszyngton

Na zakończenie swojej prezentacji – powiedziała Kate Murphy – chciałabym podziękować tej komisji za stworzenie realnej możliwości wyjaśnienia pewnych niedomówień. Nie lubię oskarżać moich kolegów i koleżanek o krótkowzroczność, ale trzeba pamiętać, że ropa naftowa kiedyś się skończy. Nawet jeśli będziemy robić odwierty wszędzie, gdzie się da, nie rozwiąże to naszych problemów. Z drugiej strony twierdzenie, że możemy przestawić całe Stany Zjednoczone na energię słoneczną i wiatrową w ciągu następnych pięciu lat, również jest mrzonką. Ale gdzieś pośrodku znajduje się właściwy kierunek, który pozwoli nam przejść od uzależnienia od paliw kopalnych do świata napędzanego czystszą i bezpieczniejszą energią ze źródeł odnawialnych. Kierunek ten musi być jednak wyważony i praktyczny, wytyczony nie pod wpływem ideologii, ale na podstawie precyzyjnie nakreślonej wieloletniej strategii. Dziękuję.

Podczas przerwy do Kate podszedł Tom Fitzgerald, sekretarz stanu do spraw wewnętrznych.

– Doskonałe przemówienie – powiedział z uznaniem.

Kate podniosła wzrok znad papierów i spojrzała na niego podejrzliwie. Spędziła w Waszyngtonie dość czasu, żeby na tego typu komplementy reagować nieco paranoicznie.

– Prawdopodobnie właśnie wszystkich do siebie zraziłam – odparła. – Ale cała ta komisja przypomina mi teatr kabuki. Najpierw ludzie z koncernów naftowych rzucają na stół jeden poroniony argument za drugim, żeby tylko obronić zyski swoich firm, a po nich goście z organizacji ekologicznych snują fantazje o tym, że jeśli tylko będziemy bardzo tego chcieć, za rok cała Ameryka mogłaby jeździć do pracy samochodami na energię słoneczną. – Kate poczuła, że się czerwieni, a jej głos wchodzi na niebezpiecznie wysokie rejestry. – Przepraszam. Jak pan widzi, to wszystko jest trochę frustrujące.

Sekretarz się uśmiechnął. Był przystojnym mężczyzną o gładko ogolonej twarzy, który przed wstąpieniem do administracji pracował w branży elektrycznej. Doświadczenie podpowiadało Kate, że ludzie z sektora energetycznego nie są bystrzakami, ale jak dotąd Tom Fitzgerald sprawiał pozytywne wrażenie.

– Mam do pani dwie sprawy – powiedział sekretarz. – Po pierwsze, porozmawiam z senatorem Bainbridge'em i dopilnuję, żeby to pani napisała końcowy raport z prac komisji. Zakładam, że nie ma pani nic przeciwko temu.

– Mówi pan poważnie?

– Oczywiście. Rozmawiałem już z prezydentem o pracy, jaką pani tu wykonuje, i wyraził zgodę. Chociaż był łaskaw zauważyć, że między nim a pani narzeczonym panują dość burzliwe stosunki.

– Banda polityków zrobiła kozła ofiarnego z brata Gideona. Tillman Davis poświęcił wszystko służbie dla kraju, a kiedy Gideon próbował go bronić, prezydent nie raczył kiwnąć palcem. – Kate starała się mówić stanowczym, ale nie agresywnym tonem. – Nie wystarczyło mu odwagi, żeby sprzeciwić się medialnej nagonce i zrobić to, co słuszne, a nie to, co łatwe.

– Pani narzeczony znalazł się na linii ognia. To ryzyko zawodowe pracy w Waszyngtonie, panno Murphy. Ale bez względu na pani prywatną opinię o prezydencie, jest konsekwentny w swoim przekonaniu, że zbyt długo już odwlekamy rozwiązanie kwestii energetycznych. Prezydent uważa, że najwyższy czas opracować rozsądną, długofalową strategię gospodarki energetycznej. Żywił nadzieję, że ta komisja będzie początkiem dobrych rozwiązań, a nie medialnym cyrkiem, którym się ostatecznie okazała. Wydaje się, że jest pani jedyną osobą w tej sali, która mówi tym samym językiem, co prezydent.

Kate zamrugała oczami.

– Pańskie słowa są... zaskakujące.

– Prezydent uważa, że problemy energetyczne zbyt długo kształtowały naszą politykę bezpieczeństwa narodowego. Energia jest problemem bezpieczeństwa państwa i najwyższy czas ten problem rozwiązać.

– Zgadzam się.

Tom Fitzgerald usiadł na krześle obok i przysunął się do niej konfidencjonalnie.

– Podejrzewam, że w pani domu musiało paść sporo gorzkich słów na temat Erika Wade'a. Ale sądzę, że w tej kwestii pani poglądy są całkowicie zbieżne z opinią prezydenta. Czy będzie pani w stanie odłożyć na bok niechęć pani narzeczonego do prezydenta i wstąpić do administracji państwowej?

– W jakim charakterze?

– Zapewne w stopniu podsekretarza. Mam kilka wolnych stanowisk, które wymagają szybkiego obsadzenia.

– Pochlebia mi pan. – Po dziesięciu latach spędzonych na platformach wiertniczych perspektywa pracy za biurkiem nie wydawała się Kate szczególnie pociągająca. – Czy dałby mi pan kilka dni na przemyślenie pańskiej propozycji?

– Oczywiście. Znakomicie. – Fitzgerald wstał. – Jest jeszcze druga sprawa, o której chciałem z panią pomówić. Prezydent chciałby, żeby ta komisja miała, by tak rzec, czyjąś twarz. I chciałby, żeby to była pani twarz.

– To znaczy?

– Jutro podczas orędzia o stanie państwa prezydent ogłosi znaczącą zmianę w polityce energetycznej. W ramach tej zmiany chciałby podziękować komisji za jej pracę i pragnie, żeby to pani ją reprezentowała.

– Zaprasza mnie pan na orędzie o stanie państwa?

– O ile nie ma pani już innych zobowiązań.

Pierwszą myślą, jaka przyszła Kate do głowy, było: „nie mam co na siebie włożyć".

– Mogę przyjść w dżinsach i kasku?

Fitzgerald roześmiał się, szczerze ubawiony.

– W żadnym wypadku.

Kate wyszła z sali posiedzeń uskrzydlona. Miło było czuć się potrzebnym administracji państwowej, nawet jeśli nie była pewna, czy to jest praca dla niej. Euforia szybko jednak uleciała, gdy na korytarzu mijała rząd telewizorów z włączonym kanałem CNN. Na ekranach trwała relacja na żywo po strzelaninie między FBI a grupą milicji w Wirginii Zachodniej. Według reporterów zginęło kilka osób, a kilkanaście zostało rannych.

Gideon.

Zerknęła na wyświetlacz telefonu. Widniało na nim nieodebrane połączenie z nieznanego numeru. Kiedy sprawdziła pocztę głosową, usłyszała napięty głos Gideona, który powiedział, że wszystko z nim w porządku i uprzedził, że może o nim usłyszeć kłamstwa. Kate trzykrotnie próbowała się do niego dodzwonić, ale nie odbierał.

Gdzie on się podziewał? Co się stało? Fakt, że najwyraźniej miał rację co do Wirginii Zachodniej, był marnym pocieszeniem wobec tego, że znalazł się w niebezpieczeństwie.

24

Pocatello, Idaho

Collier zatrzymał buldożer Caterpillar D4 i wyłączył silnik. Wciąż czuł dreszcz emocji. Jeszcze dwanaście godzin temu w budynku za nim mieszkało siedem żywych istot ludzkich. Siedem kobiet, które pracowały, miały marzenia i plany na życie. A teraz wszystkie znajdowały się prawie metr pod zmarzniętą glebą.

I to on je tam umieścił.

Poczucie władzy, niepodobne do niczego, co kiedykolwiek wcześniej przeżył, wypełniło go jak wzbierająca fala.

Przez krótki moment napawał się tym uczuciem. Po chwili jednak wrócił do rzeczywistości i opuścił kabinę buldożera. Wiedział, że to tylko preludium. Za kilka dni dokona czynu, który zapewne przejdzie do historii jako najsłynniejszy masowy mord na amerykańskiej ziemi. Ale nie będzie to bezcelowa, przypadkowa masakra, lecz morderstwo czyste i piękne, jak łuk japońskiego samuraja. Precyzyjnie zaprojektowane i perfekcyjnie wykonane.

Świat był pogrążony w chaosie. Jeśli nawet to nie politycy go wywołali, to z pewnością pogorszyli zastaną sytuację. To, co zamierzali zrobić wraz z Wilmotem, będzie punktem zwrotnym w amerykańskiej historii. Momentem, w którym amerykański naród w końcu powstanie przeciwko rządowi toczonemu przez raka korupcji, kupczenia głosami, przesuwania obwodów wyborczych, medialnego cyrku i kłamstw. Czy w efekcie nastąpi rewolucja, która zmiecie stary porządek? Być może. Choć raczej nie. Ale ich czyn może zainspirować niektórych ludzi, którzy poniosą płomień dalej. Upłynie sporo czasu, nim ich heroiczny wyczyn rozpali prawdziwy ogień rewolucji, ale to Collier i Wilmot zostaną zapamiętani jako ci, którzy rzucili pierwszą iskrę. Trafią na karty historii.

Nikt jednak nigdy nie zdoła docenić, jak trudnego, wręcz niemożliwego zadania się podjęli. Tysiące szczegółów, tysiące spraw do przemyślenia, tysiące małych problemów do rozwiązania. Nawet tak prostych, jak pogrzebanie kilku osób w północnym Idaho gdzie już prawie dwa miesiące trzymał siarczysty mróz. Gleba była zmrożona na głębokość piętnastu centymetrów. Nawet buldożer potrzebował trochę czasu, żeby wykopać dostatecznie głęboki dół. Potem Collier musiał wrzucić do niego ciała, zesztywniałe wskutek *rigor mortis*. Kiedy zasypywał dół, zwłoki wciąż przesuwały się i obracały.

Wysiadając z buldożera, Collier przekonał się naocznie, że popełnił błąd. Z ziemi wystawała szczupła dłoń. Któreś ciało musiało zostać wypchnięte w górę. Wspiął się z powrotem do kabiny i przekręcił kluczyk w stacyjce.

Silnik buldożera nie chciał zapalić. Znowu. Gdzieś w zapłonie musiał być poluzowany przewód. Od kilku tygodni maszyna czasami zapalała od razu, a czasami dopiero po dwudziestu minutach. Tylko że w tej chwili Collier nie miał dwudziestu minut.

Zadzwonił jego telefon.

– Co tam się dzieje? – zapytał Wilmot. – Samolot czeka. Startujemy za godzinę.

– Już jadę – odparł Collier.

Wyskoczył z kabiny i podszedł do wystającej dłoni. Był pewien, że należała do Amalie. Była szczupła, o długich i delikatnych palcach. Już miał ją zasypać, gdy nagle ogarnęło go przemożne pragnienie. Po raz setny rozejrzał się wokół, upewniając się, że nikt go nie obserwuje. A potem klęknął i powąchał martwą dłoń. Nie miała żadnego zapachu. Zawahał się, po czym wysunął język i polizał jeden z palców. Smakował jak delikatnie posolony grzyb. Collier poczuł jednocześnie przyjemność i zakłopotanie. Wolał, żeby pan Wilmot nie przyłapał go na zabawianiu się zwłokami.

Wstał i kilkoma kopnięciami przykrył dłoń grudami ziemi. Lepiej byłoby wziąć łopatę z domu i zakopać ją całkowicie. Kłopot w tym, że ziemia była zamarznięta. Aby całkiem zakryć dłoń, potrzebował z pół godziny.

Nie warto się wysilać. I tak przez najbliższych kilka tygodni nikt tu nie zajrzy. A potem będzie już za późno.

Kiedy John Collier i ojciec ładowali walizki do cadillaca, Evan wyjechał wózkiem na podwórko. Chłód go orzeźwił. Obserwował obu mężczyzn, którzy z wysiłkiem pakowali do samochodu kolejne bagaże. Oprócz walizek Collier załadował też coś w rodzaju wózka na kółkach, na którym umieszczone były dwa błyszczące kanistry. Przypominały zbiorniki na propan, ale były nieco wyższe. Na bokach obu kanistrów widniał czerwony napis: CZYNNIK CHŁODZĄCY R410A.

Wilmot zauważył syna i podszedł do niego.

– Zaraz wyjeżdżamy.

– Widzę – odparł Evan. – Wciąż mi nie powiedziałeś, dokąd jedziecie.

– Do Waszyngtonu. Mamy prezentację w Departamencie Energetyki. Spotykamy się z senatorem Elbertem, kongresmenem Dade'em i jeszcze kilkoma ludźmi. Szczerze mówiąc, dotarliśmy do punktu, w którym cały projekt otrzymywania energii z etanolu nie będzie miał sensu ekonomicznego bez wsparcia polityków.

Evan odpowiedział kiwnięciem głowy.

– Margie zajmie się tobą podczas naszej nieobecności.

– Nic mi nie będzie – mruknął Evan.

– Przekazałem jej szczegółowe instrukcje.

Ojciec wciąż wpatrywał się w Evana. Jego twarz, zazwyczaj skupiona i surowa, nagle złagodniała i zrobiła się niemal smutna. A potem się uśmiechnął, pochylił i objął syna. Ściskał go mocno i długo. Kiedy w końcu go puścił i się wyprostował, Evan ze zdumieniem dostrzegł w oczach ojca łzy.

– Jesteś dobrym synem i wspaniałym człowiekiem – powiedział Wilmot. – Chcę, żebyś wiedział, że bardzo cię kocham.

– Wszystko w porządku, tato? – zapytał Evan, zaniepokojony nietypowym przypływem ojcowskich uczuć.

– W porządku. Od dawna nie czułem się tak dobrze.

Evan przyjrzał się twarzy ojca, szukając jakiejś wskazówki, która pozwoliłaby mu powiązać nagłą uczuciowość Dale'a Wilmota z tajemnicą łączącą go z Collierem.

– Przez długi czas czułem złość z powodu tego, co ci odebrano – kontynuował Wilmot. – Czułem się, jakbym to ja stracił nogi, jakby to moja twarz… – Urwał, czując wzbierającą falę emocji. – Ale pogodziłem się z tym. Ty i ja, każdy na swój sposób, jesteśmy żołnierzami walczącymi o lepszą przyszłość. I obaj musimy coś poświęcić.

– Zielona energia – powiedział Evan, wskazując na kanistry, które Collier wciąż usiłował wepchnąć do cadillaca. – Pokaż im, tato.

Twarz jego ojca stężała na moment.

– Po prostu pamiętaj, że cię kocham. – Odwrócił się i podszedł do samochodu.

Powiedział coś ostrym tonem do Colliera, który zatrzasnął klapę bagażnika. Następnie wsiedli do samochodu i odjechali.

Evan obserwował wóz, dopóki ten nie zniknął za zakrętem. Nie wiedział, dlaczego nagle ogarnęło go przeczucie, że wydarzy się coś strasznego.

– Wszystko załatwione? – zapytał Wilmot. – Zająłeś się kobietami?

– Załatwione – odparł zgryźliwie Collier. Wilmot w kółko go wypytywał. Zaczynało go to męczyć.

Wilmot patrzył obojętnie przez przednią szybę. Stale dociskał gaz. Collier czuł, jak opony ślizgają się lekko po śniegu na zakrętach.

– Nie muszę panu mówić, co się stanie z tym szajsem w bagażniku, jeśli walniemy w drzewo.

Wilmot nie odpowiedział. Włączył radio i ustawił częstotliwość na program informacyjny z Coeur d'Alene.

– Dzisiejszy temat numer jeden – zabrzmiał głos spikera. – Wydaje się, że strzelanina w Wirginii Zachodniej dobiegła końca. Zginęło trzech agentów FBI i dziewięciu członków tak zwanego Siódmego (Ochotniczego) Pułku Milicji Wirginii Zachodniej. Według wicedyrektora FBI Raymonda Dahlgrena, Biuro wciąż poszukuje dwóch podejrzanych – dowódcy grupy milicji, samozwańczego pułkownika Jamesa G. Verhovena i jego żony Lorene Taylor Verhoven.

– Jezu – skomentował Collier. Czuł, jak jego oddech staje się coraz szybszy i płytszy. – O Jezu. Co my teraz zrobimy?

– Nie panikuj – odparł spokojnie Wilmot. – Zadzwoń pod numer alarmowy, zobaczymy, czy uda nam się z nim skontaktować.

Collier wziął głęboki oddech. Wyprany z emocji ton głosu Wilmota działał uspokajająco.

– No tak, jasne. Przepraszam. Już dzwonię.

Sięgnął do teczki i wyjął jeden z telefonów na kartę, zarezerwowanych specjalnie do kontaktu z Verhovenem. Wystukał numer na klawiaturze.

– Nie odbiera – powiedział po chwili nerwowo. – Co zrobimy, jeśli Verhoven nie zdoła wykonać swojej części zadania?

– Uspokój się. – Głos Wilmota był tak spokojny, jakby mówił o pogodzie. – Jeżeli federalni czegoś by się od niego dowiedzieli, to już mielibyśmy na głowie oddział szturmowy, spuszczający się na linach z helikoptera. Wszystko będzie dobrze.

– Tak jest, sir. – Collier ponownie odetchnął i zamknął oczy, przypominając sobie kolejne szczegóły operacji – obliczenia przepływu powietrza, schematy przewodów wentylacyjnych i tak dalej – dopóki jego puls nie wrócił do normy.

25

Południowa część Wirginii Zachodniej

Tillman Davis jechał przez góry na południe, w kierunku granicy z Wirginią. Zrobili już ponad trzydzieści kilometrów. Nie wiedział, dokąd dokładnie zmierza Verhoven, ale zdawał sobie sprawę, że muszą znaleźć się daleko od posiadłości, zanim będą mogli wrócić do cywilizacji.

W końcu zatrzymał się na starej stacji benzynowej, parkując ciężarówkę obok kompresora na tyłach, z dala od dystrybutorów i nędznego sklepu.

– Jak ona się czuje? – zapytał.

Twarz Verhovena przypominała chmurę gradową. Pułkownik pokręcił głową.

– W wojsku przeszedłem szkolenie na sanitariusza – powiedział Tillman. – Musimy przewieźć ją w bezpieczne miejsce. Najlepiej do pokoju hotelowego. Sądzę, że będę mógł jej trochę pomóc.

Verhoven przetarł dłonią czoło.

– Muszę zadzwonić – zdecydował. – Pilnuj jej.

Tillman postanowił przenieść Lorene z paki do kabiny ciężarówki. Żona pułkownika była blada i miała dreszcze. Nie była w stanie iść, więc musiał wziąć ją na ręce i zanieść do kabiny.

Kiedy umieścił ją w środku, próbował podsłuchać rozmowę Verhovena, ale pułkownik znajdował się za daleko.

Verhoven wystukał zapamiętany numer na jednym z telefonów na kartę, które miał ze sobą. Wilmot odebrał po pierwszym sygnale. Jego głos, choć spokojny, zdradzał napięcie:

– Gdzie jesteś?

– Trzydzieści kilometrów od domu – odpowiedział Verhoven.

– Wszystkie media w kółko o tym trąbią. Ta strzelanina z federalnymi miała coś wspólnego z tym twoim kretem, Mixonem?

– Być może – odparł Verhoven. – Ale tak jak wcześniej mówiłem Johnowi, Mixon nie znał żadnych szczegółów. A tego, co wiedział, nie zdążył opowiedzieć federalnym.

– Czyli wszystko gra.

– Niezupełnie. Lorene jest ranna.

– Jak poważnie?

– Być może nie będzie w stanie wykonać swojego zadania.

Po drugiej stronie linii zapadła długa cisza.

– Więc będziesz musiał zrobić to sam.

– Może jest inne wyjście.

– Jakie inne wyjście?

Verhoven obejrzał się przez ramię. Lorene z początku była sceptycznie nastawiona do Tillmana. Twierdziła, że to dość zaskakujący zbieg okoliczności, żeby ktoś, kto do tej pory konsekwentnie ich zbywał, zjawił się akurat w tym momencie w ich domu, chętny do współpracy. Ale Tillman z całą pewnością nie był wtyczką FBI. Lorene powiedziała mu, że zabił w lesie dwóch agentów. Nie wspominając już o tym, że ocalił jej życie.

– Jest ze mną pewien człowiek – powiedział pułkownik. – Bardzo wyjątkowy człowiek.

– Wykluczone – warknął Wilmot.

– Może zdobyć dla mnie broń i ładunki, których będę potrzebował do operacji. To były żołnierz, potrafi się nimi posługiwać. – Verhoven zerknął w kierunku ciężarówki. Napotkał uważne spojrzenie Tillmana, więc szybko odwrócił wzrok. Nie chciał, żeby Davis odczytał coś z wyrazu jego twarzy.

– Powiedziałem, że to wykluczone.

– Panie Wilmot...

– Jim, posłuchaj mnie uważnie. Ta operacja jest zaplanowana w najdrobniejszych szczegółach. Korekty nie wchodzą w rachubę. Wszystkie osoby, które są w nią zaangażowane, zostały starannie dobrane. Nie możemy pozwolić jakiemuś przypadkowemu facetowi dołączyć do nas w pół drogi.

– Panie Wilmot, z całym szacunkiem, to nie jest przypadkowy facet...

– Masz go zabić, Jim.

– Panie Wilmot...

– Powiedziałem, że masz go zabić. Natychmiast.

Jim Verhoven żywił do Wilmota niemal nabożny szacunek. Człowiek, który jest zdolny wymyślić tak brawurową i skomplikowaną operację, musi być obdarzony niepospolitą wizją i odwagą. Ale Verhoven był przyzwyczajony raczej do wydawania niż wykonywania rozkazów.

– Natychmiast, Jim.

Połączenie zostało przerwane.

W momencie, w którym Tillman zobaczył twarz Verhovena, wiedział już dokładnie, jakie polecenie otrzymał pułkownik. Wydobył swojego glocka, uprzedzając Verhovena, który właśnie sięgał po własną broń.

Verhoven udał zaskoczenie.

– Co ty robisz? – zapytał nerwowo, gdy Tillman wycelował w niego.

– Widziałem twoją minę. Nie wiem, z kim rozmawiałeś, ale ten ktoś właśnie kazał ci mnie zabić.

– Nie mam pojęcia, o czym mówisz.

Tillman przyjrzał się twarzy Verhovena. Pułkownik niewątpliwie kłamał, ale zabicie go lub obezwładnienie i wezwanie policji zniweczyłoby wszelkie szanse na odkrycie planów zamachu. Być może uda mu się rozegrać to inaczej. Ryzyko było spore, jeśli się przeliczy, zapłaci życiem. Ale jeśli chciał powstrzymać zamachowców, to nie miał innego wyjścia. Dlatego postanowił zagrać *va banque*.

Wręczył swój pistolet Verhovenowi.

– Jeśli masz to zrobić, to teraz.

Twarz pułkownika stężała. Nie odpowiedział.

Tillman z niejakim zdziwieniem stwierdził, że jest zupełnie spokojny. Nie chciał umierać, ale jeśli czekał go taki los, to trudno. Ta sprawa była ważniejsza niż życie jednego człowieka. A może po prostu chciał, żeby to wszystko już się skończyło. Ciągły wstyd i znudzenie ciążyły mu jak kamień młyński. Tak czy inaczej, Tillman poczuł się wyzwolony z czyśćca, w którym spędził ostatnie dwa lata. Zbyt długo już żył z dnia na dzień bez celu i sensu.

– No strzelaj, do cholery – warknął. W uszach słyszał własny puls, przetaczający się w jego głowie jak kaskada wodospadu. – To, co zaplanowałeś, jest ważniejsze niż ty czy ja. Jestem gotów na śmierć, jeśli dzięki temu to bagno choć trochę się oczyści. – Tillman był zaskoczony, jak przekonująco brzmiał jego głos.

Verhoven uśmiechnął się przyjaźnie i podał mu glocka.

– To bagno wciąż istnieje właśnie dlatego, że za mało jest ludzi takich jak ty. – Gdy Tillman nie ruszył się, żeby odebrać broń, Verhoven wsunął pistolet do kabury na jego biodrze. – Nie miałem najmniejszego zamiaru cię zabijać. Potrzebujemy cię. Potrzebujemy cię bardziej, niż ktokolwiek kiedykolwiek cię potrzebował.

Ich spojrzenia się spotkały. Na twarzy Verhovena wypisane było silne wzruszenie.

– Dobra – powiedział Tillman. – Znajdźmy jakieś ustronne miejsce, żebym mógł pomóc twojej żonie.

Wsiedli do samochodu. Lorene spała, nieświadoma dramatycznej konfrontacji między jej mężem a Tillmanem.

Jechali przez godzinę, docierając w końcu do miasteczka Weston, niedaleko granicy stanu. Tillman pobrał z bankomatu czterysta dolarów. Następnie pojechali do Buckhannon, gdzie wynajął pokój w motelu Friendly Tyme przy autostradzie numer trzydzieści trzy na nazwisko Doug Rogers. Zapłacił gotówką z góry za jedną noc. Zostawił Lorene i Verhovena w pokoju, po czym pojechał do szpitala St. Joseph's, skąd ukradł trzy torebki osocza, zestaw do podawania dożylnego, tubkę bacytracyny, butelkę alkoholu do dezynfekcji, pudełko gazików, z parkingu zabrał hondę accord.

Do południa oczyścił i opatrzył rany Lorene, podał jej również litr płynów. Żona Verhovena odzyskała nieco kolorów na twarzy i przestała się trząść.

– No dobrze – powiedział Tillman, wyrzucając do kosza ostatni zakrwawiony gazik. – Skończmy wreszcie tę komedię. Co my tu właściwie robimy?

Verhoven się zawahał.

– Nie znam szczegółów głównego ataku. Nie uczestniczymy w nim. Mamy do wykonania zadanie wspierające.

– Okej, ale co jest naszym celem? Jeśli mam wam pomóc, za co mogę zapłacić życiem, to zasługuję na to, żeby wiedzieć, w co się pakuję, nie sądzisz?

Verhoven wytrzymał jego wzrok, ale nie odpowiedział.

– Na miłość boską, Jim – powiedziała cicho Lorene. – On mi uratował życie. Tobie zresztą też. Albo mu zaufamy, albo nie, nie ma trzeciego wyjścia.

Verhoven skinął głową, ale przez chwilę jeszcze się wahał.

– Orędzie o stanie państwa – wyjaśnił w końcu. – Jednym ruchem pozbędziemy się całej elity władzy i rządu Stanów Zjednoczonych. Zabijemy ich wszystkich.

26

Autostrada międzystanowa nr 76,
w pobliżu granicy stanu Wirginia

Zaszyfrowany telefon komórkowy zadzwonił, kiedy Gideon jechał na północ autostradą międzystanową.

– Masz pojęcie, w jakie bagno wdepnąłeś? – W telefonie odezwał się głos Nancy. – Jesteś poszukiwany jako potencjalnie podejrzany w sprawie strzelaniny w posiadłości Verhovena.

– Potencjalnie podejrzany? Co to znaczy?

– To znaczy, że Dahlgren stara się rozegrać to w taki sposób, żeby odpowiedzialność spadła na ciebie. Podejrzewam, że szuka też pretekstu, żeby cię aresztować.

– To on sprowokował tę sytuację.

– Byłeś tam?

– Nie wiem, czy powinienem odpowiadać na to pytanie, biorąc pod uwagę to, co mi właśnie powiedziałaś.

– Nie ty jeden masz kłopoty. Dahlgren namierzył sprzęt, który ci dałam, więc ma na mnie haka w postaci nieupoważnionego użycia własności federalnej. I na pewno na tym nie poprzestanie.

– Przykro mi, że cię w to wplątałem.

Gideon uznał milczenie, które nastąpiło po tym zdaniu, za potwierdzenie, że Nancy żałuje, że pozwoliła się w to wplątać. W telefonie rozległ się dźwięk oczekującego połączenia. Na wyświetlaczu pojawił się numer Tillmana.

– Nancy, możesz chwilę zaczekać?

– To Tillman?

– Tak.

– Powiedz mu, żeby pozbył się telefonu. Obaj musicie wyrzucić swoje aparaty, jak tylko skończysz tę rozmowę. Nasze komórki są szyfrowane, więc FBI nie może nas podsłuchać, ale może namierzyć sygnał.

– Okej. Zaczekaj. – Gideon przełączył rozmowę. – Tillman?

– Musimy ustalić datę dostawy przedmiotów, o których rozmawialiśmy – odezwał się jego brat. To była ich przykrywka. Gideon występował jako dostawca broni dla Tillmana.

Z tonu głosu brata Gideon wywnioskował, że Verhoven był razem z nim w pomieszczeniu i prawdopodobnie przysłuchiwał się ich rozmowie.

– Kiedy i gdzie?

– W parku przy Sully Road w Centerville, zjazd z autostrady stanowej 28. Bądź tam za dwie godziny.

– Potrzebuję co najmniej czterech, żeby zebrać wszystko.

– Zgoda. Za cztery godziny.

– Potrzebuję bardziej szczegółowych danych do zamówienia.

Tak brzmiała zaszyfrowana prośba o przekazanie informacji, które dotychczas udało się zdobyć Tillmanowi.

– Te ładunki burzące, które dostarczyłeś mi ostatnio, były kompletnie do bani. Potrzebuję czegoś lepszego. Odpuść sobie Charliego i Oscara, oba z Litwy i żadnego irlandzkiego szajsu. Najchętniej wziąłbym Eagle, ale Richards też się nada.

– Czyli żadnego Charliego, Oscara, obu litewskich i irlandzkiego, preferowany Eagle lub Richards, zgadza się?

– Zapisz to. Nie mogę sobie pozwolić na wpadkę.

Charlie, Oscar... To brzmiało jak kod literowy. Gideon był pewien, że właśnie o to chodziło Tillmanowi. Zapisał pierwsze litery. *C. O. L. L. I. E. R.*

– Przy okazji – kontynuował Tillman. – Wolałbym, żebyś wziął towar od innego dostawcy niż ten, o którym rozmawialiśmy. – Miał nadzieję, że Gideon zorientuje się, że chodzi o Mixona. – Ten kanał jest martwy.

Nastąpiła chwila ciszy.

– Jasne.

– Cztery godziny.

– Jeszcze jedno. Jedno z moich źródeł twierdzi, że federalni mają nowy system namierzania rozmów. Pozbądź się telefonu.

– Dobra, dzięki za ostrzeżenie. – Tillman się rozłączył. Musiał przekazać Gideonowi, że celem terrorystów jest orędzie o stanie państwa, ale to będzie musiało zaczekać do spotkania w cztery oczy.

Gideon przełączył rozmowę z powrotem na Nancy.

– Dzwonił Tillman. Verhoven był tuż obok, więc nie mógł powiedzieć mi nic wprost, ale dowiedziałem się, że Mixon nie żyje. Człowiek, z którym rozmawiał Verhoven w nagraniu Mixona, nazywa się Collier. Możesz go sprawdzić?

Nancy westchnęła.

– Pół godziny temu Dahlgren urządził mi jesień średniowiecza. Usiłował wydusić ze mnie, gdzie jesteś. Przekonałam go, że nie wiem. A potem mnie zawiesił. Wpadł w kompletny amok. Nie trafiają do niego racjonalne argumenty. Nie będzie chciał mnie słuchać i z całą pewnością nie posłucha ciebie. Zapragnie cię dopaść tylko po to, żeby zrzucić na ciebie całą odpowiedzialność za tę masakrę w Wirginii Zachodniej.

Gideon poczuł narastającą wściekłość na wicedyrektora FBI. Nancy wykonywała tylko swoją pracę i teraz ponosiła za to karę z rąk biurokraty, którego bardziej niż chronienie obywateli interesuje ochrona własnego stołka. Co gorsza, Nancy była jego jedyną sojuszniczką w Biurze. Potrzebował jej.

– Masz jakąś możliwość sprawdzenia tego Colliera? Jeśli zdobędziemy solidne dowody, Dahlgren nie będzie miał wyboru.

Słyszał nerwowy oddech Nancy po drugiej stronie linii. Wiedział, że żąda od niej wiele, może zbyt wiele, ale bez jej pomocy musiałby działać na ślepo.

– Zobaczę, co da się zrobić – powiedziała cicho po chwili, która ciągnęła się w nieskończoność. Potem przerwała połączenie.

Zza zakrętu wyłonił się parking z restauracją i punktem informacji turystycznej na granicy stanu Wirginia. Gideon zjechał, zostawił telefon na stojaku z broszurami informującymi o licznych atrakcjach stanu. Rozpaczliwie potrzebował kawy, ale postanowił z niej zrezygnować i znaleźć się jak najdalej od telefonu.

Nancy odłożyła telefon i ukryła twarz w dłoniach. Siedziała przy swoim biurku w budynku Biura przy K Street. Spojrzała za okno. Wiedziała, że Gideon ma rację. Dahlgren nie będzie chciał jej słuchać, dopóki nie podetknie mu pod nos namacalnych dowodów. Ale co mogła zrobić? Wicedyrektor ją zawiesił. Za pięć minut miał przyjść ktoś z Biura Odpowiedzialności Zawodowej, żeby odebrać broń i odznakę.

Westchnęła i zerknęła na zegarek.

Dahlgren może i wydał polecenie zawieszenia jej w obowiązkach, ale informacja mogła jeszcze nie dotrzeć do działu informatycznego. Zalogowała się na swoje konto i zaczęła szybko stukać w klawiaturę.

Znalezienie powiązań między nazwiskami Collier i Verhoven zajęło komputerowi raptem kilka sekund.

Collier, John C., nr ubezpieczenia społecznego: 000-41-3797. Data urodzenia: 16/4/85. Miejsce urodzenia: Pocatello, Idaho.

Nancy otworzyła raport biura informacji kredytowej i odkryła, że ostatni zarejestrowany adres Johna Colliera to Anderson w Wirginii Zachodniej. Sześć miesięcy temu przeprowadził się jednak do Idaho.

Znalazła dokładny adres. Okazało się, że zarejestrowana jest pod nim siedziba spółki z ograniczoną odpowiedzialnością Wilco Partners. Sprawdziła dane spółki i dowiedziała się, że jedynym wspólnikiem jest niejaki Dale Wilmot. Wpisała nazwisko w Google. Według magazynu „Forbes" Dale Wilmot zajmował dziewięćset pięćdziesiąte siódme miejsce na liście najbogatszych ludzi w Ameryce. Handlował przede wszystkim drewnem, ale zajmował się też systemami grzewczymi i klimatyzacyjnymi oraz transportem.

Na zdjęciu ze strony magazynu widniał wysoki, przystojny mężczyzna po pięćdziesiątce, przypominający starszego brata Deana Martina z *Rio Bravo*.

W artykule „Forbesa" wyczytała, że jedyny syn Wilmota przed dwoma laty został ciężko ranny w Iraku. Po tym wydarzeniu Wilmot przekazał bieżące sprawy firmy w ręce wyższego kierownictwa, a sam, według autora artykułu, „wycofał się do swojej majestatycznej posiadłości w Idaho, gdzie poświęcił się całkowicie filantropii i opiece nad synem".

Adresu Wilmota nie było w bazie danych FBI, ale Nancy zdołała odnaleźć go w archiwach urzędu podatkowego. W momencie jednak, gdy adres wyświetlił się na monitorze, do jej gabinetu weszło dwóch wysokich mężczyzn w ciemnych garniturach.

– Agentko specjalna Clement – odezwał się jeden z nich. – Muszę poprosić panią o zdanie broni służbowej i odznaki oraz udanie się wraz z nami do...

– Darujcie mi te formalności. Moja broń i odznaka są na biurku. Wezmę tylko płaszcz, dobra? – Gdy obaj mężczyźni odwrócili się w stronę biurka, Nancy zgasiła monitor i narzuciła płaszcz.

– Idziecie, chłopcy?

Ekipa FBI w sile trzydziestu agentów, wysłana przez wicedyrektora Raymonda Dahlgrena w celu przechwycenia Gideona

Davisa, otoczyła parking na granicy stanu. Sygnał z zabezpieczonego telefonu, który Davis otrzymał od Nancy Clement, pozostawał w tym samym miejscu od dwudziestu czterech minut.

Agenci podzielili się na zespoły, które miały zabezpieczyć wejścia do toalet, restaurację i punkt informacji turystycznej. Oprócz tego ruchoma grupa z psem tropiącym badała po kolei zaparkowane samochody. Psu dano do powąchania koszulę, którą jakoby miał na sobie Gideon Davis, w nadziei, że podejmie trop.

Zanim jeszcze wszystkie zespoły zajęły pozycje na parkingu, pies z wściekłym ujadaniem rzucił się ku stojącemu na parkingu vanowi. Boczne drzwi były zamknięte. Agenci musieli wyłamać zamek, podczas gdy reszta ekipy popędziła w kierunku budynku informacji turystycznej.

W środku znaleziono jedenastu mieszkańców Salwadoru. Kiedy zostali wyciągnięci na ulicę, rozjuszony pies wpadł do środka, gdzie odkrył półtora kilograma meksykańskiej heroiny, ukryte w wydrążonym stosie brazylijskich świerszczyków.

Gdy agenci wkroczyli do motelu, zapanował chaos. Kobiety krzyczały, dzieci biegały, psy zrywały się właścicielom ze smyczy. Uspokojenie sytuacji zajęło niemal pół godziny. W rezultacie akcji obezwładniono licznych, bogu ducha winnych podróżnych, w tym jednego dyplomatę z Japonii. Dyplomata, były mistrz kraju w judo, wykazał znacznie mniej pokojową naturę niż większość jego rodaków i przez dziesięć minut w perfekcyjnej angielszczyźnie wrzeszczał na dowódcę oddziału szturmowego, grożąc złożeniem oficjalnej skargi w Departamencie Stanu.

Dopiero wtedy zlokalizowano telefon Gideona Davisa, wciśnięty za stojak z broszurami turystycznymi historycznej dzielnicy Williamsburga.

27

Waszyngton

Agentka specjalna Shanelle Greenfield Klotz twierdziła, że nie znosi oficjalnych uroczystości i gal. W rzeczywistości agentka Klotz radziła sobie z nimi doskonale, co w znacznej mierze wynikało z faktu, że tak naprawdę to lubiła prowadzić takie imprezy. Była niewysoką, szczupłą kobietą, ściśle mówiąc – najmniejszą i najlżejszą czynną agentką w całej Secret Service.

Była również najinteligentniejsza, przynajmniej według testów IQ, którym poddawani są wszyscy kandydaci do służby w ochronie prezydenta Stanów Zjednoczonych. Agentka Klotz była także jedyną pół Murzynką, pół Żydówką w Secret Service i uchodziła za najlepszą specjalistkę od zabezpieczenia obiektów. Krótko mówiąc, wyróżniała się. A jednak trudno było znaleźć choć jedną osobę, która by jej nie lubiła. Wszyscy agenci ją uwielbiali.

Kiedy miała jedenaście lat, pewnego dnia wróciła ze szkoły z płaczem. Jej dziadek, Joe Greenfield, zapytał, co się stało.

– Wszyscy mnie nienawidzą, dziadku – odpowiedziała Shanelle.

– Mała – powiedział Joe – twój problem polega na tym, że jesteś mądralą. A nikt nie lubi mądrali. Jeśli chcesz być lubiana, musisz być *mensch*.

Shanelle wtedy po raz pierwszy usłyszała to słowo.

– Co to znaczy *mensch*, dziadku?

– W dużym skrócie? To ktoś, kto dba o innych. Nie ubiera się wyzywająco. Nie patrzy na innych z góry i nie nabija się z nich. Ktoś, kto sprawia, że ludzie czują się ważni. Zawsze pyta, jak się miewają. A kiedy mówią, *mensch* zawsze słucha. Postępuj w ten sposób, a zobaczysz, że od razu inaczej będą na ciebie patrzeć. – Dziadek mrugnął, sięgnął za jej ucho i w jego dłoni pojawiła się srebrna dolarówka. – *Mensch* zawsze potrafi poprawić ludziom nastrój.

Shanelle nigdy nie zapomniała jego słów.

Dla świata stała się *mensch* w wieku jedenastu lat, ale w głębi duszy pozostała mądralą. I właśnie dlatego, choć nigdy nie przyznałaby się do tego na głos, uwielbiała oficjalne uroczystości. To jedne z nielicznych chwil w życiu, kiedy mogła być mądralą i wszyscy byli jej za to wdzięczni.

Dziś jej gościem był chudy, pająkowaty kapitan Fred Steele, oficjalny łącznik między Secret Service a policją Dystryktu Kolumbii. Steele odpowiadał za zabezpieczenie i monitorowanie najbardziej zewnętrznego obszaru podczas prezydenckiego orędzia o stanie państwa. Choć policja i Secret Service nie współpracowały ze sobą bezpośrednio podczas tej operacji, Shanelle zaprosiła go, żeby wspólnie przejrzeć protokoły postępowania. Przeprowadziła gościa przez skaner przy wejściu, pilnowany przez dwóch uzbrojonych agentów. Następnie otworzyła ciężkie, dębowe drzwi i wprowadziła kapitana Steele do sali posiedzeń Izby Reprezentantów.

– Ochrona prezydenta Stanów Zjednoczonych, realizowana przez Secret Service – rozpoczęła – jest największą i najdroższą operacją ochrony członków władz państwowych na świecie, wykonywaną przez najlepiej wyszkolonych agentów. Poza inauguracją żadne inne wydarzenie nie pochłania większej ilości czasu i zasobów Secret Service niż orędzie o stanie państwa. Podczas orędzia obecny jest nie tylko prezydent, ale także cała najwyższa administracja państwowa Stanów Zjednoczonych. Oprócz tak zwanego „wyznaczonego do przeżycia", czyli członka gabinetu prezydenta, który na czas orędzia przenoszony jest w bezpieczne miejsce poza Waszyngtonem, obecne są wszystkie najważniejsze osoby w państwie, w tym cała Izba Reprezentantów i Senat, cały skład Sądu Najwyższego i wszyscy członkowie gabinetu.

Przeszli między ławami do podium, z którego prezydent za niecałe dwadzieścia cztery godziny miał wygłosić orędzie do narodu.

– Orędzie o stanie państwa, zgodnie ze zwyczajem i zapisami konstytucji, wygłaszane jest co roku, oprócz roku inauguracji prezydenta, w sali posiedzeń Izby Reprezentantów na Kapitolu.

Kapitan Steele rozejrzał się po sali. Shanelle domyśliła się, że rozważa sposoby, w jaki sposób potencjalny zamachowiec mógłby wykorzystać półkolistą budowę pomieszczenia, żeby zaatakować prezydenta.

– Aby dać panu wgląd w skalę ochrony prezydenta Stanów Zjednoczonych, opiszę poszczególne poziomy zabezpieczeń. Po pierwsze, prezydentowi stale towarzyszy zespół agentów, których zadaniem jest ochrona jego osoby i przestrzeni wokół niego. Zajmuje się tym wyłącznie personel Secret Service. Po drugie, stale kontrolujemy i monitorujemy osoby zebrane na sali w poszukiwaniu potencjalnych zagrożeń. Tym również zajmuje się Secret Service, choć w pewnym stopniu pomaga nam policja na Kapitolu. Trzeci poziom zabezpieczeń to ochrona terenu, sąsiednich budynków, pojazdów oraz wejść i wyjść na granicach perymetru. Pierścień ochrony zazwyczaj ma średnicę około tysiąca sześciuset metrów, podczas orędzia o stanie państwa jest szerszy. Dlatego właśnie korzystamy z pomocy pańskich kolegów z policji, FBI i policji Kapitolu, nie wspominając o jednostkach Sił

Powietrznych i Federalnego Zarządu Lotnictwa, które patrolują przestrzeń powietrzną wokół Kapitolu. Domyśla się pan zapewne, że w okolicy stacjonuje też oddział taktyczny Delty, NAVY Seals albo HRT, choć oczywiście nie mogę mówić o szczegółach – wyjaśniła agentka. – Ja się zajmuję zabezpieczeniem obiektów. W idealnym świecie kazałabym zburzyć ten budynek i postawić go od nowa, wyposażając go w ściany odporne na wybuch, śluzy powietrzne, systemy filtracji powietrza, kamery i bezpieczne wejścia. Krótko mówiąc, postawiłabym bunkier. To taka moja prywatna fantazja. Niestety, żyjemy w świecie realnym, co dość poważnie utrudnia mi pracę. Kapitol zaprojektowano pod koniec osiemnastego wieku, w ogóle nie zawracając sobie głowy kwestiami bezpieczeństwa. Od tamtego czasu budynek był cztero- lub pięciokrotnie przebudowywany. Niewiele osób wie o tym, że na Kapitolu znajdują się dziesiątki tajnych przejść, podziemnych pomieszczeń zamurowanych sto lat temu, pustych miejsc między ścianami i nieużywanych przewodów wentylacyjnych. Z punktu widzenia ochrony to miejsce jest koszmarem. Dlatego właśnie – ciągnęła Shanelle – musimy przygotować się na wszystkie możliwe scenariusze. Sprawdzić budynek pod każdym kątem. Zabezpieczyć konstrukcję, mechanizmy, instalacje elektryczne, hydrauliczne i grzewcze. Każdy element należy skontrolować dwukrotnie. Najlepiej wizualnie, a jeśli to niemożliwe, pomagają nam zaawansowane technologie obrazowania.

– A co z możliwością zamachu bombowego? – zapytał Steele. – Jak wygląda protokół kontroli dostępu na teren zabezpieczony?

– W tej okolicy jest duże natężenie ruchu, więc musimy liczyć się z ograniczeniami. Dlatego dwadzieścia cztery godziny przed orędziem znacznie zwiększamy intensywność kontroli i monitoringu. I to właśnie robimy w tej chwili. – Wskazała dłonią na człowieka z urządzeniem przypominającym różdżkę, badającym centymetr po centymetrze tylną ścianę sali. – Korzystamy ze wszystkich standardowych technologii – wykrywaczy złącz nieliniowych, detektorów chemicznych, liczników Geigera, skanerów podczerwieni i tak dalej. Używamy wykrywaczy częstotliwości radiowych do szukania mikrofonów, podsłuchów i tym podobnych. Zagłuszamy również sygnał telefonii komórkowej na całej ulicy. W trakcie orędzia, a także podczas przybycia i odjazdu prezydenta oraz pozostałych oficjeli, wszystkie połączenia są zablokowane. A jeśli chodzi o wykrywanie bomb i materiałów wybuchowych, to wciąż najskuteczniejsze są psy.

– W jaki sposób kontrolujecie dostęp do terenu?

– Każda osoba przechodząca przez drzwi lub punkt kontrolny jest sprawdzona, a jej nazwisko widnieje na głównej liście gości. Poza tym wszystkich prześwietlamy.

– Dygnitarzy też?

– Wszystkich.

– A co z awariami mechanicznymi, usterkami sieci elektrycznej i innymi problemami tego typu?

– Mamy listę zatwierdzonych pracowników i wykonawców, którzy naprawiają wszelkie uszkodzenia infrastruktury. Na wypadek poważniejszych awarii każdy wykonawca ma listę dyżurnych pracowników, którzy są przez nas dokładnie sprawdzani. W bazie danych mamy ich zdjęcia, odciski palców i inne informacje, które w razie potrzeby pozwalają nam potwierdzić ich tożsamość. Mamy do dyspozycji sprawdzonych specjalistów od elektryki, hydrauliki, ogrzewania i wentylacji, wind, murarki, stolarki, dachów, nawet od linii metra między Kapitolem a Russel Senate Office Building. To samo dotyczy straży pożarnej.

– Ilu agentów w sumie?

– Obawiam się, że nie mogę podać panu dokładnej liczby. Ale wliczając ludzi od komunikacji, zabezpieczeń elektronicznych, transportu, snajperów, opiekunów psów, ochronę perymetru, zabezpieczenie taktyczne, logistykę, pracowników cywilnych i tak dalej wychodzi ponad pięćset osób. Do tego trzeba dodać policję Kapitolu, służbę ochrony metra, FBI, wojsko...

– Teraz wiem, skąd się bierze deficyt budżetowy – zażartował Steele.

Agentka Klotz się uśmiechnęła.

– Nasi koledzy po fachu z innych krajów twierdzą, że przesadzamy. Ale powiem panu, że mimo wszystkich tych zabezpieczeń i tak nie zmrużę dzisiaj oka.

Zadzwonił jej telefon. Shanelle przeprosiła kapitana i odebrała. Jej mąż właśnie rozmrażał jeden z sześciu posiłków, które ugotowała w niedzielę i zostawiła w zamrażarce dla niego oraz ich córek, i najwyraźniej nie miał pojęcia, jak długo ma trzymać go w piekarniku.

– Mężczyźni – westchnęła po zakończeniu rozmowy. Kapitan Steele widział jednak wyraźnie, że lubiła czuć się potrzebna swojej rodzinie. – Jeżeli nie ma pan nic przeciwko, proponuję omówić resztę jutrzejszego protokołu w moim gabinecie.

28

Priest River, Idaho

Evan krążył bez celu po domu. Po odstawieniu leków rozpierała go dziwna, niemal irytująca energia. W jego głowie jak w kalejdoskopie przesuwały się pytania o cały ten etanolowy biznes ojca i Johna Colliera. Skąd u ojca taki nagły przypływ uczuć? A ta Afrykanka, która przybiegła z lasu? Nie potrafił znaleźć żadnego sensownego wyjaśnienia, ale miał nadzieję odszukać jakieś wskazówki w lesie. Kilka dni wcześniej zauważył dym unoszący się nad drzewami niecały kilometr od domu.

Niebo przybrało barwę ołowiu. Zbierało się na śnieżycę.

– Margie, wychodzę na chwilę na zewnątrz – oznajmił Evan.

Pielęgniarka stanęła w drzwiach, krzyżując ramiona na piersi.

– Jest za zimno.

– Tylko na chwilę.

– Nie. – Pokręciła głową.

– Jak to „nie"?

– Pan Wilmot nie pozwolił.

– W tej chwili to ja jestem panem Wilmotem – warknął. Margie się wzdrygnęła. Evan przez chwilę poczuł się odrobinę głupio. Nie powinien zachowywać się wobec niej jak dupek. Ale z drugiej strony nie należał do ludzi, którzy pozwalają sobie czegoś zabraniać we własnym domu.

W oczach Margie błysnęła złość, ale poza tym jej mięsista twarz ani drgnęła.

– Twój ojciec by na to nie pozwolił – powtórzyła.

Evan podjechał do niej, zatrzymując koła wózka tuż przed jej nogami.

– Służyłem swojej ojczyźnie przez jedną turę w Iraku i dwie w Afganistanie, więc niech ci się nie wydaje, że zdołasz powstrzymać mnie przed wyjściem na moje własne podwórko.

– Pan Wilmot by na to nie pozwolił.

Evan popchnął joystick wózka do przodu, ale Margie złapała oparcie i zaparła się o ziemię jak obrońca na treningu futbolistów. Elektryczny silnik zawył głośno, a po chwili z wózka zaczął wydobywać się smród spalonej gumy. W końcu Evan puścił joystick. Spalenie silnika w wózku niczego mu nie da.

– Dobra, jak chcesz – mruknął. Włączył wsteczny bieg, odjechał do tyłu i na rampę, która zabrała go do jego pokoju na piętrze. – Jeśli już musisz zatruwać mi życie, to mogłabyś przynajmniej zrobić mi kanapkę! – zawołał z góry. – Z szynką i serem na żytnim chlebie. I z korniszonem.

Dobrze wiedział, że jedyny bochenek żytniego chleba w domu znajdował się w chłodni w piwnicy. Odczekał, aż rozległy się kroki Margie na schodach, po czym wyjechał na taras. Dom stał na zboczu wzgórza. Ojciec zainstalował na tarasie windę, ale Evan rzadko z niej korzystał, ponieważ zjazd ze wzgórza był zbyt ryzykowny.

Dziś jednak uznał, że da sobie radę. Pozostałości śniegu spowolnią bieg kół wózka, dzięki czemu nie nabierze zbyt dużej prędkości i się nie wywróci.

Szybko przekonał się, że jednak się mylił. Gdy tylko zjechał z windy, poczuł, że jego środek ciężkości jest stanowczo za wysoko. Popchnął joystick w przód w nadziei, że uda mu się bezpiecznie zjechać, ale po chwili koła zakopały się w błocie i wózek zaczął koziołkować w dół zbocza.

Po chwili Evan leżał na ziemi, mniej więcej dwa i pół metra od przewróconego wózka.

– Jasna cholera – wymamrotał. Na szczęście niczego sobie nie złamał. Tylko zamroczyło go na chwilę. Nic gorszego od solidnego zderzenia z obrońcą na boisku. Roześmiał się i spojrzał w ciemnoszare niebo. Czuł się dobrze. Zaskakująco dobrze.

– Ból to tylko znak, że słabość opuszcza ciało – powiedział na głos, przypominając sobie jeden z licznych złośliwych komentarzy starszego sierżanta Fincha, wygłaszanych podczas szkolenia Rangersów w Fort Benning.

Doczołganie się do wózka i wspięcie na niego zajęło mu prawie pięć minut. Ku swojemu zdziwieniu Evan nie czuł jednak upokorzenia, złości i rozpaczy, które stale towarzyszyły mu podczas rehabilitacji w szpitalu wojskowym imienia Waltera Reeda. Zamiast tego powróciła żelazna determinacja, którą odebrał mu tamten wybuch w Afganistanie.

W końcu udało mu się usiąść na wózku. Ruszył naprzód. Koła wózka zaskakująco dobrze radziły sobie na zmrożonej ziemi.

„Jezu Chryste, jak zimno", pomyślał Evan.

Przed wyjściem z domu narzucił na siebie kurtkę, ale po wywrotce był cały mokry. W dodatku zapomniał o czapce.

Nie zamierzał jednak rezygnować.

Minął stajnie i wjechał na ścieżkę prowadzącą do lasu. Mniej więcej po pięciu minutach zaczął sypać śnieg. Po kolejnych dziesięciu zmienił się w gęstą śnieżycę. Evan co chwilę musiał mrugać, żeby pozbyć się z oczu płatków. Widoczność spadła do dziesięciu metrów.

Nie czuł jednak niepokoju. Koła wózka zaczęły nawet lepiej pracować na cienkiej warstwie białego puchu. Wkrótce jednak Evan zaczął trząść się z zimna.

Wciąż nie zamierzał rezygnować. Nie zabrał ze sobą rękawiczek, więc schował okaleczoną rękę pod kurtkę.

Śnieg był piękny. Spływał z nieba grubą, szarobiałą zasłoną. Wszystkie zmysły Evana były wyostrzone. Nawet zimno i guz, który nabił sobie podczas wywrotki, nie przeszkadzały mu. Po raz pierwszy od bardzo dawna czuł, że żyje.

Dlaczego tyle czasu zmarnował na siedzenie w czterech ścianach i użalanie się nad sobą? Owszem, kalectwo było do dupy. Zależność od Margie też była do dupy. Oszpecona twarz, nadająca mu wygląd Freddy'ego Kruegera również. Ale wciąż żył. A w jego batalionie wielu żołnierzom się nie udało. Oni nigdy więcej nie poczują na twarzy mroźnego, orzeźwiającego wiatru.

Zaczął nucić pod nosem. Uświadomił sobie, że fabryka znajdowała się dużo dalej, niż sądził. Akumulator wózka był w pełni naładowany, więc bez problemu dojedzie tam i wróci. Jednakże zagłębiając się coraz bardziej w las, nie mógł pozbyć się wrażenia, że ta wycieczka nie była najmądrzejszym posunięciem w jego życiu.

W końcu wyjechał zza zakrętu i ujrzał duży, dziwnie wysoki, metalowy budynek. Po lewej – kolejny, niższy i dłuższy. Pomiędzy nimi stało coś w rodzaju olbrzymiego systemu przepływu powietrza, podłączonego do ścian budynku potężnymi, stalowymi rurami. Całość wyglądała jednak na opuszczoną. Nie było śladu po kobietach z Afryki, żadnych pojazdów, żadnego dymu z kominów, żadnych świateł.

Podjechał do wyższego budynku, ale drzwi były zamknięte. W ścianie znajdowało się niewielkie okno, ale nie zdołał niczego dojrzeć w środku. Przemieścił się do drugiego budynku. Tu drzwi były otwarte. Zajrzał do środka. W jednym rogu zalegał stos czegoś, co wyglądało na maniok lub bataty. Poza tym wnętrze zajmowały rozmaite urządzenia i maszyny, tworzące jakąś linię produkcyjną. Evan przyjrzał im się i doszedł do wniosku, że maniok najpierw trafiał do zgniatarki, stamtąd rurami do dużej kadzi ze stali nierdzewnej, a dalej do mniejszych kadzi lub kotłów. Wszędzie kłębiły się stalowe rury.

Czyżby jego podejrzenia były bezpodstawne? Wiedział, że z manioku można otrzymać więcej etanolu niż z kukurydzy. „Głupek", pomyślał. Ogarnął go wstyd na myśl, że tak łatwo wmówił sobie jakiś wymyślony spisek między ojcem a Johnem Collierem. Żałował, że nie może od razu zadzwonić do ojca i przeprosić go za swoje idiotyczne podejrzenia.

Obrócił wózek i wyjechał na zewnątrz. W tym czasie wiatr wzmógł się nieco. Evan dotknął dłonią włosów i odkrył, że ma na głowie zamarzniętą skorupę. W dodatku coraz mocniej się trząsł.

Niedobrze. Musiał jak najszybciej wrócić do domu.

Przejechał między budynkami, kryjąc się przed wiatrem. Za niższym budynkiem zauważył buldożer Caterpillar D8, należący do jego ojca. Dale Wilmot zaczynał karierę jako kierowca buldożera i do dziś lubił jeździć nim po swojej posiadłości, burząc różne rzeczy albo wyrównując grunt. Jak we wszystkim, co robił, ojciec Evana także za kierownicą D8 był perfekcjonistą. Bez względu na to, czy przesuwał stertę piasku, czy kopał rów, zawsze robił to precyzyjnie i elegancko.

Ale Evan zauważył coś jeszcze. Wokół budynku leżało sporo porozrzucanych grud ziemi, których nie zdążył jeszcze przykryć śnieg. Ojciec raczej nie zostawiłby po sobie takiego bałaganu, więc Evan domyślił się, że to musi być robota Colliera. Tylko co on tu robił? Wyglądało na to, że próbował coś zakopać. Może jakieś odpady, które ojciec zakazał mu wrzucać do strumienia, żeby nie zatruć ryb?

Wyjechał na pokryty grudami teren, kierując się z powrotem na ścieżkę prowadzącą do domu. I wtedy wózek się zatrzymał. Evan próbował go obrócić, ruszyć w przód lub w tył, ale bez skutku. Coś na ziemi skutecznie uniemożliwiało mu ruch.

Jeśli tu utknie, będzie źle. Przechylił się i spróbował zajrzeć pod wózek. Nie mógł jednak zanadto się wychylić w obawie, że wózek się wywróci, co zmieniłoby jego sytuację ze złej w katastrofalną.

Dopiero teraz zauważył, że cały trzęsie się z zimna. Przenikliwego, ostrego zimna, które sięgało aż do kości i niemal parzyło.

Spróbował jeszcze raz obrócić wózek, ale koła nie chciały złapać podłoża. Śnieg sypał coraz mocniej. Evan ledwo widział buldożer, stojący raptem pięć metrów od niego.

Nagle wózek ruszył do przodu. Evan zatrzymał się i obrócił, żeby spojrzeć na przeszkodę. Z ziemi wystawał jakiś korzeń...

Tylko że to nie był korzeń. Oczy Evana rozszerzyły się ze zdziwienia i przerażenia. Widział wystającą z ziemi delikatną, ciemnoskórą dłoń. Kobiecą dłoń pokrytą szronem.

Zbliżył się do niej. Palce dłoni były zakrzywione, jakby kobieta usiłowała wydostać się z zamarzniętego grobu. To musiała być jedna z Afrykanek pracujących pod nadzorem Colliera. Martwa. Podobnie jak – wnioskując z porozrzucanych wszędzie grud ziemi – wszystkie pozostałe. To odkrycie przekraczało jego najgorsze obawy. Ale wciąż brakowało mu szerszego kontekstu, żeby zrozumieć, czym zajmowali się w tym miejscu ojciec z Collierem.

Ruszył naprzód w kierunku metalowych budynków. A przynajmniej tego, co wyglądało na budynki. Gdy jednak zza kurtyny śniegu wyrosły przed nim wysokie kształty, zdał sobie sprawę, że dojechał do krawędzi lasu.

Rozejrzał się. Kompletnie stracił orientację w terenie. Widział tylko drzewa i śnieg. Pojechał wzdłuż lasu. Śnieg pochłaniał wszystkie dźwięki. Zmysły Evana przestawały stopniowo pracować, jak w jakimś diabolicznym eksperymencie. Koła wózka ślizgały się na zmrożonym podłożu. Evan zatrzymał się na chwilę, po czym ruszył dalej.

Po minucie koła znów wpadły w poślizg. Evan manipulował joystickiem, czekając, aż opony znów złapią przyczepność. Ale koła wciąż się ślizgały. Zerknął w dół. Tarcie opon stopiło śnieg, który następnie zamarzł w czysty lód.

Serce biło mu coraz szybciej. Szarpnął się, usiłując przestawić wózek. Bez skutku. Bliski paniki, pochylił joystick maksymalnie do przodu. Koła zaszorowały po lodzie, ale wózek ani drgnął. Po kolejnej minucie koła obracały się wolniej. Akumulator się rozładowywał.

– Na pomoc! – krzyknął. – Margie! Margie, słyszysz mnie?

Las odpowiedział mu martwą ciszą.

I wtedy znów pojawiła się determinacja, wypierając strach. Pozostawało mu tylko jedno wyjście. Odpiął pasy przytrzymujące kikuty nóg i zsunął się na ziemię.

Natychmiast poczuł w nogach przenikliwe zimno. Od kiedy wrócił do domu, konsekwentnie odmawiał poddania się terapii, która przygotowałaby jego kikuty do noszenia protez. W rezultacie skóra na nich była cienka i wrażliwa.

Zaczął się czołgać.

Kiedyś był gwiazdą futbolu, żołnierzem i jeźdźcem, dumnym ze swojego ciała i jego możliwości. Kiedyś jego ciało potrafiło znieść najgorsze trudy. A teraz? Nie chodziło tylko o to, że mina zrobiła z jego ciała mielonkę. Evan zbyt długo leżał bezczynnie, użalając się nad sobą i pozwalając swojemu ciału osłabnąć.

Wciąż jednak miał siłę woli. Bez względu na to, jak bardzo się od siebie różnili, ojciec przekazał mu w genach jedną cechę: siłę woli.

„Nie umrę tutaj".

Czołgał się naprzód, zmuszając się do kolejnych ruchów, zaciskając zęby, gdy fale bólu przepływały przez jego zmasakrowane kończyny, aż w końcu stracił w nich czucie.

„Nie umrę tutaj".

Po kilkuset metrach zatrzymał się, by chwilę odpocząć. Śnieg wciąż sypał, choć już nie tak mocno. Płatki delikatnie opadały na jego twarz i wysunięty język. Ogarnął go spokój. Zimno otulało go jak miękki koc. Evan zamknął oczy i zasnął.

29

Stan Waszyngton, Idaho

Kiedy samolot lądował na międzynarodowym lotnisku Spokane w stanie Waszyngton, tuż przy granicy z Idaho, ziemię pokrywała cienka warstwa śniegu. Na lotnisku znajdowały się tylko cztery bramki. Nancy Clement podejrzewała, że przymiotnik „międzynarodowy" dodano wyłącznie w celach reklamowych. Niewielkie rozmiary lotniska miały jednak zaletę – nie było na nim dużego ruchu i Nancy mogła w ostatniej chwili kupić bilet na lotnisku Dullesa, za który zapłaciła własną kartą kredytową. Po odebraniu bagażu od razu podeszła do stanowiska wypożyczalni samochodów. Obsługiwał je Indianin o przygłupim wyrazie twarzy, pozbawiony wszystkich górnych zębów, przez co mocno seplenił.

– Pewnie będzie z tego buza szniezna – powiedział, kiwając filozoficznie głową jak ktoś głęboko przekonany, że najgorszy możliwy scenariusz zawsze się spełnia.

– Co proszę?

– Buza. Szniezna. – Indianin zorientował się, że Nancy patrzy na niego, nic nie rozumiejąc. – Bardzo intensywny opad szniegu, taki, ze nie widać czubka własnego nosa. Prosę jechać ostroznie.

– Dziękuję, tak zrobię.

Indianin posłał jej szeroki, sztuczny uśmiech, odsłaniając przy okazji dziąsła.

– Życzę miłego dnia.

Pożegnana bezzębnym uśmiechem Nancy ruszyła na północ w kierunku posiadłości Dale'a Wilmota. Według GPS-u miała do pokonania tylko pięćdziesiąt sześć kilometrów, więc planowała zdążyć, zanim śnieg całkowicie sparaliżuje ruch na drogach.

Z początku szło jej nieźle. Na autostradzie stanowej nr 90 śnieg sypał gęsto, ale panował spory ruch, więc jezdnia była w niezłym stanie. Auto sprawowało się dobrze nawet przy dużej prędkości. Ale potem Nancy skręciła w boczną drogę, prowadzącą serpentynami pod górę w kierunku Priest Lake i warunki jazdy gwałtownie się pogorszyły. Po kilku minutach od opuszczenia autostrady Nancy zaczęła odczuwać niepokój. Wkrótce jechała po dziesięciocentymetrowej warstwie świeżego śniegu. Przed sobą nie widziała ani jednego śladu opon innych samochodów. Na lotnisku wypożyczyła toyotę land cruiser z napędem na cztery koła, a mimo to samochód ślizgał się na ostrzejszych zakrętach. W pewnym momencie poślizg zniósł ją daleko na pobocze, skąd niewiele brakowało już do krawędzi przepaści.

Po tej przygodzie Nancy zdjęła nogę z gazu.

Co gorsza, mapa, którą miała ze sobą, była niezbyt szczegółowa, a GPS najwyraźniej nie miał pojęcia o istnieniu drogi, którą właśnie jechała. W końcu wyłączyła nawigację po tym, jak kobiecy głos z irytującym, brytyjskim akcentem nakazał jej „zawrócić najszybciej, jak to możliwe" po raz dziewięćdziesiąty.

Wycieraczki pracowały z najwyższą prędkością, ogrzewanie było włączone na maksimum, a mimo to przednia szyba pokrywała się coraz grubszą warstwą śniegu. Nawet gdy pióra wycieraczek od czasu do czasu odsłaniały szybę, Nancy nie była w stanie dojrzeć niczego przed maską. Jechała górską drogą, kompletnie na ślepo, z prędkością ośmiu kilometrów na godzinę. Coraz poważniej rozważała pomysł zatrzymania się na poboczu i przeczekania śnieżycy. W dodatku była głodna. Czekając na przesiadkę w Las

Vegas, zdążyła tylko zjeść paskudną kanapkę z szynką i serem, a to było sześć i pół godziny temu.

Świat za szybą samochodu stopniowo zmieniał się w jednolitą, szarą masę. Nancy w końcu się poddała. Zjechała na pobocze i wysiadła z auta. Nigdy wcześniej nie widziała czegoś takiego. Dorastała w Tennessee, więc po raz pierwszy zobaczyła śnieg dopiero po wstąpieniu do FBI.

Wydawało jej się, że śnieżyca powinna być biała, miękka i ładna. Zamiast tego jednak wszystko było szare. Jak popiół w krematorium.

Nancy mogła mniej więcej określić, którędy przebiegała droga dzięki ledwo widocznym, ciemnym kształtom drzew. Spojrzała na zegarek. Było po czwartej. Słońce wkrótce zajdzie, co tylko pogorszy sytuację i prawdopodobnie uwięzi ją na tym poboczu na całą noc.

Po raz pierwszy poczuła coś zbliżonego do paniki. I wtedy śnieżyca nagle zelżała. Na wzgórzu, mniej więcej dwa–trzy kilometry dalej, zobaczyła drewnianą posiadłość, tak olbrzymią, że przypominała hotel.

To był dom Wilmota. To musiał być dom Wilmota.

Pięć minut później zatrzymała się na podjeździe przed głównym wejściem. Wysiadła z samochodu i zapukała do drzwi. Nikt nie odpowiadał. Przebiegła wzrokiem po domu, zajrzała też przez okno, ale w środku nikogo nie było. Żadnego znaku życia. A potem w półmroku zobaczyła jakąś postać na ścieżce, opatuloną grubą kurtką. To była kobieta, o dobre dziesięć centymetrów wyższa i z pewnością czterdzieści kilogramów cięższa od Nancy. Pod zimową parką miała na sobie bladozielony, szpitalny fartuch. Nancy weszła za nią do środka. Twarz kobiety pod futrzanym kapturem zdradzała panikę. Nancy pokazała jej odznakę.

– Skąd pani wiedziała?

– Co wiedziałam?

– Że Evan zaginął.

– Kim jest Evan?

– To syn pana Wilmota. Właśnie miałam zadzwonić na policję.

– Nie przyjechałam tu po Evana. Chcę porozmawiać z Johnem Collierem.

– Nie ma go tu. Wyjechał dziś z panem Wilmotem. Muszę znaleźć Evana. Porusza się na wózku, więc nie mógł odjechać zbyt daleko. Boże święty, pan Wilmot mnie zabije.

– Proszę się uspokoić i powiedzieć mi, co się stało. Postaram się pani pomóc.

Rozdygotana pielęgniarka powiedziała jej, że otrzymała wyraźne instrukcje, aby nie wypuszczać Evana z domu. Był chory i choć zamknięcie w czterech ścianach mogło mu się nie spodobać, dla jego dobra należało trzymać go z daleka od chłodu. A teraz, rozpaczała pielęgniarka, Evan być może zmarł z wychłodzenia. Była na skraju załamania nerwowego. Kilkanaście razy podnosiła słuchawkę, żeby zadzwonić do pana Wilmota i za każdym razem ją odkładała.

– Mówiłam mu, żeby nie wychodził na zewnątrz, ale mnie nie posłuchał. Musi mi pani pomóc go znaleźć.

Nancy Clement zastanowiła się przez chwilę. Wilmot i Collier wyjechali, ale być może syn Wilmota, Evan, będzie coś wiedział. Poza tym przy tej pogodzie i tak nigdzie by nie dojechała.

– Mogłaby mi pani pożyczyć jakąś cieplejszą kurtkę? – zapytała Nancy. – Moja nie nadaje się na zimę w Idaho.

Zanim pielęgniarka spotkała Nancy pod drzwiami, przez godzinę sama przetrząsała okolicę. Tylko że szukała w niewłaściwym miejscu. Założyła, że Evan pojechał ku głównej drodze, podczas gdy w rzeczywistości skierował się do lasu.

To Nancy zasugerowała, by sprawdzić ścieżkę. Tam go znalazły. Evan zwinął się w kłębek, otulając kurtką i chroniąc głowę przed odmrożeniem. Pielęgniarka wzięła go na ręce i przedzierając się przez śnieg ruszyła z powrotem do domu, przyciskając Evana do siebie jak małe dziecko.

Po dziesięciu minutach nieprzytomny Evan znalazł się w wannie wypełnionej ciepłą wodą. Łazienka, do której zaniosła go pielęgniarka, miała rozmiary średniego mieszkania. Nancy przeżyła lekki wstrząs na widok okaleczonego ciała Evana – kikutów nóg, brakującej ręki i pokrytej bliznami twarzy.

Po kilku minutach Evan dostał dreszczy, tak silnych, że obie kobiety musiały go przytrzymać w wannie.

– To dobry znak – oznajmiła pielęgniarka. – To znaczy, że jego ciało się rozgrzewa.

Wkrótce dreszcze ustąpiły, a kilka minut później Evan otworzył oczy. Rozejrzał się tępo po łazience. W końcu jego wzrok spoczął na Nancy.

– Kim pani jest?

– Nazywam się Nancy Clement – odparła. – Jestem z Federalnego Biura Śledczego.

– Pani Clement przyjechała tu, żeby pomóc mi cię znaleźć – wtrąciła pielęgniarka.

Evan rzucił jej sceptyczne spojrzenie.

– Nie sądzę.

– Ależ tak – upierała się pielęgniarka. Nancy powiedziała jej, żeby nie dzwoniła na policję i teraz Margie miała dług wdzięczności wobec agentki, która uratowała nie tylko Evana, ale także jej posadę.

– Margie, czy mogłabyś zostawić mnie na chwilę samego z tą miłą panią z FBI?

– Po co? – zdziwiła się pielęgniarka.

– Proszę – nalegał Evan. – Czy chociaż raz możesz zrobić to, o co cię proszę?

Mięsista twarz Margie poczerwieniała, ale po chwili pielęgniarka wstała i wyszła z łazienki.

Nancy czuła się niezręcznie, będąc sam na sam z nagim mężczyzną. Na Evanie najwyraźniej nie robiło to wrażenia. Z drugiej strony, niepełnosprawni z reguły potrzebowali pomocy innych ludzi w kąpieli, więc Nancy podejrzewała, że Evan jest do tego przyzwyczajony.

– Nie – odezwał się Evan, jakby czytając jej w myślach. – Do tego nie można się przyzwyczaić. To zawsze jest do dupy. Ale muszę siedzieć w tej wodzie, bo inaczej się rozchoruję.

Nancy odchrząknęła.

– No dobrze – kontynuował smutnym głosem Evan. – Czyli mój ojciec zrobił coś potwornego, tak?

Nancy przechyliła głowę.

– A zrobił?

Evan uśmiechnął się smutno.

– Tak – odpowiedział. – Zrobił.

30

Manassas, Wirginia

W powszechnej opinii Gideon Davis był znakomitym dyplomatą – zaangażowanym, uroczym i bezpośrednim. Ale ponieważ wiele cech dobrego dyplomaty stanowi dokładne przeciwieństwo cech dobrego żołnierza, obie te profesje często stoją na przeciwległych biegunach. Gideona często wysyłano w miejsca, gdzie żołnierze bali się zapuszczać. Wielokrotnie udowadniał, że dyplomacja to nie tylko rauty i wygodne gabinety. Pracując w dyplomacji, zdążył zaprzyjaźnić się z wieloma żołnierzami, agentami CIA i najemnikami. Nie wszyscy z nich byli wzorowymi obywatelami.

Dlatego kiedy potrzebował wojskowego uzbrojenia i sprzętu, wiedział dokładnie, do kogo należy zadzwonić.

– Cześć, Paulus – powiedział do słuchawki automatu telefonicznego przed sklepem 7-Eleven w Manassas. – Mówi Gideon Davis. Oddzwoń do mnie z bezpiecznego telefonu.

Trzy minuty później automat zadzwonił.

– Gideon – przywitał się Paulus Lennart. – Kopę lat.

– Będę się streszczał. Potrzebuję ładunków wyburzających, najlepiej wstęgowych. Do tego lont i detonator. Potrzebuję też baretta z amunicją przeciwpancerno-zapalającą.

– Ty chyba, kurwa, żartujesz – skomentował Lennart.

– A ty wciąż wisisz mi przysługę za Kamerun. – Zapadła dłuższa chwila ciszy. – Gwarantuję, że nikt cię z tym nie powiąże.

– Na kiedy potrzebujesz sprzętu?

– Za dwie godziny.

– Barretta tak szybko ci nie załatwię – powiedział Paulus. – Ale mam pod ręką karabin wyborowy Accuracy International. Samopowtarzalny, amunicja .50 BMG. Precyzja rzędu ćwierć minuty kątowej, fajny celownik optyczny Leupold i tak dalej.

– Biorę.

– Co ja będę z tego miał?

– Oprócz mojej dozgonnej wdzięczności? Dwadzieścia tysięcy.

– Wezmę dwadzieścia kawałków, a wdzięczność sobie zatrzymaj. – Połączenie zostało przerwane.

Dwie godziny i dziesięć minut później Gideon stał na parkingu przed sklepem spożywczym sieci Super Target w Centerville. W pewnym momencie podjechał do niego poobijany, niebieski van. Gideon usłyszał za sobą zgrzyt otwieranych drzwi bocznych, ale było już za późno.

Na jego głowie znalazł się worek. Ktoś bardzo szybki i silny dźwignął go w górę. Drzwi zatrzasnęły się i van odjechał.

Gideon po omacku usiłował sięgnąć po swojego glocka, ale czyjaś potężna dłoń zacisnęła się na jego nadgarstku. Ściągnięto mu worek z głowy i Gideon zobaczył, że z tyłu trzyma go młody mężczyzna przypominający posturą średni czołg. Jego ramiona otaczały klatkę piersiową Gideona jak żelazne sztaby. Paulus Lennart przyłożył lufę do jego skroni.

– Nigdy więcej mi tego nie rób.

– Czego? – zapytał Gideon.

Lennart był żylastym Południowoafrykańczykiem o krótkiej, szpakowatej brodzie i długich, siwiejących włosach. Niegdyś pracował jako najemnik dla Departamentu Stanu i miał na sumieniu kilka zabójstw w Kamerunie, które – choć popełnione w imię ochrony interesów Stanów Zjednoczonych – niemal przypłacił ucięciem głowy przez miejscowego kacyka. Dzięki Gideonowi udało mu się wyjść z tej historii cało.

– Nie uznałeś za stosowne wspomnieć mi, że poszukuje cię FBI.

– W charakterze świadka – odparł Gideon. – A to różnica.

– Wydaje ci się, że jesteś dowcipny?

Gideon odepchnął lufę od swojej skroni.

– Mam wiarygodne informacje, że na terytorium Stanów Zjednoczonych dojdzie do ataku terrorystycznego. Jeżeli nie dasz mi broni, o którą cię prosiłem, zginą niewinni ludzie. To jak, pomożesz mi czy nie?

Paulus Lennart pochylił się i spojrzał Gideonowi w oczy. Nerwowo przeżuwał gumę, poruszając szczękami w tempie zgniatarki przemysłowej. Gideon czuł w jego oddechu zapach Wrigley's Juicy Fruit.

W końcu Lennart się cofnął.

– Nie potrafię cię rozgryźć, stary. Podobno jesteś dyplomatą, a w kółko pakujesz się w sytuacje, w których musisz odgrywać komandosa. To który Gideon jest prawdziwy, hm?

– Jak do tego dojdziesz, zadzwoń do mnie – powiedział Gideon. – Tymczasem powiedz lepiej, czy masz dla mnie te ładunki.

Lennart nie ruszył się z miejsca.

– Będę tego żałował?

– Mam wiele talentów – odparł Gideon. – Ale przewidywanie przyszłości nie jest jednym z nich.

– Jakim cudem w ogóle trafiłeś do dyplomacji? – zapytał Lennart kpiąco. – To ma być zdobywanie zaufania rozmówcy?

– Masz ten sprzęt czy nie? Bo trochę mi się spieszy.

– A masz forsę?

– Wiesz, że wywiązuję się ze zobowiązań.

– Wpędzisz mnie kiedyś do grobu. – Paulus zerknął na swojego potężnego pomocnika, który wciąż trzymał Gideona, i skinął krótko głową. – Puść go – powiedział. – Daj mu sprzęt i niech się stąd zabiera. W podskokach.

31

Centreville, Wirginia

Już gdzieś widziałem tego człowieka – powiedział Verhoven, gdy razem z Tillmanem szli przez obszerny parking w Centreville w kierunku Gideona. W oddali przemknęło kilku biegaczy, wpatrzonych w zegarki.

– Możliwe, on bywa tu i tam – odparł spokojnie Tillman.

Kilka lat wcześniej twarz Gideona regularnie gościła w serwisach telewizji informacyjnych. Na spotkanie z Verhovenem założył duże okulary przeciwsłoneczne, zakupione w miejscowym sklepie sportowym, oraz czapkę z logo Fundacji Strzelectwa Sportowego Glocka. Nie golił się od dwóch dni i miał nadzieję, że czapka, okulary i zarost wystarczą, żeby Verhoven go nie rozpoznał.

– Spóźniłeś się – powiedział do niego Tillman.

– Skoro dzwonisz do mnie i domagasz się specjalistycznego sprzętu na ostatnią chwilę, to musisz się z tym liczyć – odpowiedział Gideon, starając się przekonująco wypaść w roli zawodowego żołnierza. – Gdzie moja forsa?

Tillman dał znak Verhovenowi, który rzucił na ziemię niewielką torbę sportową. Gdy Gideon przeglądał jej zawartość, pułkownik uważnie studiował jego twarz, co nie umknęło uwadze obu braci. Obaj udawali jednak, że nic nie zauważyli.

– Nie było szans na barretta – powiedział Gideon, wrzucając torbę do swojego samochodu. – Będzie ci musiał wystarczyć samopowtarzalny wyborowy accuracy international.

– Też na pięćdziesiątkę, zgadza się?

– Zgadza.

Tillman zerknął na Verhovena, który tylko wzruszył ramionami.

– Kawał porządnej broni – podkreślił Gideon. – Używają ich goście z SAS.

– Celownik? – zapytał Tillman.

– Leupold Mark IV z mildotem[4] i dziesięciokrotnym powiększeniem. Sprzęt dla zawodowca.

– Wystarczy – uznał Tillman.

Kiedy przenosili sprzęt do ciężarówki, Verhoven co chwilę zerkał na Gideona, który postanowił uprzedzić pułkownika i rozbroić potencjalny problem.

– Jakiś problem? Cały czas się na mnie gapisz, a ja nie lubię, jak się na mnie gapi ktoś, kto nie jest kobietą.

– My się już kiedyś spotkaliśmy – powiedział Verhoven.

– Wątpię.

Verhoven kiwnął głową, ale wyraźnie nie był usatysfakcjonowany odpowiedzią Gideona. W napiętą ciszę wdarł się jęk dobiegający z wnętrza hondy. To była Lorene.

– Lepiej sprawdź, co z nią – powiedział Tillman. Verhoven posłusznie poszedł zajrzeć do żony leżącej na tylnej kanapie samochodu.

– Ich cel to orędzie o stanie państwa – szepnął Tillman, upewniwszy się, że Verhoven znajduje się poza zasięgiem jego głosu.

Gideon zamrugał oczami. Rozważał wprawdzie różne potencjalne cele ataku na terenie Waszyngtonu, ale to przekraczało

---

[4] Siatka celownicza umożliwiająca obliczenie odległości od celu, wykorzystywana w karabinach wyborowych (przyp. tłum.).

jego najgorsze wyobrażenia. Prawdę mówiąc, możliwość zamachu podczas orędzia o stanie państwa wykluczył już na początku.

– Jesteś pewien?

– Tak, chociaż my mamy się zająć jakąś operacją pomocniczą w Wirginii. Nie wiem jeszcze, o co dokładnie chodzi.

Gideon nagle poczuł, jakby przygniótł go szesnastotonowy odważnik.

– Nie możemy powiadomić FBI bez twardych dowodów.

– Wiem – mruknął Tillman. – Trzymaj się cały czas za nami, jak tylko dostaniemy w ręce coś konkretnego, zaczniemy działać.

Gideon kiwnął głową. W tym samym momencie podszedł do nich Verhoven.

– Nic jej nie jest – powiedział do Tillmana.

– Jakiś problem? – zapytał Gideon.

– Nie ma żadnego problemu, po prostu moja żona kiepsko się czuje.

– Powinieneś się nią zająć.

– Nie twój interes – warknął Verhoven.

Gideon wzruszył ramionami, po czym klepnął Tillmana w plecy.

– Uważaj na siebie.

– Sam na siebie uważaj. W przeciwieństwie do ciebie, ja nie jestem fajtłapą.

– Powtarzaj to sobie.

Tillman się roześmiał.

– Palant.

Następnie wraz z pułkownikiem wsiedli do hondy, która zaraz zniknęła za zakrętem.

– Ten człowiek wyglądał bardzo znajomo – odezwał się Verhoven, gdy odjechali z parkingu.

– Znamy się od dawna. Razem byliśmy w szkole Rangersów. To porządny gość.

– Dość bezczelny.

– Po prostu cię nie zna. W takich sytuacjach ktoś taki jak on musi zachować ostrożność.

– Wciąż wydaje mi się, że gdzieś już go widziałem – Verhoven cmoknął. – Przypomnę sobie.

– Dokąd teraz?

– Musimy znaleźć jakiś hotel na uboczu. Bez lobby, tak żeby nikt nas nie obserwował. Zostawimy tam Lorene i pojedziemy na rekonesans. W ten sposób rano będziemy już gotowi.

Tillman wiedział, że Gideon słucha ich rozmowy przez radio, które miał włączone w kieszeni.

– Przy autostradzie Lee-Jackson jest motel Econo Lodge. Może być?

Verhoven wzruszył ramionami, najwyraźniej pogrążony we własnych myślach.

– Zawsze jest jeszcze Hampton Inn. Mają niezły bufet śniadaniowy.

– Mógłbyś dać sobie spokój z zabawą w przewodnika?

– Ty tu jesteś szefem – ustąpił Tillman. – Niech będzie Econo Lodge.

32

Pocatello, Idaho

Silnik jeepa zaskoczył z głośnym rykiem. Nancy dostała od Evana klucze do samochodu jego ojca. Było już ciemno, temperatura spadła do minus dwunastu stopni Celsjusza. Śnieg wciąż sypał, ale już nie tak gęsto, jak wcześniej. Dojazd do przecinki, na której stały zabudowania, nie był prosty, ale dopóki Nancy jechała powoli, szerokie opony jeepa pewnie trzymały się nawierzchni.

Evan opowiedział jej, że natknął się na kobiecą dłoń w ziemi, kiedy postanowił sprawdzić, co kryje się za podejrzanym zachowaniem ojca i Johna Colliera. Cokolwiek Dale Wilmot robił w lesie – a Evan miał już pewność, że nie była to produkcja etanolu – spowodowało to śmierć przynajmniej jednej kobiety. Evan powiedział jej też, że ojciec bardzo się zmienił od czasu jego powrotu z wojny. Stał się surowszy i stronił od ludzi. Ale nic nie mogło usprawiedliwić potwornego odkrycia, którego Evan dokonał w lesie.

Poradził jej, żeby pojechała dalej ścieżką, przy której go znalazła. Był zbyt osłabiony, żeby zabrać się z nią, a poza tym wolał więcej nie oglądać świadectwa zbrodni ojca. Nancy wzięła od niego kluczyki do jeepa i wyszła z jego sypialni, gdzie leżał z zamkniętymi oczami i okaleczoną ręką wyciągniętą w górę, jak u topielca próbującego wypłynąć na powierzchnię.

Nancy zatrzymała samochód, wzięła latarkę i wysiadła, zostawiając włączone światła. Nawet przez pożyczone od Margie rękawiczki, czapkę i kurtkę czuła przenikliwe zimno. Za pierwszym budynkiem znalazła buldożer, stojący wśród rozrzuconych grud ziemi. Przedzierała się przez śnieg pokrywający zrytą ziemię, badając latarką teren przed sobą. W pewnym momencie zauważyła jakiś korzeń, wystający około trzydziestu centymetrów nad ziemię. Podeszła bliżej, otrzepała rękawiczką śnieg i gwałtownie wciągnęła powietrze.

Patrzyła na delikatną kobiecą dłoń, wystającą ze zmrożonej ziemi.

Ściągnęła rękawiczki i zaczęła odkopywać dłoń gołymi rękami. Po pewnym czasie spod ziemi ukazało się całe ramię i fragment klatki piersiowej.

Nancy wyciągnęła telefon na kartę, zakupiony na lotnisku w Las Vegas. Nie było sygnału. Wsunęła aparat z powrotem do kiszeni. Nawet jeśli dodzwoniłby się do Gideona, co mogłaby mu powiedzieć? Najwyżej to, że w lesie w Idaho kogoś zamordowano. Być może kilka osób. To za mało, żeby iść do Dahlgrena. Zwłoki zakopane w ziemi stanowiły przedmiot jurysdykcji stanowej, nie federalnej, więc należało raczej zawiadomić szeryfa niż FBI. I wciąż nie miała żadnego dowodu na spisek wymierzony w rząd Stanów Zjednoczonych.

Podniosła się i obeszła budynek dookoła. Drzwi były zamknięte, więc skierowała się do drugiego budynku. W środku znalazła plątaninę rur ze stali nierdzewnej, podłączonych do kilku kadzi i komór ciśnieniowych o różnych rozmiarach. Całość kojarzyła jej się z laboratoriami narkotykowymi, na które robiła naloty, służąc w DEA. Tyle że te kadzie były znacznie większe. A przede wszystkim brakowało charakterystycznego smrodu towarzyszącego produkcji metamfetaminy. Nawet niewielkie fabryczki często można było wyczuć z odległości dwóch kilometrów. Ale tutaj Nancy wyczuwała tylko lekki, gorzki zapach migdałów.

Powoli badała wnętrze opuszczonego budynku, oświetlając sobie drogę latarką. W przeciwległym kącie dostrzegła stos jakichś bulw – wyglądały na bataty, maniok lub ziemniaki.

Przyjrzała się z bliska jednej z nich. Bulwa była zamarznięta na kość. Nancy odrzuciła ją z powrotem na stos i kontynuowała przeszukiwanie.

Układ rur jednoznacznie wskazywał na to, że bulwy tłoczono, a płynny osad spływał do wielkiej kadzi, która z kolei była połączona kolejno z coraz mniejszymi naczyniami. Z bulw coś destylowano i prawdopodobnie poddawano obróbce chemicznej. Nancy przypomniała sobie wszystkie znane jej narkotyki otrzymywane z roślin: kokainę, heroinę, khat[5], THC, psylocybinę. Żadnego z nich nie uzyskiwało się z bulw.

Na drugim krańcu pomieszczenia znajdowało się najmniejsze naczynie. Wyglądało na wyposażone w system chłodzenia, co w obecnej temperaturze wydawało się raczej zbędne. Na dnie naczynia Nancy zauważyła niewielki kranik. Odkręciła go. Z kranu wyciekła pojedyncza kropla przezroczystego płynu, która spadła na podłogę i natychmiast zamarzła. Nancy uznała, że dotykanie tej substancji nie byłoby najrozsądniejszym pomysłem.

Zastanawiała się, czy z warzywa da się wyprodukować jakiś związek wybuchowy, taki jak nitrogliceryna. Jeśli tak, to lepiej będzie go nie ruszać. Nancy wyszła na zewnątrz i wróciła do zamkniętych drzwi pierwszego budynku. Były wzmocnione stalową płytą. Wyjęła glocka i strzeliła prosto w zamek. Jako zawieszona w obowiązkach musiała oddać służbową broń, ale na szczęście miała pod ręką zapasowy pistolet. Wybicie dziury w zamku kosztowało ją połowę magazynka.

---

[5] Popularna nazwa czuwaliczki jadalnej, z której syntetyzuje się narkotyki na bazie katynonu (przyp. tłum.).

Wnętrze budynku było obszerne i wyglądało na wieloosobową sypialnię. Przy ścianie ustawiono rząd polowych łóżek, na których zalegały rozmaite przedmioty osobiste – zdjęcia, egzemplarz Biblii, kilka wymiętych czasopism po francusku ze zdjęciami ludzi, których Nancy uznała za Afrykanów. Nie było wątpliwości, że sypialnia jest opuszczona. W środku panował taki sam ziąb, jak na zewnątrz. Na końcu pomieszczenia znajdowała się niewielka kuchenka. Nancy podeszła do niej. Na palnikach stały patelnie i garnki. Jedno z naczyń zawierało przypalone jedzenie. Wszystko wyglądało tak, jakby mieszkańcy tego miejsca opuścili je w pośpiechu, zapominając nawet o zdjęciu obiadu z ognia.

Ludzie, którzy tu mieszkali, prawdopodobnie leżeli teraz pogrzebani pod śniegiem.

Reszta pomieszczenia okazała się zaskakująco pusta. Budynek w ogóle był zdecydowanie zbyt obszerny, jak na zwykłą sypialnię dla kilku osób. Rozglądając się po wnętrzu, Nancy w pewnym momencie zauważyła kilkudziesięciocentymetrową smugę krwi na wyczyszczonej, betonowej podłodze. Po chwili dostrzegła kolejne ślady zaschniętej krwi, przypominające machnięcia pędzlem zrozpaczonego malarza. Na jednej ze smug zauważyła kępkę włosów. A potem zaczęły ją piec oczy.

Wyraźnie czuła zapach migdałów. Po chwili zaczęło ją drapać w gardle. Swędział ją nos i zrobiło jej się niedobrze. Wyszła na zewnątrz i wzięła kilka głębokich wdechów. Lodowate powietrze parzyło, ale przynajmniej drapanie ustało.

Rozejrzała się po okolicy i zauważyła olbrzymi klimatyzator, który zupełnie nie pasował rozmiarami do budynku. Wciąż czując lekkie zawroty głowy, wróciła do samochodu i wsiadła do środka. Zostawiła włączony silnik, więc w kabinie było przyjemnie ciepło.

Rozważała powrót do domu Wilmotów, ale uznała, że powinna jeszcze raz zbadać budynek sypialny.

Wiał przenikliwy wicher i Nancy natychmiast pożałowała, że nie została w samochodzie. Weszła z powrotem do sypialni. Zapach migdałów stał się jeszcze wyraźniejszy – zupełnie jakby jej nozdrza zrobiły się na niego bardziej wyczulone. Nagle poczuła gwałtowny skurcz w żołądku. Wybiegła na zewnątrz i zwymiotowała w śnieg.

I wtedy właśnie zrozumiała. Kawałki układanki w końcu złożyły się w całość.

Wilmot i Collier produkowali cyjanowodór.

Pobiegła do jeepa, wskoczyła do środka i ruszyła pełnym gazem. Telefon. Musiała dostać się do telefonu.

Wiekowa terenówka podskakiwała i tańczyła na śliskiej, wyboistej drodze. Nancy zobaczyła przez szybę sylwetkę domu Wilmotów i nagle przypomniała sobie o czymś. W poprzek ścieżki leżał wózek Evana. Jadąc w tamtą stronę, ostrożnie go ominęła, ale teraz zupełnie o nim zapomniała. Porzucony, przysypany śniegiem wózek nagle wyrósł przed maską samochodu. Nancy szarpnęła kierownicą w prawo.

Jeep na chwilę zawisł na dwóch lewych kołach, po czym przetoczył się na dach.

Raz, drugi i trzeci.

Nancy nie zapięła pasów. Uderzyła z impetem o podłogę, po czym uświadomiła sobie, że to jednak nie podłoga, tylko sufit.

Jeep znieruchomiał. Śnieg stłumił huk i zgrzyt dachowania. Przez rozbitą szybę Nancy widziała dom. W oknach paliły się światła, rzucając żółtą poświatę na śnieg.

Wyczołgała się z samochodu i poczuła, że z jej lewą nogą coś się stało. Coś bardzo złego. Czuła potworny ból. Choć ledwo trzymała się na nogach, powlokła się w stronę domu, który nagle wydał jej się bardzo odległy.

33

Waszyngton

Dale Wilmot i John Collier wylądowali na lotnisku krajowym im. Ronalda Reagana, gdzie wypożyczyli szarego SUV-a buick enclave, który gwarantował, że nie zwrócą na siebie niczyjej uwagi. Załadowali bagaże i skierowali się do śródmieścia Waszyngtonu. Zameldowali się w hotelu Hay-Adams. Podziękowali boyowi hotelowemu i sami zajęli się swoimi bagażami. Collier zdołał upchnąć całe wyposażenie do kilku waliz, które dały się elegancko ułożyć na wózku bagażowym.

Kiedy znaleźli się w pokoju, Collier włączył laptopa i otworzył zaszyfrowany plik z notatkami. Wilmot nie mógł się skupić, więc wyszedł na balkon. Zapadł już zmrok, ale pomnik Waszyngtona i Kapitol były jasno podświetlone.

Pomimo niekompetentnego, skorumpowanego rządu Stany Zjednoczone wciąż pozostawały wielkim krajem. Nawet w tej chwili, a może zwłaszcza teraz, Dale Wilmot poczuł gwałtowny przypływ dumy i patriotyzmu, widząc wielką kopułę Kapitolu.

Zastanawiał się, co powiedziałby Evan, gdyby znał ich plany. W kieszeni marynarki Wilmota spoczywał list. Miał nadzieję, że dzięki niemu jego syn zrozumie. Zapewne nie dziś i nie jutro, ale może kiedyś zrozumie, dlaczego jego ojciec musiał posunąć się do tak potwornego czynu.

Wilmot przypomniał sobie chwilę, w której pierwszy raz zobaczył poparzonego i okaleczonego Evana w szpitalu Waltera Reeda. Jego twarz pokrywała gruba warstwa maści antybiotykowej. Zamyślił się. Gdyby Bóg zaproponował mu uzdrowienie Evana w zamian za odstąpienie od zamachu, czy przyjąłby jego ofertę?

Spoglądając na majestatyczną sylwetkę Kapitolu, doszedł do wniosku, że jednak nie.

Los wyznaczył mu to zadanie dlatego, że Dale Wilmot był tym, kim był: jedynym człowiekiem zdolnym podjąć się potwornego, choć koniecznego zadania wymierzenia kary tym, którzy ponosili największą odpowiedzialność za rzucenie Ameryki na kolana.

– Wszystko gotowe – powiedział Collier, wychodząc na balkon. – Chryste, jak zimno.

– Nawet nie zauważyłem – mruknął Wilmot.

– Jest pan głodny?

– Owszem. – Wilmot nawet nie spojrzał na Colliera. Żałował, że nie ma przy nim Evana. Wszelkie ślady złości, którą kiedyś czuł do syna, dawno wyparowały. Jego syn dokonał wyboru. Odważnego wyboru, na który na jego miejscu zdobyłoby się niewielu.

– Mam zamówić coś do pokoju? – zapytał Collier.

Wilmot doszedł do wniosku, że z kim jak z kim, ale z Johnem Collierem nie ma ochoty dzielić ostatniego posiłku w życiu.

– Jeżeli nie masz nic przeciwko, wolałbym zjeść w samotności.

– Jasne. Okej. Jak pan sobie życzy. – W głosie Colliera wyraźnie brzmiało rozczarowanie, ale Wilmot miał w głębokim poważaniu jego uczucia. Collier był wciąż tym samym człowiekiem, którego niegdyś wyrzucił ze swojego domu – złośliwym, okrutnym i słabym.

Wilmot zszedł do Sali Lafayette'a. Restauracja była wypełniona ludźmi, których znał z telewizji. Kilkoro z nich nawet poznał osobiście. Nikt jednak do niego nie podszedł i się nie przywitał. Co bardzo mu odpowiadało, bo w tej chwili Wilmot miał ochotę wyłącznie na własne towarzystwo.

Zazwyczaj pił piwo, ale dziś wieczorem był w nastroju na świętowanie. Przywołał sommeliera.

– Niech pan sobie wyobrazi, że zasiada pan do ostatniego posiłku w życiu – powiedział. – Jakie wino by pan wybrał?

Kelner bez mrugnięcia okiem polecił mu château d'Yquem, rocznik 1961.

– Nie. Poproszę coś amerykańskiego.

– Rozumiem. – Sommelier uśmiechnął się porozumiewawczo. – Jutro jest orędzie o stanie państwa. Mam coś idealnie na tę okazję.

Sommelier zniknął i po chwili wrócił z dużą butelką caberneta rocznik 1983 z jakiejś winnicy w dolinie Napa, o której Wilmot nigdy nie słyszał. Już chciał odesłać wino, kiedy usłyszał, że butelka kosztuje niemal sześćset dolarów. Stwierdził ostatecznie, że nie ma sensu być bogatym, jeśli się jest zbyt skąpym na to, żeby przepuścić kilkaset dolców na butelkę wina w najważniejszym dniu swojego życia.

Zjadł bardzo krwisty stek z kością z pieczonym ziemniakiem polanym kwaśną śmietaną i masłem. Zrezygnował z sałatki. Zielenina była dobra na ostatnią wieczerzę dla królików. Uśmiechnął się do siebie. Jeszcze żaden posiłek tak mu nie smakował.

Sommelier posłusznie napełniał jego kieliszek do momentu, aż w butelce ukazało się dno. Wilmot nie czuł się pijany, ale zauważył, że ma trudności z utrzymaniem widelca w pionie. Na deser zamówił szarlotkę z lodami waniliowymi, ale nastrój chwilowo prysł. Poprosił kelnera o cygaro Opus X, zapłacił rachunek, zostawiając hojny napiwek, i poszedł na spacer wzdłuż Pennsylvania Avenue.

Księżyc krył się za niskimi, poszarpanymi chmurami, gdy Wilmot mijał Biały Dom. Zapalił cygaro. Opus X było jego ulubioną marką, ale dziś miało wyjątkowo obrzydliwy smak. Spoglądając z oddali na Kapitol, nagle poczuł, że traci cierpliwość. Chciał już zacząć przedstawienie. Rzucił zapalone cygaro na ulicę. Potoczyło się po asfalcie, ciągnąc za sobą snop iskierek. Jakiś wychudzony okularnik w toyocie prius sklął go, zwalniając przed światłami.

Wilmot poczuł gniew. Gdyby był młodszy, zapewne podbiegłby do priusa i spuścił gówniarzowi solidne lanie. Ta myśl chyba znalazła odbicie w jego uśmiechu, bo kierowca toyoty pospiesznie odjechał ze skrzyżowania, gdy tylko zapaliło się zielone światło.

Wilmot ruszył z powrotem w kierunku hotelu. Czuł się gotowy. Nadszedł czas zapłaty dla ludzi, którzy odebrali mu to, co najcenniejsze. Nadszedł czas zmienić ten kraj. I przejść do historii.

Kiedy wszedł do lobby, wyjął z kieszeni list do Evana i przeczytał ostatni akapit.

To, co się dzisiaj wydarzyło, było rzeczą straszną, ale konieczną. Skorumpowana, cyniczna banda złodziei i szaleńców, uważająca się za nasz rząd, jest jak rak, który trzeba wyciąć, bo w przeciwnym razie zabije gospodarza. Dziś naród Stanów Zjednoczonych Ameryki otrzymał wreszcie szansę, aby pozbyć się toczącej go choroby i odzyskać swój kraj. Mam nadzieję, że kiedyś zrozumiesz, dlaczego postąpiłem w ten sposób, i będziesz ze mnie dumny, tak jak ja jestem dumny z Ciebie.

Kocham Cię,
Twój ojciec

Włożył list z powrotem do koperty i zaadresował do Evana. Następnie wręczył go recepcjoniście.

– Czy byłby pan łaskaw wysłać to z rana?

– Oczywiście, proszę pana.

– Chciałbym również zamówić budzenie na piątą rano.

– Oczywiście.

Potem Dale Wilmot wrócił do pokoju i położył się spać.

34

Tysons Corner, Wirginia

Doktor Nathan Klotz spał głębokim snem w małżeńskim łożu wraz ze swoimi córkami. Ich matka była cały czas w pracy, zabezpieczając orędzie o stanie państwa, więc dziewczynki uparły się, żeby spać w łóżku z ojcem. Doktor Klotz nie protestował. Wolał mieć je przy sobie, niż wstawać co dwie godziny, kiedy zaczną wołać mamę. Tęsknił za żoną, ale duma, jaką czuł z jej pracy, sprawiała, że rozłąka nie ciążyła mu aż tak bardzo.

Na stole w jadalni wciąż stały resztki kolacji, którą rozmroził i ugotował według wskazówek żony. Po wykąpaniu córek i obowiązkowym czytaniu na dobranoc czuł się zbyt zmęczony, żeby sprzątać, więc zostawił naczynia na stole z zamiarem pozmywania rano. Zresztą niewiele zostało. Jego żona doskonale gotowała i dziewczynki wylizały talerze do czysta.

Gdyby nie spał i patrzył na obraz z kamery podłączonej do komputera w sypialni, być może zwróciłby uwagę na starą hondę, która trzykrotnie przejechała obok jego domu, a następnie zatrzymała się przy krawężniku.

35

Tysons Corner, Wirginia

Tillman wiedział, że prędzej czy później przyjdzie mu podjąć decyzję. I to raczej prędzej niż później.

Jak dotąd tylko się uśmiechał i potakiwał, wysłuchując wariackich koncepcji politycznych Verhovena, i bez słowa wykonywał jego rozkazy. Ale zbliżał się do granicy, a jej przekroczenie oznaczało popełnienie zbrodni, za które mógł trafić do więzienia na resztę życia.

Verhoven powoli minął dom. Budynek w zasadzie niczym nie różnił się od pozostałych domostw przy tej ulicy w Tysons Corner: garaż na dwa samochody, jedno piętro, wysokie okna, elewacja z okładziny drewnianej, pomalowanej na jeden z trzech odcieni beżu, zatwierdzonych przez radę dzielnicy. Pułkownik zamierzał tam wejść i wziąć zakładników. Tillman czuł nieprzyjemny ścisk w gardle, rozważając, czy powinien dalej w tym uczestniczyć, czy raczej wyciągnąć broń i obezwładnić Verhovenów.

Kłopot polegał na tym, że wciąż miał zbyt mało informacji o głównym zamachu i o operacji, w której sam miał wziąć udział. Czy jeśli Verhoven nie zdoła wykonać swojej części, to cały spisek weźmie w łeb? A może będzie potrzebna tylko niewielka korekta? Czy zapobieżenie temu, co miało się wydarzyć w domu doktora Nathana Klotza, zdoła ocalić setki ludzi na Kapitolu?

– Jeszcze raz – polecił Tillman, gdy Verhoven zwolnił. Musiał grać na czas.

– Po co?

– Ta ulica wygląda jak każde inne przedmieście, ale na tym domu zainstalowane są cztery kamery obrotowe. Podejrzewam, że serwomotory podłączono do czujników ruchu. Ludzie, którzy tu mieszkają, nie są przeciętnymi obywatelami z przedmieścia.

– To, kto tu mieszka, nie ma znaczenia dla twojego udziału w tej operacji.

– Do cholery – warknął Tillman. – Jim, jesteś tylko dilerem prochów, który ugania się po lesie w towarzystwie bandy dzieciaków i bawi w wojnę. Ja jestem zawodowcem. Zajmuję się tym od lat. I kiedy patrzę na ten dom, to mogę ci powiedzieć, że jeśli przeoczymy choćby jeden mały szczegół, to będziemy mieli koncertowo przesrane.

– Musisz wiedzieć tylko...

– Dobrze wiem, co muszę, a czego nie, Jim – przerwał mu Tillman, przybierając najbardziej przekonujący ton sierżanta sił specjalnych, na jaki było go stać. – A w tej chwili muszę się w końcu dowiedzieć, co my tu robimy. Bez urazy, ale to wszystko najwyraźniej cię przerasta.

– Czyżby? – Verhoven spojrzał na niego lodowato.

Tillman odpowiedział mu takim samym spojrzeniem. Po chwili Verhoven odwrócił wzrok.

– Przejedziemy jeszcze raz – powiedział Tillman. – I tym razem powiesz mi wszystko, co wiesz, jak na spowiedzi. W przeciwnym razie wysiadam z tego grata i odchodzę w siną dal.

W samochodzie zapadła cisza.

Lorene uniosła się na tylnym siedzeniu.

– Potrzebujemy go – powiedziała cicho.

Verhoven skrzywił się i skręcił w boczną uliczkę.

– Posłuchaj, nie wiem, kto mieszka w tym domu. Wiem tylko, że budynek ma supernowoczesny system bezpieczeństwa, pełny monitoring, pancerne okna i drzwi, a na piętrze jest pokój bezpieczeństwa.

– I mamy pozabijać tych ludzi?

– Nie. Naszym zadaniem jest pojmanie mieszkańców bez robienia komukolwiek krzywdy. W domu przebywają w tej chwili trzy osoby – jeden dorosły i dwoje dzieci w wieku czterech i sześciu lat. Mamy ich przechwycić i czekać na dalsze instrukcje.

– Od kogo?

– Powiedziałem ci wszystko, co musisz wiedzieć – mruknął Verhoven. – I znacznie więcej, niż powinienem.

– Ten dorosły ma żonę? Dziewczynę?

– Żonę. Ale nie ma jej w domu.

– Więc po co nam barret i pociski przeciwpancerne?

– Na wypadek, gdyby zdążyli zamknąć się w pokoju bezpieczeństwa.

– Bardzo przepraszam, ale to jest najgłupsza rzecz, jaką słyszałem w życiu – parsknął Tillman. – Chyba że chcesz zmasakrować wszystkich w tym pokoju. Pięćdziesiątka przejdzie przez ściany budynku jak przez papier. I przy okazji wywali pokaźne dziury w trzech sąsiednich.

– Nie sądzę, aby zdążyli dostać się do pokoju bezpieczeństwa. – Verhoven zatrzymał samochód i patrzył przed siebie. Tillman wyraźnie słyszał irytację w jego głosie.

– Jest jeszcze system bezpieczeństwa. W takiej fortecy na pewno mają dodatkową linię telefoniczną, prawdopodobnie po kablu zakopanym pod ziemią. I prawdopodobnie zapasową łączność radiową.

– Tym już się zajęliśmy. – Pułkownik wskazał dłonią skrzynkę kablową na ścianie domu. – Umieściliśmy tam urządzenie, które odetnie sygnał.

Sięgnął do kieszeni nylonowej torby sportowej leżącej na desce rozdzielczej i wyciągnął z niej niewielkie czarne pudełko z przyciskiem z boku. Nacisnął przycisk.

– Gotowe.

– A telefony komórkowe?

– Załatwione. Zainstalowaliśmy zagłuszacz sygnału. Możesz przestać się zamartwiać. Chodźmy. – Verhoven wysiadł z samochodu. Tillman nie miał innego wyboru, jak tylko podążyć za nim.

Był przygotowany na przerwanie całej operacji w momencie, w którym zagrożone będzie życie niewinnych ludzi, nawet jeśli miałoby to oznaczać, że nie dowie się niczego więcej o zamachu. Podejrzewał, że Gideon zdecydowałby się na to znacznie wcześniej. Rozejrzał się. Nie zdziwiłoby go, gdyby jego brat wyłonił się zza rogu właśnie w tej chwili.

Verhoven podszedł do drzwi frontowych i nacisnął przycisk na nowoczesnym domofonie z wbudowaną klawiaturą.

Po chwili z głośnika odezwał się zaspany i nieco zaniepokojony męski głos:

– Słucham?

Tillman wiedział, że mężczyzna widzi ich na monitorze kamery. Pułkownik miał na sobie czarne, wojskowe ubranie i kamizelkę kuloodporną. Na miejscu tego faceta Tillman nie otwierałby drzwi.

– Dzień dobry panu – odezwał się Verhoven, podnosząc do obiektywu kamery jakiś sfałszowany identyfikator. Liczył na to, że rozdzielczość obrazu będzie zbyt niska, żeby mężczyzna zorientował się, że „identyfikator" jest w gruncie rzeczy zadrukowanym kawałkiem plastiku. – Greg Gillis, Służba Ratunkowa. Z pewnością słyszał pan hałas. Przecznicę stąd wywróciła się ciężarówka z chemikaliami. Zarządzono natychmiastową ewakuację tego rejonu.

– Eee… Chwileczkę, muszę to potwierdzić…

– Ja to panu potwierdzam. Musi pan natychmiast opuścić dom. Nie ma czasu do stracenia.

W domofonie zapadła cisza. Tillman domyślił się, że mężczyzna zapewne chce zadzwonić na policję i potwierdzić, że Verhoven rzeczywiście jest tym, za kogo się podaje.

– Już, proszę pana!

– Sekundę.

Kilka chwil później drzwi uchyliły się na kilka centymetrów, ukazując nieufną twarz i sterczące na wszystkie strony włosy. Drzwi były wciąż zabezpieczone zasuwą, taką jak w pokojach hotelowych. Tyle, że zamiast łańcuszka tu była solidna, stalowa sztaba.

– Chciałbym jeszcze raz zobaczyć pański identyfikator.

Zdając sobie sprawę, że mężczyzna natychmiast rozpozna fałszywkę, Verhoven podniósł lufę strzelby. Oczy mężczyzny rozszerzyły się, ale zanim zdążył zatrzasnąć drzwi, a pułkownik wystrzelić, Tillman wsunął stopę między drzwi a framugę. Mężczyzna pojął, że bitwa o wejście jest przegrana i szybko się wycofał. Tillman usłyszał odgłos kroków na schodach.

Zawahał się przez sekundę. Czas na decyzję. Dotarł do punktu, za którym nie będzie już odwrotu.

Podniósł nogę i kopnął drzwi tuż pod zasuwą. Stalowa sztaba z impetem wbiła się we wzmocnioną, drewnianą framugę.

36

Waszyngton

Telefon z recepcji obudził Wilmota o piątej rano. Collier był już na nogach i tkwił przed komputerem.

Wilmot zaparzył sobie kawy, po czym usiadł obok Colliera i obserwował, jak ten wprowadza na ekranie kolejne komendy.

– Ile potrwa wyłączanie ogrzewania?

– Właśnie miałem to zrobić – powiedział Collier. – Chce pan wyłączyć osobiście?

Wilmot wiedział, że Collier chce wrócić do jego łask po tym, jak wczoraj dostał po głowie.

– Co mam zrobić? – zapytał Wilmot, pochylając się nad klawiaturą.

– Proszę tylko wcisnąć ENTER – polecił Collier, wskazując palcem klawisz.

Wilmot przyjrzał się ekranowi laptopa. W górnej części pojawił się napis ZDALNY SYSTEM DIAGNOSTYCZNY NATIONAL HEAT & AIR. Poniżej wyświetliły się wiersze całkowicie niezrozumiałego kodu. Collier wyjaśnił, że dzięki wgraniu skryptu błędu do urządzenia sterującego systemu wentylacyjnego wentylatory wyłączą się po rozpoczęciu kolejnego cyklu wymiany gazu grzewczego. Jeżeli powietrze nie będzie się przemieszczać, termopara w czujniku temperatury ulegnie przegrzaniu, wyłączając dopływ gazu. Następnie padnie cały system i na Kapitolu zrobi się zimno. Bardzo zimno.

– No dobra – powiedział Wilmot. – Zobaczmy, czy to zadziała.

– Zadziała – zapewnił Collier. – Proszę mi zaufać.

Wilmot wcisnął klawisz. Nie wydarzyło się nic szczególnego, ale wyobraził sobie, że sygnał błędu właśnie płynie do głównego obwodu, uruchamiając plan, nad którym tak długo pracowali.

– Idę pod prysznic – oznajmił Wilmot i pomaszerował w kierunku łazienki.

Wyszedł po dwudziestu minutach, rozczesując mokre włosy. Miał na sobie biały kombinezon z żółtą naszywką na piersi, na której widniał napis DALE. Duże logo na plecach oznajmiało: NATIONAL HEAT & AIR. OGRZEWAMY WASZE DOMY I SERCA OD 1947 R. Mniejszy napis poniżej głosił, że firma należy do Wilmot Industries.

Usiadł na kanapie i podciągnął nogi. Collier miał na sobie identyczny kombinezon. Na jego naszywce wypisane było imię JOHN.

– Dobra – powiedział Collier, wyłączając komputer. – Teraz czekamy, aż nas wezwą.

O 5.33 zadzwonił telefon podłączony do laptopa.

Collier odczekał dwa sygnały, odbierając przy trzecim.

– Dzień dobry, National Heat and Air, mówi Ralph. W czym mogę pomóc?

– Eee, tak – odezwał się głos w słuchawce. – Mówi Alfred Teasely, kierownik infrastruktury na Kapitolu. Mamy tu mały problem z ogrzewaniem.

National Heat & Air jakiś czas temu wygrało przetarg na dostarczenie systemu ogrzewania do Kapitolu. A ponieważ National Heat & Air należało do Wilmota, Collier bez trudu przełączył linię telefoniczną firmy w taki sposób, że wszystkie połączenia ze śródmieścia Waszyngtonu były przekazywane do jego komputera.

– Czy ma pan przy sobie numer umowy?

– Jestem na Kapitolu. Ile Kapitoli, pana zdaniem, znajduje się w tym kraju?

– Słuszna uwaga, proszę pana, ale potrzebuję numeru umowy, żeby dostać się do pańskiego konta klienta.

Alfred Teasely jęknął.

– Chwileczkę. – W słuchawce dało się słyszeć nerwowe przerzucanie papierów. – Okej, mam. Osiem, zero, jeden, jeden, pięć, ukośnik, trzy.

– Proszę o chwilę cierpliwości. – Collier zabębnił palcami po przypadkowych klawiszach. – Widzę, że chodzi o obiekt z zabezpieczeniami poziomu trzeciego. Czy mogę poprosić o kod bezpieczeństwa?

– Dziewięć, sześć, cztery, ukośnik, A jak Anna, C jak Cezary, S jak Stefan.

– Doskonale. Na czym polega problem?

– No, cały cholerny system klimatyzacji się zaciął. Wyłączył się i nie możemy dostać się do urządzenia sterującego. Wyrzuca mi tylko niebieski ekran błędu.

– Czy zainstalował pan aktualizację trzy-jeden-dwa? – Collier wyszczerzył się w uśmiechu do Wilmota. Uwielbiał techniczny żargon.

– Właśnie sprawdzam historię aktualizacji – odpowiedział z namysłem kierownik infrastruktury. – Niczego nie widzę. A za dwanaście godzin zaczyna się cholerne orędzie o stanie państwa.

– Zazwyczaj przesyłamy aktualizacje przez internet, ale widzę, że... tak... Jest jakiś problem z łączem szerokopasmowym. Wyślemy do państwa ekipę, która zaktualizuje oprogramowanie i przywróci działanie systemu.

– Po prostu zróbcie tak, żeby to cholerstwo działało.

– To żaden problem, proszę pana. Mamy stale dwóch techników na dyżurze. Proszę poczekać, spojrzę w harmonogram...

Dobrze. W tej chwili mam dwóch z naszych najlepszych specjalistów. Mają autoryzację. Wysyłam ich w tej chwili.

– Jak szybko mogą tu być?

– Za mniej niż pół godziny.

– Poproszę o ich nazwiska.

– Oczywiście. John Collier i Dale Wilmot. Życzę panu miłego dnia.

Trzy minuty później Collier i Wilmot znajdowali się na najniższym poziomie parkingu, ładując wózek z kanistrami cyjanowodoru do lekko poobijanego, białego vana. Na burcie samochodu widniało logo NATIONAL HEAT & AIR. Van pochodził z floty firmy, miał legalne tablice, numer identyfikacyjny i kartę wozu. John Collier dbał o każdy szczegół.

37

Tysons Corner, Wirginia

Zgubił ich.

Gideon miał tylko słuchawkę, w której słyszał zniekształcony przez trzaski dźwięk rejestrowany przez radio, schowane w kieszeni Tillmana.

Wciąż nie wiedział, do którego domu zamierzał wejść Verhoven ani kto miał być celem. Podążał za nimi, zachowując pełną ostrożność. Było wpół do szóstej rano, robiło się widno i nie mógł ryzykować, że Verhoven go zauważy. Na podmiejskich uliczkach o tej porze było niewiele samochodów. Wyłączył światła i cały czas trzymał się w odległości kilkudziesięciu metrów, dzięki czemu wprawdzie nie został wykryty, ale w rezultacie w ostatniej chwili stracił z oczu samochód pułkownika. Wiedział, że Verhoven się zatrzymał i że nie zrezygnował z operacji. Nie mogli być dalej niż kilka przecznic od niego.

Kłopot polegał na tym, że Tysons Corner było istnym labiryntem krętych ulic, przy których stały rzędy niemal identycznych domów. Gideon krążył po uliczkach w nadziei, że natknie się na starą hondę. W końcu ją znajdzie, ale jeśli Tillman wpadnie wcześniej w kłopoty, Gideon może nie zdążyć mu z pomocą.

Słońce zachodziło na czystym niebie, ale teraz, godzinę przed świtem, nieboskłon zasnuwały niskie, szare chmury. Temperatura była niewiele wyższa od zera. Zanosiło się na deszcz. Cała okolica pogrążyła się w ciemności, którą rozpraszało jedynie mdłe światło ulicznej latarnii. Podobnie ponury nastrój opanował Gideona. Nie spał od bardzo dawna. Co gorsza, brnął coraz głębiej w to bagno, a na razie wydawało się, że nie ma szans dowiedzieć się niczego nowego.

Zatrzymał się przy znaku stopu. W lewo czy w prawo? Spojrzał w obu kierunkach. Wzdłuż ulic parkowały samochody, ale w tym świetle nie zdołał rozpoznać modeli. Czekał na sygnał od Tillmana, ale słyszał tylko jego miarowy oddech. „Niech cię szlag, Tillman, czemu mi nie powiedziałeś, w którą ulicę skręcacie?", pomyślał ze złością.

Oczywiście znał odpowiedź. Tillman wymienił po drodze kilka nazw ulic, ale nie mógł bawić się w przewodnika bez wzbudzania podejrzeń Verhovena.

Gideon skręcił w lewo. Jechał powoli, wyłączone światła oznaczały większe ryzyko, że może na coś wpaść. Lub na kogoś. Dojechał do krańca ulicy, ale nie zauważył ani śladu hondy. Zawrócił, dojechał z powrotem do znaku i ruszył następną ulicą. I znów dotarł do końca, nigdzie nie widząc samochodu pułkownika. Wrócił do znaku.

Zastanawiając się nad kolejnym posunięciem, nagle zauważył błysk świateł w lusterku. Jakiś samochód jechał szybko za nim.

Gideon zaparkował przy krawężniku i osunął się w fotelu. Serce biło mu szybciej i czuł, że mimo chłodu się poci. Położył dłoń na rękojeści glocka. Samochód za nim zwolnił. Nagle pojawiły się niebieskie błyski.

Usiadł i poprawił kurtkę, zasłaniając kaburę z pistoletem. Opuścił szybę i zobaczył mijający go szybko radiowóz.

„Niedobrze".

Ruszył za policjantami.

– Tillman, odezwij się! – krzyknął do mikrofonu. – Właśnie minął mnie radiowóz, być może jedzie do was.

Odpowiedział mu tylko trzask zakłóceń.

***

Tillman wpadł do środka i popędził w górę schodami, przeskakując po dwa stopnie naraz. Za nim do domu wszedł Verhoven, wnosząc broń. Ostatnia przykuśtykała Lorene, która zamknęła drzwi i zasunęła sztabę.

Kiedy Tillman dotarł na piętro, zobaczył sylwetkę doktora Klotza na przeciwnym krańcu korytarza, wnoszącego dwójkę dzieci do pokoju.

Drzwi były zamknięte na klucz. Tillman spokojnie wsunął łom we framugę. Drzwi były wykonane z solidnego drewna, ale nie opierały się długo. Trzema mocnymi pociągnięciami wyłamał zamek i wpadł do środka.

Znalazł się w sypialni małżeńskiej. Na przeciwległej ścianie zamknęły się kolejne drzwi. Tillman przyjrzał im się uważnie. Drzwi pomalowano na ten sam kremowy kolor, co ściany sypialni. Nie miały klamki. O ich istnieniu świadczyła tylko wąska szczelina w kształcie prostokąta. Gdyby nie widział, jak się zamykają, trudno byłoby mu je zauważyć.

Doktor Klotz uciekł do pokoju bezpieczeństwa, zwanego również azylem.

Tillman spojrzał na zegarek. Była 5.34. Nie musieli się spieszyć. Verhoven odciął połączenie telefoniczne i zagłuszył częstotliwości komórkowe, więc doktor Klotz nie będzie miał jak wezwać policji.

Włożył słuchawkę radia do ucha i usłyszał zdesperowany głos Gideona:

– Tillman, zgłoś się!

– Co jest?

– Gdzie ty się podziewasz, do cholery?

– Byłem zajęty.

– Na zewnątrz jest gliniarz. Idzie do drzwi.

Tillman wyciągnął słuchawkę i zbiegł schodami. Verhoven zajmował się leżącą na kanapie Lorene, która trzymała się za bok i krzywiła z bólu.

– Gdzie oni są? – zapytał Verhoven.

– Dostali się do pokoju bezpieczeństwa. Ale w tej chwili mamy poważniejszy problem.

***

Leyland Millwood junior z policji hrabstwa Prince William, numer odznaki 3071, zauważył zaparkowaną przy ulicy starą hondę. O tym samochodzie poinformował policję przez telefon jeden z mieszkańców, zaniepokojony tym, że nieznany wóz krąży po okolicy. Honda zdecydowanie wyróżniała się w dzielnicy, w której większość samochodów trzymano w garażach i zwykle były to nowe modele audi, volvo i acura. Poza tym w ciągu kilku ostatnich miesięcy w okolicy dochodziło do włamań.

Funkcjonariusz Millwood zaparkował radiowóz, wysiadł i podszedł do hondy. Położył dłoń na masce silnika. Była ciepła. To oznaczało, że silnik jeszcze przed chwilą pracował. W tej pogodzie samochód stygł w ciągu dwóch minut od wyłączenia.

Zbadał okolicę latarką. Na ulicy nie dostrzegł żadnych świateł ani oznak, że dzieje się coś niepokojącego.

Zastanawiał się, co robić dalej. Nie chciał budzić jakiejś rodziny bladym świtem, ale jeśli na jego zmianie ktoś się gdzieś włamywał, to Millwood zamierzał go powstrzymać. Służył w policji hrabstwa od trzech lat. Jego obowiązki polegały zazwyczaj na zgarnianiu z ulic pijaków, wlepianiu mandatów nastolatkom w samochodach rodziców i pilnowaniu emerytów, którzy zapominali włączyć świateł. Chciał w końcu zająć się łapaniem prawdziwych przestępców, najlepiej w wydziale dochodzeń specjalnych. Gdyby zwrócił na siebie uwagę przełożonych, może w końcu udałoby mu się wyrwać z nudy przedmieść.

Podszedł do drzwi frontowych i zastukał latarką.

Oczy Verhovena rozszerzyły się, gdy rozległ się dźwięk stukania do drzwi. Zerwał się na nogi i szybkim krokiem podszedł do drzwi, trzymając w pogotowiu AR-15. Tillman stwierdził, że pułkownik wygląda na lekko spanikowanego. A może po prostu bardzo chciał kogoś zastrzelić.

– Czekaj – szepnął głośno Tillman. – Po prostu... Zaczekaj. Nic nie rób.

Tillman podbiegł do drzwi, wyciągnął scyzoryk i wbił go w ścianę obok framugi. Za zasłoną znalazł tylną część interkomu, wychodzącego na zewnątrz. Pod jednostką znajdował się przewód biegnący w dół ściany. Tillman wyrwał przewód z gniazda w interkomie, a następnie przeciął druty jednym pociągnięciem noża. Potem wyjrzał przez okno. Na werandzie stał bardzo młody policjant, z bojową miną przyglądający się drzwiom frontowym.

– Jeszcze dwie sekundy i doktor Klotz powiedziałby temu glinie, co się dzieje – szepnął Tillman.

– Kto to? – zapytał cicho Verhoven, kierując lufę karabinu na drzwi.

Tillman zignorował jego pytanie.

– Zdejmij Lorene ubranie – polecił szeptem. – Rozbierz ją do bielizny.

– Po co? Co ty chcesz zrobić?

– Rób, co mówię.

Verhoven popatrzył na niego, jakby nie mogąc się zdecydować, co robić. Fakt, że Tillman wydaje mu polecenia, wyraźnie mu się nie spodobał.

– Ubranie, Jim. Daj mi to rozegrać po mojemu, dobrze? – powiedział z naciskiem Tillman. Nie mógł pozwolić, żeby Verhoven otworzył drzwi, bo wtedy musiałby go obezwładnić, a tym samym przerwać operację. Cała praca, którą wykonali dotąd z Gideonem, poszłaby na marne.

Verhoven przez chwilę patrzył na niego ze złością, ale w końcu odpuścił. Nieustępliwość i twardy charakter pułkownika pozostawały w dużej mierze pozą, z czego on sam doskonale zdawał sobie sprawę. Doszli już bardzo daleko, a Verhoven był na tyle inteligentny, żeby uświadomić sobie, że bez pomocy Tillmana nie zdoła zrobić kolejnego kroku.

Tillman popędził w górę schodami i wpadł do sypialni. Otworzył szafę i powyrzucał z niej kolejne ubrania, aż znalazł bawełnianą koszulę nocną. Wrócił biegiem na dół. Wycieńczona i prawie naga Lorene Verhoven stała niepewnie na środku pokoju.

– Ręce w górę – polecił.

Lorene posłusznie podniosła ręce, krzywiąc się z bólu. Tillman nałożył jej koszulę. Z opatrunku na boku sączyła się niewielka strużka krwi.

Ponownie rozległo się stukanie do drzwi.

– Idealnie – mruknął Tillman, mierzwiąc Lorene włosy, tak żeby wyglądała jak dopiero wyrwana z łóżka. – Przed domem stoi gliniarz. Otwórz drzwi i powiedz mu, że wszystko jest w porządku. Pod żadnym pozorem nie wpuszczaj go do środka.

Lorene kiwnęła głową i sztywno podeszła do drzwi. Tillman gestem nakazał Verhovenowi ukryć się w jadalni. Pułkownik wyszedł tyłem, cały czas celując w drzwi.

– Tylko spokojnie – szepnął Tillman, gdy Lorene stanęła przy drzwiach.

Otworzyła drzwi i wyjrzała na zewnątrz.

– Tak?

– Dzień dobry pani, funkcjonariusz Millwood, policja hrabstwa Prince William. Wszystko w porządku?

– Proszę?

– Czy wszystko jest w porządku? Jeden z sąsiadów zgłosił, że po okolicy krąży jakiś obcy samochód. Teraz jest zaparkowany przed pani domem.

– A, tak – Lorene podrapała się w głowę. – Mój mąż pojechał po kawę. Nie jestem w stanie się obudzić bez dużego kubka.

– Jest pani pewna?

– Panie władzo, doceniam, że stara się pan wykonywać swoje obowiązki, ale za godzinę zaczynam dyżur w szpitalu, więc chciałabym zdążyć wypić tę kawę i przygotować się do wyjścia.

Funkcjonariusz Millwood stał niewzruszenie na werandzie.

– Przepraszam, jeśli to dziwnie zabrzmi, proszę pani, ale nie wygląda pani najlepiej.

– Trochę kiepsko się czuję, dziękuję panu za troskę. Proszę na siebie uważać. – Lorene zamknęła drzwi, oparła plecami o ścianę i osunęła na podłogę. Oddychała ciężko. Na jej boku wykwitła spora plama, barwiąc materiał koszuli na czerwono.

Verhoven opuścił broń i pomógł jej wstać.

– Wspaniale się spisałaś, skarbie.

Pocałował ją w czoło. Lorene rozejrzała się nieprzytomnym wzrokiem.

– Kochanie, muszę się położyć – wymamrotała.

– Oczywiście. – Verhoven przeniósł ją na sofę. Twarz Lorene była pokryta kropelkami potu. Jej skóra przybrała szary odcień.

– Ona potrzebuje płynów – stwierdził Tillman.

Verhoven spojrzał bezradnie na żonę. Jego wzrok nagle stracił ostrość, a całe ciało zwiotczało, jak marionetka, której obcięto sznurki. Tillman widywał to już nieraz. Na polu bitwy żołnierz napędzany adrenaliną może walczyć całymi godzinami. A potem jego umysł nagle przypomina sobie o zmęczeniu i odcina prąd.

– Jim? – Tillman pochylił się nad pułkownikiem. – Jesteś ze mną? Nie odpływaj, tworzymy tu historię. A to wymaga poświęceń. W takich operacjach zawsze najpierw jest źle, a dopiero potem wszystko się prostuje.

Po kilku chwilach Verhoven skinął głową.

Tillman nie powiedział mu, że czasami najpierw jest źle, a potem robi się jeszcze gorzej. I w końcu wszystko się rozsypuje, a ludzie giną bez sensu. W trakcie walki nigdy nie wiadomo, jak potoczą się wydarzenia. A teraz to od Tillmana zależało, żeby ta operacja nie skończyła się niczyją bezsensowną śmiercią.

Wszedł po schodach, znalazł interkom przy pokoju bezpieczeństwa i wcisnął guzik.

– Dzień dobry – przywitał się wesoło. – Nazywam się Bob i dopilnuję, żebyście wyszli z tego bezpiecznie i bez szwanku.

– To jest ufortyfikowany azyl, sukinsynu – odpowiedział mu natychmiast męski głos. – Nie wiem, czy to ci coś mówi, ale mamy tu żywność, wodę, filtr powietrza klasy III, broń i amunicję. Ściany są wykonane ze zbrojonego betonu, a drzwi ze stalowej płyty o grubości dwóch i pół centymetra. Bierzcie, co chcecie i wynoście się. Nigdy nas stąd nie wykurzycie.

– Bardzo mi przykro, że postawiliśmy pana w tej sytuacji, ale prawda jest taka, że dostaniemy się do środka. I zajmie nam to mniej więcej pięć minut.

– Wątpię, chyba że macie... – Mężczyzna urwał.

– Chciał pan powiedzieć: „chyba że macie plastyczny materiał wybuchowy". – Tillman rozwinął rolkę ładunku wstęgowego przed kamerą. – To jest ładunek C4. Proszę zwrócić uwagę, że przednią krawędź wstęgi jest zaokrąglona i pokryta cienką warstwą miedzi. Zaokrąglenie to powoduje skupienie fali uderzeniowej na obszarze o szerokości jednego centymetra, jednocześnie przekształcając miedź w przegrzany strumień plazmy, który przetnie dwuipółcentymetrową blachę jak masło. Aby zwiększyć siłę uderzenia, na odwrotnej stronie ładunków zawieszę około dwudziestu worków z wodą, które zapewnią odpowiednią inercję, tym samym dziesięciokrotnie zwiększając energię wybuchu. Jednocześnie stłumi to huk wybuchu, więc pańscy sąsiedzi niczego nie usłyszą.

Zaczął przyklejać ładunek do stalowych drzwi, rozwijając rolkę na całej długości framugi.

– Zanim wysadzę drzwi – kontynuował Tillman – jestem zobowiązany do przedstawienia panu skutków wybuchu. Nasz dział prawny się uparł. Ponieważ znajduje się pan w zamkniętym pomieszczeniu, wytworzy się nadciśnienie. W rezultacie przez pański azyl przejdzie spora fala uderzeniowa. To spowoduje pęknięcie bębenków w uszach zarówno u pana, jak i u pańskich uroczych córek. Zalecam, abyście przed detonacją otworzyli usta i zatkali uszy palcami. W ten sposób pańskie córki będą miały szansę uniknąć głuchoty przez resztę życia. Niestety, zachodzi również poważne ryzyko krwotoku do płuc, który spowoduje, że pan i pańskie córki utopicie się we własnej krwi. Widywałem to już nieraz i proszę mi wierzyć, jest to raczej nieprzyjemna śmierć. – Podłączył detonator do krańca wstęgi. Następnie stanął przed kamerą. – Albo możecie wyjść i porozmawiamy jak cywilizowani ludzie.

Nastąpiła długa cisza.

– Wykorzystujecie nas, żeby dopaść moją żonę – powiedział w końcu doktor Nathan Klotz.

Tillman nie wiedział, o czym mówi doktor, ale to nie był czas na uzupełnianie brakujących informacji. Musiał grać dalej swoją rolę.

– Jestem przekonany, że pańska żona nie chciałaby, aby poświęcał pan dla niej wasze dzieci. Mogę dać panu słowo, że zrobię wszystko, co w mojej mocy, żeby panu i pańskim córkom nie stała się krzywda. Ale jeśli nie otworzy pan drzwi, będę musiał je wysadzić. A wtedy... – Tillman zawiesił głos i spojrzał prosto w obiektyw kamery. – Tak czy inaczej, nie ma pan żadnego asa w rękawie. – Rozłożył szeroko ręce. – W tej chwili jedyne zagranie, jakie panu pozostało, to otworzyć drzwi.

Tillman odczekał chwilę, ale drzwi pozostały zamknięte.

– Aha, zanim przyjdzie panu do głowy wyjść stamtąd z bronią i zacząć strzelać, uprzedzam, że strzelam lepiej od pana. Podobnie jak ludzie, którzy są na dole. Nie zdoła się pan przedrzeć.

Po chwili rozległ się cichy trzask. Drzwi się otworzyły, ukazując szczupłego, łysiejącego mężczyznę, mrużącego oczy w świetle lampy sypialni.

Tillman z uznaniem pokiwał głową.

– Mądre posunięcie. Proszę wyprowadzić córki i usiąść na łóżku.

Doktor Klotz wyszedł z pokoju bezpieczeństwa, drżącymi rękami otaczając ramiona dwóch małych dziewczynek.

Starsza płakała. Młodsza spojrzała na Tillmana z niesmakiem w brązowych oczach.

– Pan jest złym człowiekiem.

– Jestem – przyznał Tillman, puszczając do niej oko. – Ale nie jestem aż tak zły, jak sądzisz. – Zaklaskał w dłonie. – Dobrze, wszyscy siadają na łóżku. Zagramy w coś.

Gdy wystraszona rodzina posłusznie wykonała jego polecenie, Tillman poczuł, że miękną mu kolana, a na czoło występuje zimny pot. Czy wysadziłby drzwi, gdyby go nie posłuchali? Szczerze wątpił. Ale jeśli zdecydowałby się na to, wolał nie myśleć, co C4 zrobiłoby tym dziewczynkom.

Funkcjonariusz Millwood wrócił do radiowozu i ruszył ulicą. Coś nie dawało mu spokoju. Ta kobieta była jakaś dziwna. Miała dziwne oczy, bladą skórę i najwyraźniej bardzo chciała się go pozbyć. Zatrzymał się przy krawężniku i wezwał dyspozytornię przez radio. Zapisał sobie numery rejestracyjne hondy i chciał sprawdzić samochód w policyjnej bazie danych.

Kiedy czekał na odpowiedź dyspozytora, na szyi poczuł znajomy, metalowy kształt lufy pistoletu.

– Powiedz, że chciałeś się tylko zameldować i wyłącz radio – rozkazał z tylnego siedzenia Gideon. – W przeciwnym razie cię zastrzelę. To nie jest pusta groźba.

Millwood posłusznie wykonał polecenie.

– Dobrze. Teraz przesuń się na fotel pasażera. Ręce trzymaj cały czas na widoku.

Funkcjonariusz zrobił, co mu kazano.

– Lepiej usiądź wygodnie – powiedział Gideon. – Spędzimy tu dłuższą chwilę.

38

Waszyngton

Dale Wilmot podjechał do wejścia serwisowego gmachu im. Richarda B. Russella, mieszczącego się na południowej stronie ulicy i pokazał identyfikator funkcjonariuszowi policji Kapitolu. Następnie czekał kilka minut na drugiego funkcjonariusza, który dokładnie sprawdził podwozie vana za pomocą lusterka na długim uchwycie.

Po zakończeniu kontroli Wilmot wjechał na oświetlony bladymi lampami fluorescencyjnymi parking i zaparkował na numerowanym miejscu, wskazanym przez funkcjonariusza. Wilmot z początku uznał to za śmieszne, ponieważ parking był zupełnie pusty. Po chwili jednak zobaczył, że na wyznaczonym miejscu czeka na niego trzyosobowa ekipa zabezpieczenia budynku, złożona z pary agentów Secret Service i policjanta z jednostki K9, w pełnym oporządzeniu taktycznym, trzymającego na smyczy owczarka niemieckiego.

W samochodzie nie było żadnej broni. Wilmot doskonale zdawał sobie sprawę, że powodzenie planu zależy od wiarygodności dokumentów uwierzytelniających. Zadbał o to, by nie budziły żadnych wątpliwości. Identyfikatory pochodziły bezpośrednio z działu kadr biura National Heat & Air w Arlington. Osiem miesięcy wcześniej sekretarka firmy usłyszała, że pan Wilmot planuje niezapowiedziane inspekcje w niektórych zakładach, więc potrzebuje dla siebie i swojego asystenta odpowiednich identyfikatorów i upoważnień do wejścia na teren budynków administracji państwowej. Firma mogła potwierdzić tożsamość Wilmota i Colliera w każdej chwili.

Obaj mieli prawa jazdy wydane przez stan Wirginia. Pod adresami podanymi w dokumentach znajdowały się domy, do których obaj mieli stosowne tytuły własności. Wszystkie podatki i opłaty administracyjne zostały uregulowane, a rachunki z kart kredytowych spłacano terminowo. Wszystkie materiały i narzędzia, które mieli ze sobą w vanie, były w stu procentach legalne, zakupione na firmę i opatrzone numerami seryjnymi, umożliwiającymi weryfikację.

Przed rokiem Wilmot i Collier odbyli kurs serwisowania klimatyzacji i wentylacji w Coeur d'Alene, więc jeśli ktoś zadałby im jakieś pytanie o systemy ogrzewania i klimatyzacji, byliby w stanie przekonująco udawać zawodowców. Poza tym znali na pamięć wszystkie elementy systemu, który zamierzali uszkodzić.

– Proszę wysiąść z samochodu, sir – polecił jeden z agentów Secret Service. On i jego kolega przypominali posturą gwiazdy futbolu amerykańskiego. Obaj mieli na rękach niebieskie, lateksowe rękawiczki. Wilmot został poddany gruntownej rewizji. W tym czasie funkcjonariusz z psem nie spuszczał oka z Colliera, którego sprawdzono w następnej kolejności. Nie było przy tym żadnych pogaduszek o pracy i pogodzie. Agenci Secret Service nie lubili gadać bez potrzeby.

Wilmot nie mógł nie docenić ich zaangażowania w pracę. Ich zadaniem była ochrona prezydenta i Kongresu, a nie dbanie o czyjeś samopoczucie. Mimo to samopoczucie Wilmota miało się świetnie.

Uznanie, jakie żywił dla profesjonalizmu agentów, nie zmieniało faktu, że go wkurzali. Nie lubił rewizji, tak jak nie lubił, gdy ktoś wydawał mu polecenia. Nie widział powodu, by ukrywać swoją irytację. Przede wszystkim nie mógł wzbudzić podejrzeń agentów, ale musiał zachowywać się naturalnie.

Po zakończeniu rewizji funkcjonariusz z psem nakazał Collierowi otworzyć tylne drzwi vana. Wilmot czuł przyjemny ucisk w skroniach. Teraz okaże się, czy Collier rzeczywiście jest tak sprytny, za jakiego się uważa. Twierdził, że oczyścił zbiorniki z „czynnikiem chłodzącym" tak dokładnie, że żaden pies nie miał szans wyczuć zapachu cyjanowodoru.

– Proszę wyjąć ze środka wszystkie potrzebne narzędzia – powiedział funkcjonariusz.

Collier wytoczył z wnętrza samochodu stalowy wózek z narzędziami, który następnie wraz z Wilmotem opuścili na posadzkę parkingu. Wilmot zauważył, że palce Colliera lekko drżą, ale nie mógł już nic na to poradzić. Collier zawsze był tchórzem.

– Zamierza pan zabrać ze sobą to wszystko?

– No – przytaknął Wilmot.

Funkcjonariusz zerknął na starszego agenta, który pokręcił głową.

– No to mamy problem. Nie wolno wnosić do budynku zbiorników pod ciśnieniem.

Collier nerwowo przełknął ślinę. Wilmot wiedział, że musi odwrócić uwagę agentów, zanim jego wspólnik zacznie się denerwować i chlapnie coś głupiego. O to zresztą chodziło agentom. Szukali oznak strachu.

Dlatego Wilmotowi nie wolno go było okazać w najmniejszym stopniu.

– Wezwano nas, żebyśmy naprawili ogrzewanie – powiedział swobodnym tonem, wbijając spojrzenie w twarz agenta. – Wie pan, co to jest? Czynnik chłodzący R410A. Jednostka HVAC na Kapitolu składa się z zespołu wymienników ciepła i ogrzewacza gazowego. A ponieważ cholerni biurokraci z logistyki nie raczyli zainstalować aktualizacji dwa-trzy-jeden do oprogramowania sterującego, w linii przelewowej czynnika chłodzącego doszło do awaryjnego spustu. W rezultacie szlag trafił podawanie czynnika do całego układu. Musimy ponownie go zalać, żeby całość w ogóle ruszyła. – Posłał agentowi szeroki uśmiech. – A żeby to zrobić, musimy wlać świeży R140A do linii spustowych. Więc jeśli nie chce pan dziś wieczorem wręczać prezydentowi Stanów Zjednoczonych wełnianych rękawiczek i nauszników, to sugeruję, żeby zadzwonił pan do kogoś, kto jest władny rozsądnie zadecydować, w jaki sposób mamy wnieść to cholerstwo do Kapitolu. I to szybko. Mój wnuk startuje dziś wieczorem w zawodach zapaśniczych w swoim liceum i proszę mi wierzyć, że wolę oglądać spocone dzieciaki tarzające się po macie niż dłubać w klimatyzatorach. Co chyba dobitnie świadczy o tym, jak bardzo chce mi się tu być.

Agent zaczerwienił się i zacisnął zęby. Ale Wilmot dobrze wiedział, jak radzić sobie z takimi ludźmi. Trzeba było zapędzić ich do narożnika i nie pozostawić żadnego pola manewru, wtedy robili się grzeczni i posłuszni. Agent wymienił spojrzenia z policjantem z K9 i cicho powiedział coś do mikrofonu na rękawie.

Kiedy skończył rozmawiać z przełożonymi, zwrócił się do funkcjonariusza z K9.

– Niech pies sprawdzi każdy centymetr tego wózka – polecił. – Potem osobiście odprowadzę panów do bramki rentgenowskiej w punkcie kontrolnym Bravo.

Wilmot miał wielką ochotę powiedzieć coś w stylu „a nie mówiłem", ale wiedział, że to nie jest czas i miejsce na złośliwe uwagi. Z ludźmi tego pokroju należało postępować ostrożnie. Jeśli się przesadzi, tacy jak on potrafili bardzo uprzykrzyć życie. Z drugiej strony, gdyby Wilmot mu się nie postawił, to spędziliby na tym parkingu cały dzień, podczas gdy agent rozmawiałby z kolejnymi przełożonymi, ustalając, czy wolno mu ich wpuścić do budynku ze zbiornikami.

Gdy pies zabrał się do obwąchiwania wózka, Wilmot tylko skrzyżował ręce na piersi i gapił się obojętnie przed siebie.

W końcu pies skończył sprawdzanie kanistrów, nie znajdując niczego podejrzanego.

– Panowie, proszę za mną – powiedział agent.

– John, weź wózek – polecił Wilmot. Musiał czymś zająć Colliera, w przeciwnym razie ten z nerwów był gotowy zemdleć, zwymiotować lub zrobić coś równie głupiego. – No już, ruchy, ruchy.

Collier z wysiłkiem popchnął wózek w kierunku wyjścia na drugim końcu parkingu, wskazanego przez agenta.

– Zaprowadzę teraz panów do punktu kontroli dokumentów – oznajmił agent. – Wejdziecie na silnie strzeżony teren. Otrzymacie identyfikatory, które przez cały czas macie nosić przy sobie. Każde pomieszczenie na Kapitolu stanowi osobną strefę bezpieczeństwa. Upoważnienie do wejścia zostanie wydane na określony czas i strefy. Jeżeli przekroczycie przyznany czas przebywania lub podejmiecie próbę wejścia do strefy, do której nie uzyskaliście autoryzacji, zostaniecie niezwłocznie aresztowani i usunięci z budynku. Czy wyrażam się jasno?

– Jak słońce – odparł Wilmot.

Przeszli przez drzwi i znaleźli się w słabo oświetlonym betonowym korytarzu. Jedno z przednich kółek wózka było źle przykręcone, wskutek czego wózek wibrował głośno. Collier wyglądał fatalnie. Wilmot robił wszystko, co mógł, żeby odwrócić uwagę agenta od bladego i spoconego Johna, ale sytuacja zaczynała wyglądać nieciekawie. Musiał zareagować i uprzedzić ewentualne pytania.

– Coś ty taki blady, młody? – zagadnął. – Zjadłeś coś nieświeżego czy co?

Collier wykrzywił twarz w grymasie, który miał być próbą uśmiechu.

– Nie wiem. M-może i tak. Trochę kiepsko się czuję.

– Synu, mamy tu robotę, więc łyknij jakieś prochy na żołądek i doprowadź się do porządku.

– Tak jest, proszę pana.

Dale Wilmot bardzo wcześnie przekonał się, że w życiu zawsze odgrywa się jakąś rolę. Warunkiem sukcesu było jednak przyjęcie roli, w której wypadnie się wiarygodnie. I w tej chwili odgrywał jedną z nich. Wcielał się we własnego ojca, który w czasie drugiej wojny światowej był spadochroniarzem, a w rzadkich chwilach trzeźwości – wyjątkowo twardym i nieprzyjemnym sukinsynem. Wilmot wiedział, że w ten sposób skupia całą uwagę na sobie. I chwała Bogu, bo nie mógł pozwolić na to, żeby agent Secret Service choćby przez sekundę zainteresował się Collierem. Ten dzieciak był geniuszem, ale miał nerwy pensjonarki.

Wilmot klepnął agenta w ramię.

– Nie chciałem być wobec ciebie niegrzeczny, synu, ale ściągnięto mnie tutaj w określonym celu. A wybrali mnie, bo wiedzą, że jeśli Dale Wilmot zabiera się do roboty, to robota będzie wykonana jak należy.

Agent przeprowadził ich przez kolejne drzwi, za którymi znajdowało się obszerne pomieszczenie.

– Tutaj znajduje się punkt kontrolny.

Wilmot rozejrzał się po pomieszczeniu. Wszystko wyglądało dokładnie tak, jak przedstawiały to ich informacje. Pomiędzy stalowymi barierkami znajdowały się aparat rentgenowski i detektor metalu, takie jak używane na lotniskach. Po obu stronach barierek stali agenci w oporządzeniu taktycznym, uzbrojeni w pistolety maszynowe FN P90. Pomiędzy nimi funkcjonariuszka policji Kapitolu obsługiwała aparat rentgenowski.

Agent, który wprowadził ich do pomieszczenia, podszedł do policjantki przy aparacie.

– Wiem, że przepisy zabraniają wnoszenia zbiorników pod ciśnieniem po ostatniej kontroli, ale uzgodniłem to ze swoją przełożoną. Proszę to u niej potwierdzić.

Policjantka, wysoka, ciemnoskóra kobieta, pokręciła głową.

– Nie przepuszczę skompresowanego gazu. Proszę o tym zapomnieć.

– Ja ich tu tylko przyprowadziłem – burknął agent. – To, co pani z nimi dalej zrobi, to już nie moja sprawa. Wracam na swoją pozycję.

Odwrócił się na pięcie i wymaszerował z pomieszczenia.

Wilmot ponownie skrzyżował ręce na piersi i spojrzał na policjantkę przy rentgenie.

– Chce pani być osobą, która wyjaśni prezydentowi, dlaczego w sali Izby Reprezentantów jest minus cztery stopnie? Hm? Ma pani na to dość ikry, młoda damo?

– Udam, że nie słyszałam tej bezczelnej uwagi – odparła policjantka.

Wilmot wytrzymał jej rozzłoszczone spojrzenie.

– Widzi pani, ja mam w głębokim poważaniu, czy pani się poczuła obrażona, czy nie. Albo naprawimy ogrzewanie, albo nie. Niech pani decyduje.

Uzbrojeni agenci przy barierkach wpatrywali się w nich w milczeniu, czekając na rozwój sytuacji.

Policjantka rzuciła Wilmotowi wściekłe spojrzenie, ale w końcu włączyła krótkofalówkę.

– Sierżant Gradison, przyślijcie kogoś z wyższego poziomu na punkt kontrolny Bravo.

– Proszę się nie ruszać, proszę pana – odezwał się jeden z uzbrojonych agentów.

– Nigdzie się nie wybieram – warknął Wilmot, ale posłusznie stanął w bezruchu.

Napięcie w pokoju sięgało zenitu. Czas wlókł się niemiłosiernie. Być może upłynęły tylko dwie minuty, ale Wilmotowi wydawało się, że minęło kilka godzin. A jednak w jakiś sposób cała ta sytuacja go bawiła. Nigdy wcześniej nie robił niczego, co dałoby mu taki dreszcz emocji i adrenaliny. A robił w życiu wiele. Dopiero teraz zrozumiał, dlaczego Evan uparł się, żeby zaciągnąć się do wojska. Uczucia, które towarzyszyło stąpaniu po cienkiej linii między życiem a śmiercią, nie dało się z niczym porównać. Im częściej człowiek ocierał się o śmierć, tym mocniej czuł, że żyje.

W końcu drzwi po drugiej stronie pomieszczenia otworzyły się i do środka weszła niska kobieta o skórze koloru kawy, która szybkim krokiem zbliżyła się do aparatu rentgenowskiego. Kolor skóry kobiety mógł wskazywać, że jest Afroamerykanką, Latynoską albo pochodzi z Bliskiego Wschodu, ale Wilmot wiedział, że była pół Murzynką, pół Żydówką. Wiedział też znacznie więcej o agentce specjalnej Shanelle Klotz. Analizował jej akta prawie rok. Spodobała mu się na zdjęciach, a na żywo robiła jeszcze lepsze wrażenie. Uśmiechnął się szeroko. W końcu pojawił się ktoś, z kim można rozmawiać jak z dorosłym. Ktoś, kto będzie na tyle rozsądny, żeby podjąć właściwą decyzję.

Agentka Klotz otaksowała ich spojrzeniem, które natychmiast powędrowało ku kanistrom na wózku.

– Panowie – powiedziała. – Proszę mi zwięźle i jasno wytłumaczyć, co jest w tych kanistrach i do czego są one panom potrzebne.

– Z największą przyjemnością – odparł Dale Wilmot.

39

Priest River, Idaho

Nancy Clement wlokła się w kierunku świateł domu Wilmotów, ciągnąc za sobą zranioną nogę. Nie wiedziała, co dokładnie się stało, ale za każdym razem, kiedy próbowała się na niej oprzeć, noga uginała się, eksplodując bólem.

Śniegu przybywało. Nawet na dwóch zdrowych kończynach trudno byłoby przedzierać się przez zaspy. Poruszanie się na jednej było istną męczarnią.

W końcu dotarła do domu. Zastała drzwi zamknięte na klucz. Kilkukrotnie uderzyła w nie otwartą dłonią. Przed wyjściem przykuła Margie do łóżka w obawie, żeby pielęgniarka nie zrobiła czegoś głupiego, kiedy jej nie będzie. Miała nadzieję, że Evan jeszcze nie śpi, bo w przeciwnym razie czekało ją powolne zamarzanie na werandzie. A nawet jeśli nie spał, to Nancy wątpiła, czy będzie w stanie jej pomóc.

Ponownie załomotała do drzwi. Po chwili usłyszała szczęk otwieranego zamka. Evan jednak nie spał.

Nancy wtoczyła się do środka i opadła na najbliższą sofę.

– Co się stało?

– Dachowanie – wymamrotała. – Chyba złamałam nogę. – Podniosła ją i przyjrzała się krwiakowi, wokół którego pojawiła się już opuchlizna. Dotknęła sińca i syknęła z bólu.

– Znalazła pani ciało? – zapytał Evan. Wyglądał koszmarnie. Jego wargi były spierzchnięte, a skóra miała szarawy, niezdrowy odcień. W jasnych oczach mężczyzny malował się niepokój.

Nancy skinęła głową.

– Miałeś rację. Produkowali w lesie cyjanowodór.

– Cyjanowodór? Po co?

– Jeszcze nie wiem. – Oczywiście miała już na ten temat kilka teorii, ale na razie nie widziała powodu, żeby dokładać Evanowi zmartwień.

– Ale zdoła ich pani powstrzymać, tak?

– Muszę skontaktować się z Biurem.

– Linie telefoniczne są zerwane. Komórki też nie mają zasięgu.

– To w jaki sposób skontaktować się stąd ze światem?

– Do Coeur d'Alene jest prawie pięćdziesiąt kilometrów. Ale bez pługa śnieżnego nie ma szans się tam dostać.

Nancy wstała.

– Zaryzykuję.

– Przecież ledwo się pani trzyma na nogach.

Dochodziła trzecia nad ranem czasu wschodnioamerykańskiego. Orędzie zaczynało się o dziewiątej. To dawało jej zaledwie trzy godziny na znalezienie działającego telefonu.

– Nie mam wyboru.

Evan się zastanowił.

– Mój ojciec ma tu buldożer.

– A zdołam go poprowadzić ze złamaną nogą?

– Łatwo nie będzie, ale myślę, że da pani radę.

W kuchni Nancy prowizorycznie unieruchomiła sobie nogę za pomocą sosnowej deski. Evan poinstruował ją, w jaki sposób włączyć silnik buldożera.

– Powodzenia – powiedział.

– Dziękuję. – Nancy wręczyła mu kluczyki do kajdanek. – Nie uwalniaj Margie przed dziewiątą. Potem to już będzie bez znaczenia.

Skinął głową.

– Mam cichą nadzieję, że pani się myli, chociaż wiem, że raczej nie. A najgorsze w tym wszystkim jest to, że on to robi dla mnie. Przeze mnie. Ale to nie patriotyzm, tylko szaleństwo. Proszę mu to powiedzieć, jeśli go pani zobaczy. A raczej, kiedy go pani zobaczy.

Nancy ujęła jego dłoń. Zaskoczył ją mocny, energiczny uścisk. Ale na jego twarzy widniał ból. Evan odwrócił się, ukrywając łzy spływające mu po policzkach.

Kiedy już udało jej się uruchomić buldożer, kierowanie potężną maszyną okazało się łatwiejsze, niż przypuszczała.

Pojazd nie miał pedału gazu, tylko hamulec. Do sterowania potrzebowała głównie rąk. Nie było kierownicy, tylko dwie dźwignie, kontrolujące prędkość przesuwu gąsienic. Inna dźwignia służyła do sterowania łopatą. Nancy zrobiła kilka kółek wokół szopy, żeby wyczuć powolną maszynę.

Wkrótce ruszyła w drogę. Bak był zatankowany do pełna. Śnieżyca się skończyła, ale w jej miejsce pojawił się porywisty wicher, wzbijający tumany śniegu. Zrobiło się też zimniej. W kabinie buldożera było jednak ciepło, poza tym Nancy miała na sobie dodatkową warstwę ubrań. Gdyby nie przeszywający ból nogi i w ogóle okoliczności, byłoby tu wręcz przytulnie.

Caterpillar D8 miał na wyposażeniu łopatę, którą można było ustawić pod kątem, żeby lepiej odgarniała śnieg. Nancy nie potrzebowała w pełni odśnieżonej drogi. Musiała tylko zepchnąć górną warstwę, tak żeby śnieg nie gromadził się pod podwoziem buldożera, co groziło utknięciem na zaspie. Nie było to zbyt trudne, kiedy znalazło się odpowiedni kąt ustawienia łopaty. Buldożer odgarniał biały puch na bok, formując długi, wysoki wał po prawej stronie drogi.

Pierwszy sygnał, że buldożer może jednak nie być idealnym środkiem transportu, pojawił się, gdy Nancy zauważyła brak prędkościomierza. Uświadomiła sobie, że nie był potrzebny, bo buldożer poruszał się niewiele szybciej niż zwykły piechur.

Jadąc osiem kilometrów na godzinę, dotrze do Coeur d'Alene za prawie sześć godzin. A miała tylko trzy, żeby skontaktować się z Waszyngtonem. Optymistycznie założyła, że gdzieś po drodze między domem Wilmotów a miastem znajduje się działający maszt telefonii komórkowej albo jakiś dom z funkcjonującym telefonem lub internetem. Na razie jednak widziała przed sobą wyłącznie śnieg.

Ślimacze tempo jazdy dawało jej czas na przemyślenie, do kogo powinna zadzwonić i co powiedzieć. Jeśli skontaktuje się z Rayem Dahlgrenem, wicedyrektor najprawdopodobniej ją zignoruje. Był święcie przekonany, że Nancy w imię własnych przywidzeń uparła się, żeby złamać wszystkie przepisy Federalnego Biura Śledczego, a przy okazji jego karierę. Wicedyrektor należał do tego rodzaju ludzi, którzy zmieniali zdanie dopiero po tym, jak zobaczyli, powąchali i pomacali solidne dowody.

A w tej chwili Nancy miała przeciwko niemu tylko swoje słowo. Znalazła dłoń wystającą ze zmrożonej ziemi i laboratorium, które pachniało spalonymi migdałami i wywoływało wymioty. I tyle.

Czyli Dahlgren nie wchodził w rachubę.

Zostawała jej Secret Service i Gideon Davis.

Jeżeli zadzwoni do Secret Service, agenci natychmiast skontaktują się z Dahlgrenem. A Dahlgren powie im, że Nancy Clement jest zawieszoną agentką, która chce się na nim zemścić. Prawdopodobnie postara się wmanewrować ją w tę historię, tak żeby agenci sami zaczęli jej szukać. Jasne, to brzmiało wariacko, ale nie mogła wykluczyć takiej ewentualności.

Czyli zostawał Gideon.

Ale czy Gideon i Tillman mogli sami powstrzymać zamach? Byli jej jedyną nadzieją.

Buldożer z monotonnym warkotem przedzierał się przez śnieżną pustynię.

40

Waszyngton

Budynek pomocniczy Senatu im. Richarda B. Russella jest połączony z Kapitolem linią metra. Dzięki temu senatorowie mogą przemieszczać się między swoimi gabinetami a salą obrad bez mieszania się z pospólstwem. Umożliwia to także dostawy bez parkowania nieatrakcyjnych wizualnie, głośnych i plujących spalinami ciężarówek pod Kapitolem. To przez ten tunel musieli przejść Wilmot i Collier, żeby osiągnąć swój cel. Najpierw jednak musieli przedrzeć się przez zaporę w postaci agentki specjalnej Shanelle Klotz, starszej specjalistki od zabezpieczenia infrastruktury, odpowiadającej za bezpieczeństwo jednostki HVAC i powiązanych z nią systemów.

Wilmot cierpliwie tłumaczył jej prawdopodobne źródło awarii ogrzewania na Kapitolu, rozwodząc się nad niezliczonymi szczegółami. W końcu nawet agentka miała już dość.

– Dobrze, wystarczy już, bo przestaję cokolwiek rozumieć z tego żargonu. Funkcjonariuszka Grandison prześwietli te kanistry rentgenem, a ja bardzo dokładnie im się przyjrzę.

– Jak pani sobie życzy – odparł ugodowo Wilmot.

Collier zapewnił go, że kanistry przejdą nawet najbardziej szczegółową inspekcję, ale i tak Wilmot nie potrafił do końca opanować zdenerwowania.

– Mam je załadować na…?

Agentka Klotz pokręciła głową.

– Proszę pozostać na miejscach, panowie. – Przywołała gestem jednego z agentów w oporządzeniu taktycznym i nakazała mu przenieść kanister na taśmę aparatu rentgenowskiego.

Wilmot stał nieruchomo, zaplatając dłonie za plecami.

Taśma ruszyła z cichym szmerem, transportując kanister do wnętrza aparatu, po czym się zatrzymała.

Agentka Klotz stanęła za funkcjonariuszką Grandison. Obie uważnie wpatrywały się w ekran.

Po chwili funkcjonariuszka pokręciła głową.

– Nie podoba mi się to.

– Co pani zobaczyła? – zapytała agentka.

– Ściany tego kanistra wyglądają dziwnie. – Grandison postukała palcem w ekran. – Widzi pani? Są za grube.

– Jeśli mogę… – zaczął Collier.

– John, stul japę – przerwał mu Wilmot z szerokim uśmiechem. – Pozwól profesjonalistom pracować.

– Proszę przybliżyć – poleciła agentka Klotz. Przypatrywała się obrazowi na ekranie przez długą chwilę. – Mnie też się to nie podoba – orzekła w końcu i odwróciła się do Colliera. – Pan chciał coś powiedzieć?

Collier zerknął na Wilmota, który ledwo dostrzegalnie skinął głową. Nie miał nic przeciwko temu, żeby Collier wyjaśnił zagadkę grubości ścian. Musiał tylko pilnować, żeby agentka Klotz cały czas wierzyła, że to ona kontroluje sytuację.

– Jeśli mogę… – powtórzył Collier i odchrząknął. – Zbiorniki zawierające propan, sprężone powietrze, hel, argon, gazy spawalnicze i tak dalej zawsze mają pojedyncze ściany. Kiedyś tak samo było ze zbiornikami na czynnik chłodzący. Ale kilka lat temu zrezygnowaliśmy z freonu na rzecz R410A, którego charakterystyka termiczna… No cóż, nie będę pani zanudzał szczegółami. Generalnie chodzi o to, że obecnie stosujemy zbiorniki z podwójnymi ścianami. Dzięki temu temperatura czynnika jest stabilniejsza. Dla kogoś przyzwyczajonego do pojedynczych ścian to rzeczywiście może wyglądać dziwnie.

Klotz podniosła palec, uciszając Colliera, po czym podniosła słuchawkę telefonu na biurku obok funkcjonariuszki Grandison.

– Połączcie mnie z Ronem – powiedziała. W oczekiwaniu na połączenie uśmiechnęła się obojętnie do Wilmota. – Ron, cześć, mówi Shanelle. Czy czynnik chłodzący R410A przechowuje się w zbiornikach z podwójnymi ścianami? Czasami tak? Dobra, dzięki.

Collier posłał jej słaby uśmiech.

– Przecież bym pani nie okłamał.

Wilmot z całych sił starał się przekazać telepatycznie Collierowi, żeby się w końcu zamknął. Na szczęście agentka Klotz odezwała się, zanim Collier zdążył powiedzieć coś, czego nie powinien.

– Zrobimy tak: dam panom upoważnienie do wejścia do budynku z kanistrami, ale będę was osobiście eskortować. Kiedy dojdziemy do miejsca, gdzie będziecie pracować, oddeleguję dwóch agentów, którzy będą was pilnować. W momencie, kiedy będziecie musieli otworzyć kanistry, najpierw zwrócicie się do mnie o pozwolenie. Zrozumiano?

– Jasne – potwierdził Wilmot.

– Zanim to nastąpi, chciałabym przeprowadzić jeszcze jeden test.

Puls Wilmota gwałtownie przyspieszył.

– Czynnik chłodzący jest nietoksyczny w małych dawkach, zgadza się?

Wilmot przełknął ślinę.

– Tak, proszę pani.

– Proszę wobec tego odkręcić zawór i zrobić mały wdech.

Wilmot zawahał się i spojrzał na Colliera, który sięgnął do jednego z kanistrów.

– Nie ten – powstrzymała go agentka Klotz. – Ten drugi.

Wilmot rozważył możliwe wyjścia z sytuacji i uznał, że nie ma właściwie żadnego pola manewru. Będzie, co ma być. Wziął głęboki wdech, wiedząc, że następna okazja może szybko nie nastąpić.

Collier odkręcił zawór. Z kanistra wydobył się głośny syk.

41

Tysons Corner, Wirginia

Verhoven krążył nerwowo po salonie. Tillman podał Lorene kolejną dawkę roztworu soli fizjologicznej. Zbadał jej brzuch, ale nie wyczuł napięcia. Żona Verhovena oddychała normalnie.

Dobra wiadomość była taka, że nie wykrwawiała się na śmierć. Zła – że nie było z nią dobrze.

Tillman sprowadził doktora Klotza i jego córki na dół. Dziewczynki oglądały kreskówkę w telewizji, natomiast ich ojciec siedział na sofie, pocierając dłonie i kiwając się w przód i w tył. Starsza z jego córek przestała płakać, ale na twarzy wciąż miała smugi po łzach i wyglądała, jakby za chwilę miała zwymiotować.

Doktor na chwilę przestał pocierać dłonie.

– Ona musi się znaleźć w szpitalu – oznajmił. – Pracuję na ostrym dyżurze, widywałem już takie przypadki.

– Zamknij się – warknął Verhoven.

– Może powinniśmy pozwolić mu ją obejrzeć? – zasugerował Tillman.

Verhoven westchnął i skinął głową. Doktor Klotz pod czujnym okiem Tillmana poszedł po torbę lekarską i zaczął badać ranę na boku Lorene.

– Kiedy została postrzelona?

– Kilka godzin temu – odpowiedział pułkownik.

Doktor pokręcił głową.

– Ma krwotok wewnętrzny. Niezbyt silny, w przeciwnym razie już by nie żyła. Ale musi jak najszybciej trafić na stół operacyjny.

– Nie ma nadmiernego napięcia powłok brzusznych – powiedział Tillman. – Przeszedłem szkolenie na sanitariusza w wojsku – wyjaśnił, widząc zdziwione spojrzenie Klotza.

– Czy często oddaje pani mocz? – zapytał doktor, dotykając podbrzusza Lorene, która słabo skinęła głową. Jej wzrok stracił ostrość.

– Krew w moczu?

– Tak.

Doktor odwrócił się do Tillmana.

– Fragment pocisku prawdopodobnie przebił ścianę pęcherza lub którąś z nerek. Być może przeciął tętnicę pochwową lub nadnerczową dolną. Krew wypływa przez pęcherz. Jeżeli szybko nie zatrzymamy krwotoku, ona umrze.

Verhoven jęknął, jakby ktoś uderzył go pięścią w brzuch. Wycelował drżący palec w doktora.

– Masz ją uratować! Masz ją uratować, ty sukinsynu!

Doktor spojrzał na Tillmana, jakby prosząc go o wsparcie. Szybko zorientował się, że Tillman jest w tej chwili najspokojniejszą i najbardziej trzeźwo myślącą osobą w pokoju.

– Wrzeszczenie na siebie do niczego nas nie doprowadzi – stwierdził Tillman.

Verhoven usiadł przy żonie i zaczął głaskać ją po włosach.

– Wszystko będzie dobrze, Lorene. Wyzdrowiejesz. Doktor coś wymyśli.

Pułkownik wyglądał, jakby za chwilę miał przejść załamanie nerwowe. Dyskusja o stanie zdrowia Lorene tylko pogarszała sytuację. Wciąż czekali na telefon, zapewne z dalszymi instrukcjami. Verhoven nie chciał mu tego powiedzieć, a Tillman nie naciskał. Zamiast tego postanowił wypytać doktora.

– Skąd u normalnego faceta z przedmieść takie zabezpieczenia?

– To nie był mój pomysł – odparł Klotz i natychmiast zrobił minę, jakby żałował, że w ogóle się odezwał.

– Tak? To znaczy, że pańska żona ma fioła na punkcie bezpieczeństwa?

Doktor zmrużył oczy.

– Żarty pan sobie stroi?

Tillman przyglądał mu się przez chwilę.

– Dlaczego miałbym z pana żartować?

– Proszę nie udawać, że nie wie pan, gdzie pracuje moja żona – żachnął się doktor. – Zwłaszcza w dniu orędzia o stanie państwa.

Tillman podszedł do kominka i po kolei przyglądał się rodzinnym fotografiom. Przedstawiały doktora w towarzystwie córek i kobiety, która niewątpliwie była jego żoną. Pani Klotz była drobną, bardzo atrakcyjną kobietą o ciemnobrązowej skórze. A potem zauważył oprawiony dyplom ze zdjęciem żony doktora, pozującej na niebieskim tle z jakimś oficjalnym symbolem.

Przyjrzał się bliżej dyplomowi. Pani Klotz nosiła broń, a przy pasie miała jakąś odznakę. Kawałki układanki powoli składały się w całość.

– Więc to jest pańska żona?

Doktor nie odpowiedział, ale jego milczenie wystarczyło.

W dolnej części dyplomu znajdowała się plakietka. Tillman odczytał jej treść na głos w nadziei, że dźwięk z mikrofonu, który miał w kieszeni, dotrze do Gideona.

– Secret Service – powiedział. – Pańska żona to agentka specjalna Shanelle Klotz.

Gliniarz nie był zbyt rozmowny, ale Gideon wciąż go zagadywał. Na początku powiedział mu prawdę: że ścigają domorosłego terrorystę, który wziął rodzinę na zakładników. Policjant najpierw udał, że mu wierzy, ale gdy zasugerował, żeby pojechali na posterunek i złożyli raport, Gideon dał sobie spokój. Z punktu widzenia policjanta sytuacja rzeczywiście wyglądała dość dziwnie: jakiś brudny, nieogolony i niedomyty facet z bronią twierdzi, że wraz z bratem, byłym skazańcem, ścigają po przedmieściach jakiegoś terrorystę i potrzebują jego pomocy. Na miejscu gliniarza też by nie uwierzył. Dlatego przestał mówić o Verhovenie i próbował zagaić jakąś banalną rozmowę dla zabicia czasu. Policjant jednak odmawiał współpracy.

Gideon słyszał tylko urywki wydarzeń z wnętrza domu, ale zdołał się dowiedzieć, że kobieta, która tam mieszkała, była agentką Secret Service, zabezpieczającą orędzie o stanie państwa, a jej rodzinę przetrzymywano w charakterze zakładników. Tyle tylko, że wciąż nie wiedział po co.

Teoretycznie mogło chodzić o najprostsze rozwiązanie: dzwonimy do agentki i stawiamy ultimatum: „Zabij prezydenta, bo w przeciwnym razie twoja rodzina zginie". Gideon jednak w to wątpił. Nawet jeśli zamachowcy zdołaliby zmusić agentkę Secret Service do zastrzelenia prezydenta, zostałaby natychmiast obezwładniona, a orędzie przerwane. Mixon zaś mówił o czymś innym. Nie chodziło o próbę zabójstwa, tylko o zamach terrorystyczny na wysoko postawiony cel. Poza tym Mixon wspominał o „masowym morderstwie", więc musiało chodzić co najmniej o kilkoro ważnych funkcjonariuszy państwowych. A orędzie o stanie państwa było idealnym momentem na taki atak. Kłopot w tym, że nie wiedząc, jaki przydział ma ta agentka i nie mając żadnych informacji od Nancy, Gideon nie mógł zwrócić się do Dahlgrena. W każdym razie – jeśli chciał go przekonać, a nie dać się aresztować.

Choć zupełnie mu się to nie podobało, na razie nie miał wyboru, jak tylko siedzieć i czekać.

42

Waszyngton

Wilmot wpatrywał się w syczący kanister, wstrzymując oddech. Z odkręconego zaworu wytrysnął różowy strumień, momentalnie zmieniając się w parę. Collier zakręcił zawór, pochylił się i wziął wdech. Wilmot spodziewał się, że za chwilę chwyci się za gardło i padnie na ziemię, tocząc pianę z ust.

Ale tak się nie stało.

Collier wyprostował się i zwrócił do agentki Klotz:

– Widzi pani? Jest nieszkodliwy. – Uśmiechnął się szeroko. – Niezbyt ładnie pachnie, ale trzeba naprawdę dużego stężenia, żeby komuś zaszkodził.

Puls Wilmota zwolnił. Ze wszystkich sił starał się ukryć zaskoczenie. Co to miało być, do cholery?

– To jest czynnik chłodzący – odezwał się jeden z uzbrojonych agentów, stojący najbliżej Colliera. – Poznaję po zapachu. Mój szwagier w zeszłym roku usiłował naprawić klimatyzację. Uszkodził przewód i to paskudztwo wylało się na podłogę w piwnicy. – Agent zmarszczył nos. – Musiałem to wąchać przez dwa miesiące za każdym razem, kiedy schodziliśmy do piwnicy pograć w karty z kumplami.

– No dobrze, panowie – powiedziała agentka Klotz. – Wygląda na to, że wszystko jest w porządku. Idziemy.

Wilmot podążył za Collierem. Agentka szła kilka kroków za nimi, cały czas trzymając dłoń na rękojeści pistoletu. Wilmot czuł niekłamany podziw. Agenci Secret Service naprawdę byli dobrzy w swoim fachu.

Długi betonowy korytarz kończył się niewielką stacją metra, na której czekał wagon z otwartymi drzwiami. Collier popchnął wózek w kierunku wagonu i natychmiast drogę zablokowało mu dwóch mężczyzn.

– Idziemy piechotą – poinformowała ich agentka Klotz. – W latach sześćdziesiątych kolejka przeszła gruntowny remont. Wybudowano nowy tunel i poszerzono tory. Pójdziemy starym tunelem. Obecnie służy jako wejście serwisowe do Kapitolu.

Collier ruszył w kierunku wejścia do starego tunelu. Przednie kółko wózka skrzypiało głośno. Wilmot poszedł za nim.

Przejście przez tunel wydawało się trwać godzinami. Po drodze Wilmot zastanawiał się, dlaczego gaz z odkręconego zaworu nie zabił Colliera, i doszedł do wniosku, że jego pomocnik najwyraźniej nie powiedział mu wszystkiego. Czy w tym kanistrze znajdowało się coś jeszcze oprócz cyjanowodoru? Czy Collier po prostu wstrzymał oddech? Jeżeli wkrótce gaz zostanie rozproszony w pomieszczeniu, ludzie w środku zaczną tracić przytomność. Co oznaczało, że będą musieli działać bardzo szybko. Ale na razie Collierowi najwyraźniej się nie spieszyło.

W końcu dotarli do wylotu tunelu, za którym znajdował się niewielki pokój wyłożony glazurą. Mieściła się tu winda i stare żelazne schody.

Wszystko wyglądało zgodnie z planami, które Wilmot otrzymał, gdy National Heat & Air zdobyło kontrakt na budowę systemu ogrzewania i wentylacji budynku.

– Proszę się nie zatrzymywać – powiedziała agentka. – Jeśli nie macie panowie nic przeciwko, pojedziemy windą. – Podniosła rękę i odezwała się do mikrofonu: – Wyślijcie windę w południowym Kapitolu do lokalizacji L.

Collier przełknął ślinę i popchnął wózek w kierunku wejścia do windy.

Kilka minut później drzwi windy otworzyły się z przeszywającym zgrzytem.

43

Waszyngton

Wilmot i Collier spędzili całe przedpołudnie w sterowni systemu HVAC, „naprawiając" ogrzewanie. Zgodnie z planem, system co chwilę się wyłączał. W południe Wilmot westchnął teatralnie i odwrócił się do agentki Klotz.

– Jeżeli to ustrojstwo ma działać w trakcie orędzia, to będziemy musieli tu zostać i cały czas go pilnować.

– Nie macie upoważnienia.

– To pani decyzja. Stawiam dziesięć do jednego, że do wieczora znowu się zepsuje.

– Dobra. Zostajecie tutaj – oznajmiła agentka Klotz po odbyciu kilku rozmów telefonicznych. – Drzwi będą zamknięte od zewnątrz i pilnowane przez agentów. W razie potrzeby zapukajcie, któryś z agentów do was przyjdzie. Jeżeli będziecie musieli przenieść się w inne miejsce, osobiście udzielę wam upoważnienia i będę wam towarzyszyć. Rozumiemy się?

– Nie ma sprawy – odparł Wilmot. Oparł się o ścianę i odczekał, aż drzwi się zamkną. Z pomieszczenia, w którym się znajdowali, nie mieli bezpośredniego dostępu do jednostki grzewczej, tylko do panelu kontrolnego. Z tego miejsca nie zdołaliby niczego zdziałać.

Ale przynajmniej w końcu byli sami.

– No dobra, teraz mi wyjaśnij, co tam się wydarzyło – zażądał Wilmot. – Jakim cudem nie zatruliśmy się wszyscy cyjanowodorem?

Collier rzucił mu jeden z tych swoich złośliwych, protekcjonalnych uśmieszków.

– Podejrzewałem, że ktoś może kazać nam otworzyć zawór, dlatego oba kanistry mają podwójne ściany. Tak naprawdę każdy kanister zawiera dwa osobne zbiorniki. W zewnętrznym znajduje się czynnik chłodzący. Po odkręceniu zaworu wylatuje R410A. – Wskazał dłonią kanister. – Widzi pan tę małą śrubkę regulacyjną? Jeżeli przekręcę ją o trzy pełne obroty, nastąpi pęknięcie izolacji między zewnętrznym a wewnętrznym zbiornikiem. A wtedy po odkręceniu zaworu zamiast czynnika chłodzącego...

– ... wyleci cyjanowodór – dokończył Wilmot.

– Otóż to.

– Miło byłoby wiedzieć o tym wcześniej.

Collier spojrzał na niego uważnie.

– Chciałem tylko przypomnieć, że jestem panu potrzebny. I będę potrzebny, aż do samego końca.

Wilmot otoczył go ramieniem.

– Nigdy w to nie wątpiłem, synu – powiedział. – Ani przez chwilę.

Twarz Colliera się rozjaśniła.

Wilmot usiadł, opierając nogi o wózek.

– Twoim zdaniem system w końcu przestanie się psuć? – zapytał ironicznie.

Collier uśmiechnął się szeroko.

– Mam co do tego poważne wątpliwości.

44

Autostrada międzystanowa I-66, okolice Waszyngtonu

Kate Murphy kończyła malować się w samochodzie. Limuzyna wlokła się powoli w korku. Kate żałowała, że nie może porozmawiać z Gideonem. Za kilka godzin wysłucha w Izbie Reprezentantów orędzia o stanie państwa, ale w tej chwili myślała tylko o tym, że chciałaby usłyszeć jego głos.

Wcześniej tego samego dnia złożył jej wizytę wyjątkowo niesympatyczny gość – Ray Dahlgren, wicedyrektor FBI – który chciał się dowiedzieć, gdzie przebywa Gideon, żeby mu „pomóc". Ale Kate miała rzadki talent do rozpoznawania kłamców, a Dahlgren wydał jej się równie wiarygodny, jak irański ajatollah opowiadający o zaletach demokracji. Zresztą wicedyrektor szybko przestał udawać i rozmowa zrobiła się bardzo nieprzyjemna. Dahlgren w co drugim zdaniu rzucał oskarżenia o „spisek" i „utrudnianie pracy organom ścigania". Kate roześmiała mu się w twarz, ale w duchu martwiła się o Gideona. Nagranie na poczcie głosowej świadczyło o tym, że nic mu nie jest, ale jego prywatne śledztwo najwyraźniej mocno nie spodobało się Dahlgrenowi. A to oznaczało, że Gideon dodatkowo ma przeciwko sobie FBI.

Kate zauważyła zwiększoną obecność sił bezpieczeństwa wokół Kapitolu. Funkcjonariuszy było wyjątkowo dużo, nawet jak na standardy waszyngtońskie. Wiedziała, że Secret Service nie ma w zwyczaju pozostawiać czegokolwiek przypadkowi, ale teraz zaczęła się zastanawiać, czy ochrona prezydenta rzeczywiście jest przygotowana na każdą ewentualność. Zagrożenie mogło nadejść w każdym momencie i z każdego kierunku. A nawet najbardziej czujna ochrona nie może być wszędzie. Kiedy limuzyna zatrzymała się na czerwonym świetle, Kate poczuła niepokój. Orędzie o stanie państwa było wprost wymarzonym celem dla terrorystów. Zaczęła się zastanawiać, czy na pewno będzie bezpieczna.

Po chwili jednak uznała, że nie ma sensu się zamartwiać. W świecie po jedenastym września nie było już stuprocentowo bezpiecznych miejsc. Niepewność stała się częścią normalnego życia. Musiała zaufać Gideonowi i wierzyć, że jeśli rzeczywiście zaplanowano zamach, to jej narzeczony zdoła go powstrzymać. A na razie najlepszym wyjściem było skupić się na chwili obecnej.

Młodziutka pracownica protokołu Białego Domu, która sprawiała wrażenie, jakby pół godziny temu skończyła liceum, poinformowała Kate o tym, czego należy się spodziewać podczas orędzia. Według oficjalnego protokołu uroczystości goście zostali podzieleni na trzy kategorie. Pierwszą stanowili ci, których zaproszono, ponieważ wsparli finansowo kampanię prezydenta albo stanowili atrakcję etniczną – jak na przykład żołnierz pochodzenia latynoskiego, odznaczony Medalem Honoru, czy biała policjantka. Szczebel wyżej znajdowali się goście tacy jak Kate, czyli członkowie (obecni, byli lub przyszli) administracji. Trzecią kategorię tworzyli członkowie Kongresu. A ponad wszystkimi znajdowali się przewodniczący Izby Reprezentantów i Senatu, ważniejsi członkowie gabinetu prezydenta, dowódcy Kolegium Połączonych Sztabów, sędziowie Sądu Najwyższego, Spiker Izby Reprezentantów, wiceprezydent i wreszcie prezydent Stanów Zjednoczonych Ameryki.

Im niższa pozycja na liście gości, tym wcześniej należało przybyć na Kapitol. Zwykli miliarderzy, bohaterowie wojenni i mistrzowie olimpijscy musieli stawić się w budynku Russella już na cztery godziny przed orędziem. Kate, jako stojąca wyżej w hierarchii, miała przybyć na miejsce trzy godziny wcześniej.

Ale limuzyna ledwo toczyła się naprzód w gęstniejącym korku. Kate z oddali widziała kopułę Kapitolu i nagle doznała wrażenia, że na imponującym budynku wymalowana jest tarcza. Poczuła, że jej lewa noga podryguje nerwowo.

Chyba nigdy wcześniej tak bardzo nie pragnęła usłyszeć głosu Gideona.

45

Tysons Corner, Wirginia

Doktorze, znalazłem trochę opatrunków. Mógłby pan spojrzeć? – powiedział Tillman, kiwając głową w kierunku kuchni.

Doktor Klotz spojrzał na niego nienawistnie.

– Nie trzymamy opatrunków w kuchni.

– Co ty tam znalazłeś? – zapytał podejrzliwie Verhoven.

– Bandaże, chyba je pan przeoczył. – Tillman wskazał lufą pistoletu drzwi do kuchni. – Proszę ze mną, doktorze.

– Nie zostawię dziewczynek samych.

– Panie doktorze, niech pan nie próbuje stawiać nam warunków – powiedział łagodnie Tillman, po czym posłał lekarzowi twarde spojrzenie.

Klotz wahał się jeszcze przez chwilę, a następnie skinął głową i szybkim krokiem pomaszerował do kuchni.

Tillman ruszył za nim, ale doktor zdążył już zniknąć za ścianą. Wszedł do kuchni i zobaczył Klotza pochylonego nad blatem. Jego twarz nie wyrażała niczego. Ręce miał splecione na plecach.

Tillman na chwilę zatrzymał się w drzwiach. Kuchnia była ładna i nowoczesna – granitowe blaty, wyspa na środku, wszystko lśniące czystością i poukładane na swoich miejscach. Patelnie wisiały na drewnianym wieszaku, noże umieszczono w stojaku. Wszystkie patelnie i wszystkie noże. Oprócz jednego.

Tillman stał po przeciwnej stronie kuchni, zachowując odpowiedni dystans od doktora Klotza. Pochylił się ku niemu i odezwał szeptem:

– Człowiek w tamtym pokoju jest jak tykająca bomba. Głęboko wierzy w sprawę, która zaprowadziła go do pańskiego domu i pragnie, żeby mu się udało. Ale bardzo kocha też swoją żonę. Jego nerwy są w strzępach, więc musimy przede wszystkim zachować spokój.

Klotz spojrzał na niego ze złością.

Tillman obszedł wyspę, stając na tyle blisko Klotza, żeby Verhoven nie miał szans podsłuchać ich rozmowy.

– Jak się pan zapewne domyślił – powiedział cicho – planowany jest zamach podczas orędzia o stanie państwa. Moim zadaniem jest do tego nie dopuścić.

Klotz przymknął oczy. Na jego twarzy pojawiła się widoczna ulga.

– Dzięki Bogu – wyszeptał. – Jest pan z FBI?

– Chciałbym, żeby to było takie proste – odparł Tillman. – Powiedzmy po prostu, że jestem po stronie tych dobrych.

– Jest pan gliną?

– Doktorze, potem będziemy ustalać przynależność zawodową. Na razie zajmijmy się sprawami bieżącymi. Po pierwsze, musi pan być posłuszny. Jeśli wydam panu polecenie, wykona je pan bez szemrania. Żadnego stawiania się i żadnych noży w rękawie. – Tillman zacisnął dłoń na lewym przedramieniu Klotza. Drugą ręką wyciągnął z rękawa doktora siedemnastocentymetrowy nóż do mięsa i wsunął go z powrotem do stojaka.

– Cholera – mruknął Klotz. – Przepraszam.

– Przeprasza pan za to, że chciał bronić swojej rodziny? – zdziwił się Tillman. – Dobrze. Po drugie, musimy nawiązać kontakt z ludźmi, którzy kierują całą operacją. Nie wiemy, kim są i gdzie przebywają. Ale prawdopodobnie będą chcieli skontaktować się z nami tutaj. Cokolwiek się wydarzy, proszę po prostu wykonywać polecenia.

Klotz rzucił mu nieufne spojrzenie.

– Jaki mam dowód, że jest pan tym, za kogo się podaje? Może po prostu mnie pan okłamuje, żeby uśpić moją czujność?

Tillman spojrzał mu prosto w oczy.

– Szczerze mówiąc, doktorze, nie ma pan wyboru. Jestem pańską jedyną szansą, żeby wyjść z tego cało. A teraz proszę mi powiedzieć, czym w Secret Service zajmuje się pańska żona.

– Nie wiem.

– Nie powiedziała panu?

– Proszę się rozejrzeć. Może się pan domyślić, że raczej nie parzy tam kawy. Informacja o jej przydziale jest tajna i Shanelle nikomu jej nie wyjawia. A już zwłaszcza rodzinie.

Tillman doszedł do wniosku, że nie ma podstaw, żeby nie wierzyć doktorowi.

– Dobra. W takim razie musimy po prostu czekać. Ale nie możemy pozwolić, żeby Lorene w tym czasie nam tu umarła. Musi pan jej jakoś pomóc.

– Przecież nie mogę tu przeprowadzić operacji! Nawet gdybym miał tu rentgen i mógł stwierdzić, gdzie dokładnie tkwią odłamki, to i tak nic by nie dało. Mówimy tu o bardzo skomplikowanej chirurgii naczyniowej, a ja nie jestem nawet urologiem.

– Więc niech pan coś wymyśli. Od życia tej kobiety zależy bezpieczeństwo pańskich córek. Zaaplikowałem jej już dwie jednostki soli fizjologicznej i dwie jednostki osocza, ale nic więcej nie mam. W samochodzie zostały mi dwa worki do kroplówki.

Klotz się zastanowił.

– W pokoju bezpieczeństwa powinienem mieć kilka butelek sterylnego roztworu soli fizjologicznej. Normalnie używa się go do przemywania ran, ale... – Doktor potarł twarz. – Teoretycznie moglibyśmy wymieszać roztwór z cukrem, wlać do worka i podać jej to dożylnie. Podniesiemy jej poziom glukozy, więc poczuje się lepiej i przez jakiś czas będzie stabilna. Ale istnieje ryzyko, że w trakcie przygotowań zanieczyścimy roztwór, a wtedy ona dostanie zakażenia ogólnoustrojowego, które może ją zabić.

– Potrzebujemy jej żywej dzisiaj, doktorze. Jutro to już będzie bez znaczenia.

– Ja poważnie traktuję swoją przysięgę. „Po pierwsze, nie szkodzić". Nie mogę ryzykować, że...

– Ta para psychopatów zamierza zamordować bardzo wielu ludzi, w tym pańskie córki – przerwał mu Tillman, szepcząc przez zaciśnięte zęby. – Do diabła z Lorene. Jeżeli nic mi nie przeszkodzi, ta baba do wieczora i tak będzie już martwa.

Twarz Klotza zesztywniała.

– No dobrze – powiedział w końcu. – Proszę przynieść worki z samochodu. Spróbuję zrobić jakiś prowizoryczny stojak.

Tillman dźgnął go lufą.

– Wracamy do salonu.

Kiedy wrócili do pokoju, Verhoven spojrzał na nich wyczekująco.

– Jednak się myliłem co do tych bandaży, pułkowniku – powiedział Tillman. – Ale sądzę, że razem z naszym dobrym doktorem wpadliśmy na pewien pomysł, który może zadziałać...

***

Gideon zapytał policjanta, czy ten nie zgłodniał.

– Nie – burknął funkcjonariusz Millwood.

– W kurtce mam kilka batonów.

– Nie – powtórzył funkcjonariusz.

– Słuchaj, rozumiem, że nie jesteś zachwycony, że musisz tu ze mną siedzieć, ale myślę, że poszłoby nam dużo lepiej, gdybyś mi zaufał. I coś zjadł.

– Dlaczego miałbym ci ufać?

– Słyszałeś, co się dzieje w tym domu. Wydaje ci się, że to wymyśliłem?

– Nie słyszałem niczego oprócz kilku bandytów, przetrzymujących niewinnych ludzi jako zakładników.

Gideon westchnął. Siedzieli w samochodzie już niemal sześć godzin i przez cały ten czas nie wydarzyło się właściwie nic. Rano ulica obudziła się do życia, dzieci wsiadły do szkolnego autobusu, potem ludzie wyprowadzili swoje psy na spacer, a jeszcze później pojawiły się sprzątaczki. Na szczęście zmiana funkcjonariusza Millwooda trwała jeszcze dwie godziny. Oficer dyżurny z komisariatu wprawdzie raz kazał mu się zgłosić, ale poza tym nie wydarzyło się nic, co wymagałoby jego odpowiedzi.

Gideon żałował, że nie może porozmawiać z Tillmanem, ale zdawał sobie sprawę, że jego brat raczej nie miał okazji, żeby włożyć słuchawkę do ucha. Zamiast tego był skazany na stłumione dźwięki, rejestrowane przez mikrofon w kieszeni Tillmana. Jakość była fatalna, ale przynajmniej Gideon miał wgląd w sytuację. Dowiedział się, że Lorene została podłączona do kroplówki. To dawało im dodatkową godzinę lub dwie, ale Gideon nie był pewien, czy rzeczywiście mieli tyle czasu. Do orędzia zostało tylko kilka godzin, a każda minuta przybliżała zamachowców do celu. Z drugiej strony, nawet jeśli Tillman opuściłby dom w tym momencie, to w dalszym ciągu znali tylko nazwisko agentki Secret Service. W normalnych okolicznościach być może to by wystarczyło, ale i tak nie wpuszczono by ich na Kapitol. A samo nazwisko zdecydowanie nie wystarczało, żeby pójść do Dahlgrena. Czas upływał. Na razie czekanie nie zmieniało obrazu sytuacji. Wkrótce jednak trzeba będzie zacząć działać.

– Na co my właściwie czekamy? – pomyślał głośno.

– Też się nad tym zastanawiam – odparł funkcjonariusz Millwood.

Gideon odwrócił się do policjanta. Millwood po raz pierwszy powiedział coś, co nie było groźbą lub burknięciem. Czyżby to oznaczało, że lody między nimi zaczynają pękać?

Zanim jednak zdążył odpowiedzieć, jakiś dźwięk w słuchawce przykuł jego uwagę. W domu Klotzów dzwonił telefon.

– Proszę odebrać. – Usłyszał głos Verhovena. – To pańska żona.

46

Waszyngton

Dziesięć minut wcześniej, gdy temperatura w sali posiedzeń Izby Reprezentantów spadła do szesnastu stopni Celsjusza, Collier otworzył drzwi i przywołał jednego z pilnujących ich agentów Secret Service.

– Chyba powinien pan wezwać agentkę specjalną Klotz. Mamy problem z kontrolą temperatury.

Agent skinął głową i wywołał Shanelle Klotz przez mikrofon na rękawie.

Kiedy agentka zjawiła się w sterowni, Wilmot wyjaśnił, że awaria ogrzewania okazała się poważniejsza, niż przypuszczali, a sala posiedzeń za godzinę będzie przypominać chłodnię.

– Czego potrzebujecie, żeby to naprawić?

– Muszę sprawdzić panel kontrolny w korytarzu. John będzie wprowadzał dane do urządzenia sterującego. Uznałem, że będzie pani wolała być tutaj, kiedy wyjdę.

Agentka Klotz skinęła głową i wychyliła się przez drzwi.

– Pan Wilmot wychodzi. Ja będę w środku.

– Tak jest – odparł jeden z agentów.

Wilmot wziął woltomierz i wyszedł na zewnątrz. Kiedy drzwi zamknęły się za nim, rozejrzał się po korytarzu. Oprócz niego i agenta Secret Service nie było tam nikogo.

– Tędy, kolego – powiedział, wskazując na lewo. – Idziesz ze mną, jak sądzę?

– Zgadza się, sir – potwierdził agent.

Wilmot ruszył przed siebie.

– Szlag, to nie ten panel – powiedział, odwracając się gwałtownie.

Znajdował się teraz na odległość wyciągniętej ręki od agenta. Udał, że się potyka i wyciągnął dłoń, żeby się o niego podeprzeć. Urządzenie w jego dłoni na pierwszy rzut oka wyglądało jak zwykły woltomierz, ale w rzeczywistości było paralizatorem. Zwykły paralizator emituje prąd pod napięciem pięćdziesięciu tysięcy woltów i natężeniu zaledwie dziesięciu miliamperów. Urządzenie, które miał w ręku, zawierało jednak zmodyfikowany kondensator i transformator, wytwarzający prąd o natężeniu około trzech amperów.

Wilmot przytknął niewidoczne końcówki woltomierza do klatki piersiowej agenta i wcisnął przycisk, wyładowując całą zawartość kondensatora. Natężenie ładunku, wystarczające nawet do włączenia tostera, błyskawicznie zatrzymało akcję serca.

Ciało agenta przeszył wstrząs tak gwałtowny, że cisnął nim o ścianę. Rozległ się dźwięk, jakby rozcinano maczetą skorupę orzecha kokosowego. Agent zginął, zanim jego ciało zwaliło się na podłogę. Wilmot wyciągnął sig-sauera z kabury pod jego marynarką, złapał go za jedną nogę i dociągnął do drzwi sterowni. Następnie zapukał.

Kiedy agentka Klotz otworzyła drzwi, Wilmot chwycił ją za gardło i wepchnął do sterowni, przyciskając lufę siga do jej twarzy.

Kartoteka Shanelle Klotz, którą Wilmot przestudiował bardzo uważnie, twierdziła, że agentka przeszła intensywne szkolenie z samoobrony, któremu poddawano wszystkich członków Secret Service. Ale Wilmot był od niej o ponad trzydzieści centymetrów wyższy i prawie sześćdziesiąt kilogramów cięższy.

Zanim zdążyła krzyknąć lub sięgnąć po broń, Collier rozbroił ją i zakleił jej usta taśmą. W tym czasie Wilmot wciągnął do sterowni ciało martwego agenta. Shanelle szarpnęła się w uścisku Colliera, próbując się uwolnić, ale po chwili drzwi się zamknęły i znów przed jej twarzą znalazła się lufa pistoletu Wilmota.

– Gdybyśmy chcieli panią zabić – powiedział do niej – to już by pani nie żyła. Dlatego teraz najlepiej będzie, jak się pani uspokoi i wysłucha naszego planu.

Shanelle szamotała się, gdy Wilmot unieruchamiał jej nadgarstki plastikowymi więzami. Szybko jednak uświadomiła sobie, że próby uwolnienia są bezcelowe i się uspokoiła. Wilmot wiedział jednak, że się nie poddała. Po prostu chwilowo oszczędzała energię i analizowała sytuację. Z jej oczu wciąż biła wściekłość. Wilmot się uśmiechnął. Agentka Klotz coraz bardziej mu się podobała.

– Teraz zadzwonimy do pani domu. – powiedział. – Jeżeli będzie pani się stawiać, pani córeczki spotka coś bardzo nieprzyjemnego.

Oczy Shanelle się rozszerzyły. Wilmot wiedział, że trafił celnie. Przygotowując się do tej operacji, wydał niebagatelną sumę na prywatnych detektywów. Dokładnie zapoznał się z profilem psychologicznym agentki Klotz i wybrał ją właśnie dlatego, że miała małe dzieci.

Collier odpiął telefon komórkowy od paska Shanelle i podłączył go do cienkiego przewodu, wpiętego z drugiej strony w złącze USB urządzenia sterującego systemem HVAC.

– Zdajemy sobie sprawę, że na czas orędzia o stanie państwa Secret Service zagłusza wszystkie częstotliwości komórkowe na Kapitolu – powiedział Wilmot. – Ale połączenie kablowe z komputerem diagnostycznym w National Heat & Air działa bez zarzutu. Nasz kabel jest jednym z bezpiecznych połączeń komunikacyjnych, łączących Kapitol z zabezpieczoną rządową siecią szkieletową. Dzięki temu możemy wykonywać połączenia wychodzące na tej linii, posługując się identyfikatorem karty SIM w pani telefonie. Mój przyjaciel John mógłby zanudzić panią na śmierć szczegółami technicznymi, ale generalnie chodzi o to, że osoba, która odbierze, zobaczy w swoim telefonie pani nazwisko.

Collier wpisał hasło bezpieczeństwa do komórki Shanelle.

– O ile sobie przypominam, numer domowy ma pani zapisany pod dwójką.

Przytrzymał klawisz telefonu. Kiedy odezwał się sygnał, przełączył na głośnik i przystawił komórkę do twarzy agentki Klotz.

Po trzech sygnałach odezwał się przestraszony męski głos:

– Kochanie? To ty?

– Dzień dobry, doktorze Klotz – przywitał się Wilmot. – Pańska żona jest tuż obok. W tej chwili ma usta zaklejone taśmą i jest unieruchomiona, ale bardzo uważnie nas słucha. Proszę, żeby przedstawił jej pan szczerze i otwarcie, jak wygląda pańska sytuacja.

Wilmot słyszał gwałtowny, niemal histeryczny oddech męża agentki.

– Kochanie? Jesteś tam? W domu… w domu jest dwóch mężczyzn i kobieta. Są uzbrojeni, nie tylko w broń palną. Mają plastyczne materiały wybuchowe i inne rzeczy. W jakiś sposób obeszli alarm, więc policja o niczym nie wie. Oni są… To znaczy, oni nie żartują.

Na twarzy Shanelle Klotz malowała się furia. W jej oczach odbijał się strach i gniew.

Wilmot przyłożył palec do ust.

– Proszę z nim porozmawiać, agentko Klotz – powiedział. – Tylko proszę pamiętać, że jeśli spróbuje pani stawiać opór, mąż i córki zginą.

Collier zerwał taśmę z ust Shanelle.

– Nathan – powiedziała agentka słabo. – Przecież wiesz, że nie mogę… – Nie była w stanie dokończyć zdania.

– Kochanie, błagam cię! Rób, co ci każą! – Głos doktora Klotza był piskliwy i drżący. – Oni mają nasze dziewczynki.

Shanelle Klotz wbiła wzrok w ścianę naprzeciwko. Jej twarz pozostała niewzruszona, ale po policzkach zaczęły spływać łzy.

– Agentko Klotz, chcemy tylko, żeby otworzyła pani dla nas drzwi – powiedział Wilmot.

Shanelle milczała przez kilka sekund.

– Nie mogę, Nathan – powiedziała w końcu. – Złożyłam przysięgę.

Wilmot był zdumiony. Jego syn był dla niego największym skarbem. Nie potrafił zrozumieć, jak matka mogła tak swobodnie poświęcić życie własnych dzieci. W ogóle nie brał pod uwagę ewentualności, że Shanelle Klotz mogłaby nie zgodzić się na jego żądania, żeby chronić życie córek. Po to właśnie ją wybrał. A orędzie prezydenta Wade'a zaczynało się za godzinę i czterdzieści minut.

W salonie domu Klotzów Tillman z pewnym zaskoczeniem patrzył, jak Lorene Verhoven gwałtownie podnosi się z kanapy. Wyglądała jak żywy trup, ale w jej oczach wciąż widniał błysk szaleństwa.

Powoli podeszła do męża, wyjęła mu słuchawkę z ręki i wyłączyła głośnik. Wzięła za rękę młodszą córkę Klotzów.

– Cześć, skarbie – powiedziała, uśmiechając się do dziewczynki. – Jak ci na imię?

– Wendy.

– Wendy. Ładnie. – Lorene mówiła głośnym szeptem. – Tak jak ta dziewczynka z „Piotrusia Pana", która zawsze wszystkimi się opiekowała. Opiekujesz się swoimi lalkami?

Dziewczynka kiwnęła główką.

– A czy twoja mama opiekuje się tobą tak, jak ty opiekujesz się lalkami?

– Tak.

Lorene mocniej ścisnęła rączkę dziewczynki.

– Chodź ze mną na chwilę, skarbie. Porozmawiamy sobie z mamą, dobrze? Pójdziemy sobie od tych paskudnych panów z pistoletami. Co ty na to?

Dziewczynka zerknęła na ojca. Doktor Klotz zerknął na Tillmana, który skinął głową. Klotz kiwnął głową córce, która się uśmiechnęła. Tata się zgadzał, więc wszystko było w porządku.

Tillman nie przypominał sobie, żeby jako dziecko był tak ufny. Jeżeli kiedyś tak było, to chyba bardzo dawno temu.

– Pomożesz mi iść, skarbie? – zapytała Lorene. – Bo samej nie bardzo mi to chwilowo wychodzi.

– Tak.

– Dziękuję, skarbie.

Lorene i Wendy powoli skierowały się ku schodom. Drobna rączka dziewczynki otaczała biodra Lorene. Weszły na górę i zniknęły.

„Boże," modlił się w duchu Tillman, „Nie pozwól, żeby tej małej stała się krzywda".

Kobieta po drugiej stronie linii odezwała się dopiero po pewnym czasie.

– Dzień dobry, agentko Klotz.

Wilmot nigdy wcześniej nie słyszał tej kobiety, ale był pewien, że to żona Verhovena.

Shanelle Klotz wpatrywała się w telefon w dłoni Colliera ze strachem, jakby to był jadowity wąż.

– Dzień dobry – powiedziała cicho.

– Nazywam się Lorene Verhoven – mówiła kobieta. – W każdym razie teraz mam tak na imię. Moja matka nazwała mnie Alice. Jest ze mną mała Wendy. Widzę po jej ślicznej twarzyczce, że bardzo ufa swojej mamie.

Drżące dłonie Shanelle zacisnęły się w pięści, ale agentka milczała.

– Dawno temu zmieniłam imię, które nadała mi matka. Widzi pani, ja nigdy nie ufałam swojej matce. Była dziwką. Nie mam jej tego za złe, po prostu tak było. Miała ciężkie życie. Mężczyźni przychodzili do niej i mówili jej straszne rzeczy. Robili jej straszne rzeczy, a ona... po prostu to znosiła. Nigdy się nie użalała. Ale kiedy mężczyźni odchodzili, kiedy drzwi były zamknięte i moja matka czuła się bezpiecznie... Wtedy jej ból i gniew wychodziły z cienia. To, co matka mi robiła, kiedy byłyśmy same za zamkniętymi drzwiami... Mogłabym pani o tym opowiedzieć, ale wolałabym, żeby pani córeczka tego nie słyszała.

Wilmot usłyszał, jak Lorene bierze głęboki wdech.

– Macierzyństwo to wielka odpowiedzialność – mówiła dalej. – Szczerze mówiąc, nigdy nie ufałam sobie na tyle, żeby zostać matką. Wiem, do czego jestem zdolna. Naprawdę. Noże, drzazgi, papierosy, młotki, pinezki, potłuczone szkło... Zdziwiłaby się pani, ile bólu można zadać zwykłymi przedmiotami.

Lorene westchnęła.

– Wendy, kochanie, jakie ty masz śliczne włosy. Bardzo mi się podobają. Są takie miękkie i puszyste.

– Dlaczego pani płacze, proszę pani? – odezwał się cieniutki głosik.

– Wszystko w porządku, skarbie – odparła Lorene. – Nie martw się o mnie. Nic mi nie będzie.

Z gardła Shanelle Klotz wydobył się stłumiony jęk.

– Nie! – zachrypiała. – Nie waż się...

– Do rzeczy – przerwała jej Lorene, której głos nagle stwardniał. – Powiedziałam pani, jak się nazywam. Rozumie pani, co to znaczy, agentko Klotz? Pogodziłam się ze swoim losem. Mój mąż to wizjoner, a ja jestem tylko trybikiem w jego wielkim przedsięwzięciu. Dziś mam szansę dokonać czegoś, co przejdzie do historii, czegoś, czego nigdy nie zdołałabym zrobić sama. Ten dzień to kulminacja mojego nieistotnego życia. Dlatego nie obawiam się, że pani córka może mnie rozpoznać na policyjnym zdjęciu. Nie obchodzi mnie to, że zna moje nazwisko. Nie musi milczeć. Dotarliśmy do punktu, w którym nie musimy już kryć się w cieniu. Kiedy to wszystko się skończy, nic nie sprawiłoby mi większej radości, niż gdyby ta mała dziewczynka mogła wyjść z tego domu tak samo czysta, niewinna i pełna życia, jak była jeszcze wczoraj. Ale wszyscy mamy do odegrania swoją rolę. Jej rola nie została jeszcze napisana. I może równie dobrze być bardzo bolesna, bardzo okrutna i bardzo krótka. Mój los jest już przypieczętowany, ale los pani córki spoczywa w pani rękach.

– Ty zdziro – zasyczała Shanelle Klotz. – Nie waż się skrzywdzić mojego dziecka.

Lorene wymownie milczała.

A potem rozległ się głośny, dziecięcy pisk.

– Au! – zawołała Wendy. – Co mi pani zrobiła w rękę?

– Jeszcze nic, skarbie – odparła cicho Lorene. – Jeszcze nawet nie zaczęłam.

I wtedy wyparowały resztki silnej woli agentki specjalnej Shanelle Klotz. Jej ciało zwiotczało, a na twarzy pojawił się w końcu strach.

– Dobrze – wyszeptała Shanelle. – Zrobię, co chcecie. Tylko nie krzywdźcie moich córek.

Tillman usłyszał krzyk dziewczynki i popędził ku schodom. Zanim jednak dobiegł na górę, Lorene i Wendy pojawiły się ponownie, trzymając się za ręce. Makijaż Lorene spływał czarną smugą po jej twarzy.

– Przepraszam – wyszeptała do dziewczynki. – Nie chciałam ścisnąć cię tak mocno.

– W porządku – odparła Wendy, ocierając łzy z twarzy Lorene. – Wiem, że pani nie chciała.

Lorene pocałowała ją w czubek głowy.

– Jesteś kochana.

Tillman opuścił lufę strzelby i się cofnął.

Lorene zeszła ze schodów i triumfalnym gestem uniosła telefon. Na jej twarzy widniał dziwny uśmiech.

– Załatwione.

47

Waszyngton

Secret Service jest organizacją, która paranoję uznaje za cnotę. Agenci rozważają między innymi możliwość, że zamachowcy podczas orędzia o stanie państwa mogą: a) mieć na sobie ubranie z materiałów wybuchowych, b) wnieść na salę plastikową lub ceramiczną broń palną ukrytą w odbycie, c) być uzbrojeni w noże wykonane w całości ze szkła lub obsydianu, d) mieć wybuchowe rozruszniki serca, które po eksplozji zasypałyby zebranych gości strontem 90, cezem 137, kobaltem 60, a być może również plutonem 239. Każdy, kto nosi rozrusznik serca i wybiera się na orędzie o stanie państwa, musi być przygotowany na to, że Secret Service zażąda od niego podania nazwiska lekarza prowadzącego, nazwy producenta, modelu i numeru seryjnego rozrusznika na co najmniej dwa tygodnie przed orędziem. I jest to standardowa procedura bezpieczeństwa.

Dlatego też Secret Service zwróciła uwagę, że system ogrzewania Kapitolu jest doskonałym narzędziem do rozpylenia trującego gazu lub materiałów radioaktywnych w pomieszczeniu, w którym przebywa jednocześnie około sześciuset najważniejszych osób w Stanach Zjednoczonych.

Na każde potencjalne zagrożenie, mogące zakłócić ważne wydarzenia państwowe, Secret Service ma opracowany pisemny protokół. W kartotece w siedzibie głównej służby znajduje się na przykład trzynastostronicowy dokument, zawierający szczegółową procedurę zapobiegania atakowi terrorystycznemu z użyciem radioaktywnego rozrusznika serca. Protokoły opracowane przez Secret Service to setki dokumentów. Na wypadek ataku za pośrednictwem systemu klimatyzacji i ogrzewania sporządzono dokument zawierający trzydzieści jeden tak zwanych czynności operacyjnych, w tym precyzyjnie zapisane przydziały do zespołów reagowania, z czego siedemnaście czynności znajduje się na „Protokole prewencyjnym", a czternaście na „Protokole reakcji". Czynność operacyjna numer jedenaście „Protokołu prewencyjnego" przewiduje, że każda osoba wchodząca do pomieszczenia zapewniającego dostęp do pieca gazowego i dmuchaw musi uzyskać upoważnienie od agenta dowodzącego zespołem zabezpieczenia. Ponadto, każdemu technikowi wchodzącemu do pomieszczenia technicznego systemu HVAC musi towarzyszyć dwóch uzbrojonych strażników. Jeżeli do systemu ma zostać podłączony jakikolwiek gaz pod ciśnieniem, protokół nakazuje poddanie zbiornika z gazem dodatkowej kontroli przez wyznaczonego specjalistę, pod nadzorem eksperta od zabezpieczenia obiektów – którym w tym wypadku była agentka specjalna Shanelle Klotz.

– Zanim wejdziemy do pomieszczenia technicznego, powtórzymy sobie nasz protokół działania – powiedział Wilmot. – Oto, co zrobimy…

Trzy minuty później stanęli przed drzwiami, gdzie czekało na nich dwóch agentów.

Shanelle skinęła im krótko głową.

– Jeden wchodzi z nami, drugi zostaje na zewnątrz – poleciła.

Jeden z agentów podążył za nimi do środka. Wilmot odczekał, aż drzwi się zamkną, po czym uderzył agenta kluczem francuskim w głowę. Agent padł nieprzytomny na podłogę. Collier sprawnie zakleił mu usta taśmą i unieruchomił plastikowymi więzami.

– Mówiliście, że nie zrobicie mu krzywdy – zaprotestowała agentka Klotz.

– Kłamaliśmy – odparł Wilmot.

Collier zerknął na zegarek.

– Pięćdziesiąt trzy minuty.

– Wyjdź na zewnątrz i powiedz temu drugiemu, że wszystko jest w porządku i może wrócić do swoich zadań.

Shanelle otworzyła drzwi.

– Wszystko gra. Wracaj na stanowisko.

– Tak jest. – Potężny agent w szarym garniturze zniknął w korytarzu.

– Agentko Klotz – powiedział Wilmot. – Chciałbym, żeby nie miała pani żadnych wątpliwości co do tego, czego tu od pani oczekujemy. Znamy wszystkie zwroty bezpieczeństwa, hasła, procedury uwierzytelniające, hierarchię dowodzenia – innymi słowy, Secret Service nie ma przed nami tajemnic. Wiemy, że jeśli dziś użyje pani zwrotu „kurs kolizyjny" w rozmowie z innym agentem, to zasygnalizuje mu pani, że szykuje się atak na prezydenta. Dlatego jeśli nie chce pani, żeby ta psychopatka Lorene Verhoven zrobiła coś Wendy, proponuję starannie unikać tych słów.

Wilmot rzeczywiście dysponował szeroką wiedzą o procedurach obowiązujących w Secret Service, ale twierdzenie, że ochrona prezydenta nie ma przed nim tajemnic, było grubą przesadą. Kluczem do zmuszenia Shanelle Klotz do współpracy były jednak szczegóły takie, jak zwrot „kurs kolizyjny", dzięki którym sprawiał wrażenie, że istotnie wie wszystko o procedurach bezpieczeństwa. Im bardziej agentka Klotz w to uwierzy, tym mniejsze prawdopodobieństwo, że zrobi coś głupiego.

– W takim razie wiecie, że musimy przeprowadzić ostatnią kontrolę tych zbiorników z… Co tam właściwie macie? Gaz paralityczno-drgawkowy? Cyklon B?

– Żeby nie było wątpliwości co do naszych intencji – odparł Wilmot – informuję panią, że nasze działania stanowią akt obywatelskiego protestu. W kanistrach znajduje się CS. Jestem pewien, że wie pani, co to jest.

– Gaz łzawiący.

– Owszem, tak się go powszechnie nazywa. Natomiast w rzeczywistości wywołuje wymioty.

– Czyli nie chcecie nikogo zabić?

Wilmot pokręcił głową.

– Ten rząd wymknął się spod jakiejkolwiek kontroli. Uważamy, że potrzebny jest wstrząs na masową skalę, a to, co robimy dzisiaj, pokaże dobitnie, jak słabe i podatne na atak są władze naszego narodu. Ale nie jesteśmy mordercami. Nie musi pani rozstrzygać etycznego dylematu, czy poświęcić życie własnych córek, żeby ocalić tych kilkuset skorumpowanych dygnitarzy. Ofiara pani męża i dzieci poszłaby na marne.

Wilmot nie miał pewności, czy agentka uwierzy w jego kłamstwo, ale warto było spróbować. Jeżeli udałoby się mu ją przekonać, że w rzeczywistości nie chcą nikogo skrzywdzić, wówczas istniała szansa, że agentka Klotz nie będzie próbowała powstrzymać ich za wszelką cenę. A przynajmniej zastanowi się nad tym o minutę dłużej. A ta minuta mogła mieć decydujące znaczenie dla powodzenia lub klęski jego planu.

– Jakoś trudno mi w to uwierzyć – powiedziała Shanelle.

– Tak, no cóż, mam gdzieś to, czy pani mi wierzy – odparł. – Proszę wezwać faceta z K9. Miejmy to już za sobą.

Klotz odezwała się do mikrofonu na rękawie.

– Pięćdziesiąt jeden minut – oznajmił Collier.

48

Tysons Corner, Wirginia

Załatwione – powiedziała Lorene, po czym zachwiała się i złapała kurczowo poręczy schodów. Telefon wysunął jej się z ręki. Kobieta oparła się o ścianę i osunęła, pozostawiając krwawą smugę na kremowej farbie.

Verhoven rzucił się w jej stronę.

– Lorene! – wrzasnął. – Lorene!

Głowa jego żony opadła na piersi.

– Lorene!

Z ust kobiety wydobył się cichy, chrapliwy dźwięk. Tillman słyszał go już wcześniej. Oznaczał, że Lorene umrze, jeżeli nie otrzyma natychmiastowej pomocy.

Zabiegi doktora Klotza okazały się niewystarczające. Kroplówka na krótko napełniła Lorene energią, która jednak szybko wyparowała. Żona Verhovena znajdowała się w stanie krytycznym.

Pułkownik uklęknął przy żonie i potrząsał nią rozpaczliwie. Nie reagowała. Twarz Verhovena stężała, a w jego oczach pojawił się błysk, który powiedział Tillmanowi, że sprawy zmierzają w złym kierunku. Bardzo złym.

– Coś ty jej zrobił?! – ryknął pułkownik do Klotza. – Coś ty jej, do cholery, zrobił?!

– Tylko spokojnie. – Tillman przytrzymał Verhovena za ramię. – Obaj go obserwowaliśmy. Nie zrobił jej nic złego. Podał jej tylko cukier i sól fizjologiczną. Lorene jest słaba. Za chwilę dostanie wstrząsu, musimy ją położyć i...

Verhoven uniósł lufę swojego AR-15 i skierował ją na doktora Klotza.

Na twarzy pułkownika furia mieszała się z rozpaczą. Tillman wiedział, że Verhoven wyładuje swoją wściekłość na najbliższym dostępnym obiekcie, którym w tym wypadku był bezbronny doktor.

Tillman wciąż nie znał dokładnego miejsca ani nawet formy zamachu, wiedział jednak, że agentka Secret Service Shanelle Klotz została zmuszona do czegoś, co umożliwi spiskowcom realizację planu. Jeżeli uda mu się dowiedzieć, jaki przydział ma agentka, razem z Gideonem będą mogli powstrzymać zamachowców.

Krótko mówiąc, wciąż wiedział za mało, ale to musiało wystarczyć. Nie było już czasu na rozważanie innych możliwości.

Tillman strzelił z bliska do Verhovena, przeładował i strzelił ponownie.

Strzelba Winchester 870 wyrwała w ciele pułkownika dwie pokaźne dziury, przez które widoczne były teraz sinobłękitne trzewia. Verhoven zatoczył się i przewrócił na plecy jak marionetka, której ucięto sznurki.

Huk wystrzałów zbudził Lorene, która usiadła i rozejrzała się ze zdziwieniem. Dopiero po chwili dotarło do niej, co widzi – ciało męża na podłodze i smużkę dymu z lufy strzelby Tillmana.

Błyskawicznie sięgnęła po swojego glocka.

– Ty skurwysynu! Ty zakłamany fiucie! – wrzasnęła. – Zdradziłeś nas!

– Ani przez moment nie byłem po waszej stronie – odparł spokojnie Tillman.

Lorene usiłowała wydobyć broń, ale ponieważ opierała się plecami o poręcz schodów, nie zdołała wyszarpnąć pistoletu z kabury.

– Nie rób tego – powiedział Tillman, ładując do strzelby kolejne dwa pociski na jelenie. – Lorene, nie zmuszaj mnie, żebym cię zabił.

Szeroko otwarte oczy wpatrywały się z dziką furią w Tillmana. Lorene w końcu wydobyła glocka i na jej twarz wypłynął maniakalny uśmiech. Wiedziała, że nie ma szans w tym starciu, ale w jakiś sposób to ją chyba ucieszyło. Sama powiedziała, że ten dzień był kulminacją jej smutnego życia.

– Nie rób tego – powtórzył Tillman.

Lorene powoli dźwignęła się na nogi, roześmiała szaleńczo i wycelowała glocka.

Tillman pociągnął za spust, przeładował, strzelił, znowu przeładował i znowu strzelił.

To, co zostało z Lorene Verhoven, osunęło się na schody. Jej koszula zahaczyła o wystający fragment poręczy i się rozerwała. Lorene upadła twarzą w dół, odsłaniając nagie plecy. Były pokryte licznymi bliznami. Widniały tam ślady po cięciach, przypalaniu i wielokrotnym biciu. Smutna mapa utraconego dzieciństwa.

– Chodź – zwrócił się Tillman do doktora. – Musimy zabrać stąd twoje córki.

Klotz stał jak wmurowany. Drgnął dopiero, gdy Tillman dźgnął go lufą winchestera. A potem złapał obie dziewczynki i rzucił się w stronę drzwi.

Gideon aż podskoczył, gdy usłyszał w słuchawce strzały. Naprędce przykuł funkcjonariusza Millwooda do kierownicy i wyskoczył z samochodu. Zanim dotarł do drzwi, Tillman, Klotz i obie dziewczynki znaleźli się już na zewnątrz.

– Gdzie Verhoven? – zapytał Gideon.

– Nie żyje – odparł Tillman. – Lorene też.

– Z tobą wszystko w porządku? Z doktorem? Dziewczynki?

– Wszyscy cali. Musimy jechać na Kapitol.

– Najpierw to zgłosimy. Mamy świadka. Klotz poświadczy nasze słowa.

Doktor wpatrywał się w nich w milczeniu. Jego córki kurczowo trzymały się nogawek spodni ojca.

– Nie możemy czekać, aż biurokraci raczą ruszyć dupę – warknął Tillman. – Zanim zbiorą nasze zeznania, prezydent, wiceprezydent i większość członków parlamentu będzie martwa.

– Możemy przynajmniej przekazać im informacje.

– Gideon, ty ciągle myślisz jak negocjator. To zajmie kilka godzin. Sądzisz, że nam uwierzą? Że Dahlgren nam uwierzy? Albo Wade? – Tillman wypowiedział nazwisko prezydenta z obrzydzeniem, jakby wypluwał zepsuty owoc.

Gideon wiedział, że jego brat ma rację. Nawet jeśli mieliby dość czasu – a nie mieli – musieliby przebić się przez mur antypatii i podejrzliwości wicedyrektora FBI. Dahlgren nie będzie chciał ich słuchać i zrobi wszystko, co w jego mocy, żeby im przeszkodzić. Wciąż brakowało im informacji o zamachu, więc zostawało tylko jedno wyjście. Gideon odwrócił się do Klotza.

– Musi dać nam pan czas, żebyśmy zdążyli dostać się do środka. Zrobi to pan dla nas, doktorze?

Klotz zacisnął wargi i skinął głową.

– Proszę nam to obiecać.

– Obiecuję.

– Gliny zjawią się tu lada chwila. Proszę im powiedzieć, że to był napad rabunkowy, a napastników załatwił prywatny ochroniarz, który pojechał do miasta złożyć raport.

Klotz ponownie skinął głową.

– Mam prośbę – powiedział. – Jeżeli zobaczycie moją żonę, powiedzcie jej, że nic nam nie jest.

– Oczywiście.

Tillman uścisnął dłoń doktora, po czym wraz z Gideonem poszli do samochodu. Funkcjonariusz Millwood w milczeniu siedział przykuty do kierownicy.

– Widzę, że się nie nudziłeś – skomentował Tillman.

– Długa historia – odparł Gideon, rozpinając kajdanki policjantowi. – Co pan powie na przejażdżkę waszyngtońskim metrem, panie Millwood?

49

Priest River, Idaho

Był już prawie kwadrans po piątej, gdy Nancy Clement zobaczyła w oddali dom. Buldożer od dwóch godzin toczył się powoli po krętej drodze i przez cały ten czas Nancy nie widziała ani jednego zabudowania, ani samochodu. I wciąż nie miała sygnału w komórce. Bak buldożera był już prawie pusty.

Miała nadzieję, że mieszkańcy tego domu pomogą jej skontaktować się z kimś w Waszyngtonie. Caterpillar D4 poruszał się tak powoli, że czasami miała wrażenie, że jedzie w tył.

– Halo! – zawołała. – Halo, jest tu kto?

Odpowiedzi nie było. Nancy zorientowała się, że wciąż znajduje się w sporej odległości od domu. Na zakrętach budynek co chwilę chował się za drzewami.

– Halo! – zawołała ponownie.

Dostrzegła ruch na podwórzu. Jakiś mężczyzna. Podjechała bliżej i dojrzała siekierę. Rąbał drewno.

Na dźwięk silnika buldożera mężczyzna odłożył siekierę i niespiesznym krokiem ruszył w jej kierunku.

Kiedy Nancy znalazła się tuż przed nim, wcisnęła pedał hamulca i wyłączyła silnik.

– Przejażdżka zimową porą? – zapytał mężczyzna.

– Ma pan telefon?

– Linie są zerwane.

– A internet?

Mężczyzna spojrzał na nią tak, jakby zapytała, czy jest kosmitą.

– Internet? – powtórzyła. – Ma pan dostęp do internetu?

Mężczyzna nadal patrzył na nią ze zdziwieniem. Nancy spojrzała na siekierę, potem na nieduży domek pokryty łuszczącą się farbą, na wpół zawaloną werandę, poobijaną półciężarówkę i zbity z nieheblowanych desek kurnik. Ogarnęła ją rozpacz. Internet? Cholera, będzie dobrze, jeśli ten facet w ogóle wie, co to jest komputer.

– Internet? – spytała po raz drugi słabym głosem.

– Jasne, że mam internet – odparł mężczyzna, rzucając siekierę na stos porąbanych kloców drewna. – Kto dziś nie ma internetu?

Jak się okazało, mężczyzna nie był prostym rolnikiem, tylko informatykiem z Boise, który kupił farmę jako letni dom, a potem przeprowadził się tu dla oszczędności po tym, jak zwolniono go z pracy w ubiegłym roku. Nazywał się Hank Adams i był zagorzałym miłośnikiem „Z archiwum X" oraz innych seriali, książek i filmów poświęconych najróżniejszym teoriom spiskowym. Nie miał stałego łącza, ale na dachu zainstalował sporą antenę satelitarną, odbierającą jego ulubione kanały w telewizji i zapewniającą dostęp do sieci. Bardzo podekscytował się, kiedy Nancy naświetliła mu sytuację.

Po kilku minutach siedziała już przed olbrzymim monitorem nowiutkiego iMaca, logując się na należące do Hanka konto Skype. Wpisała numer telefonu na kartę, który dał jej Gideon.

– Gideon? – zapytała, kiedy połączenie zostało odebrane.

– Zastanawiałem się, co się z tobą stało. Wszystko w porządku?

– Gaz – powiedziała szybko. – Zamierzają rozpylić trujący gaz. Chyba cyjanowodór. Ale wciąż nie wiem, kto ma być celem.

– Orędzie o stanie państwa – odparł Gideon. – Właśnie jedziemy z Tillmanem na Kapitol.

Nancy poczuła narastające przerażenie.

– Za wszystkim stoi niejaki Dale Wilmot – powiedziała po dłuższej chwili. – W Idaho zbudował fabrykę, w której produkuje to cholerstwo z jakichś bulw. Cyjanowodór paruje w temperaturze 21,1 stopni Celsjusza. Mogą przemycić go na Kapitol w postaci płynu, a kiedy go rozpylą albo rozleją, natychmiast wyparuje.

– Zakładając, że temperatura otoczenia będzie wyższa.

– Zgadza się.

– W Waszyngtonie mamy dzisiaj 24 stopnie.

Nancy poczuła złość na samą siebie. Jakim cudem mogła to przeoczyć? Wciąż brakowało jej jeszcze jednego kawałka układanki.

– Musieli wymyślić jakiś sposób, żeby go rozpylić. Trzeba skontaktować się z Secret Service. Spotkamy się z nimi w budynku Rayburna.

– Nie. Dahlgren już im powiedział, że ja jestem wariatem, a ty zawieszoną agentką, która wymyśliła sobie zamach terrorystyczny na terytorium USA. Nie będą chcieli nas słuchać. Jesteśmy sami. Posłuchaj, oto czego się dowiedzieliśmy: Verhoven i Lorene przetrzymywali jako zakładników rodzinę agentki Secret Service, niejakiej Shanelle Klotz. Kazali jej otworzyć jakieś drzwi, grożąc, że zabiją jej męża i dzieci. Prawdopodobnie Klotz wciąż jest z nimi. Jeżeli dowiemy się, jaki ma przydział podczas orędzia, być może uda nam się ich powstrzymać.

– Daj mi chwilę, mam pewien pomysł.

– Pospiesz się. Jedziemy właśnie międzystanową 66. Będziemy w Waszyngtonie za jakieś dziesięć minut. Jeżeli Secret Service nie będzie chciało nam pomóc, wejdziemy na Kapitol sami.

– Będzie wam potrzebna moja pomoc.

– Oddzwonię do ciebie, dobra? Postaraj się po prostu dowiedzieć, gdzie mogą być Wilmot i Collier.

Połączenie zostało przerwane. Na monitorze wyświetliło się biało-niebieskie logo systemu Skype.

– Może chcą wykorzystać przewody grzewcze?

Nancy się odwróciła.

– Jakie przewody?

Hank Adams stał nad nią i patrzył wyczekująco.

– Przysłuchiwałem się – powiedział. – Wiemy, że cyjanowodór paruje w temperaturze 21,1 stopnia. Jeżeli wprowadzimy go przez nagrzewnicę, podgrzeje się mniej więcej do 38 stopni, utrzyma temperaturę, przechodząc przez cały system ogrzewania, i trafi do wszystkich pomieszczeń w budynku. W ten sposób można rozpylić bardzo dużo gazu.

Nancy zamyśliła się, mrużąc oczy w świetle monitora.

– Dobra, ale najpierw ci dwaj muszą w ogóle dostać się na Kapitol i do systemu ogrzewania. Jak mieliby to zrobić?

Hank sięgnął do klawiatury i zaczął stukać w klawisze. Nancy zauważyła, że pachniał dymem i wodą kolońską. Był to całkiem przyjemny zapach.

– Słyszałaś kiedyś o wynalazku zwanym Google? – zapytał ze złośliwym uśmiechem.

Na monitorze wyświetliły się wyniki wyszukiwania. Nancy przeczytała pierwszy z nich:

> KOMUNIKAT PRASOWY: National Heat & Air, spółka zależna Wilmot Industries, otrzymała w tym roku kontrakt na przebudowę przestarzałego systemu HVAC w jednym z najsłynniejszych gmachów Ameryki – Kapitolu. Budynek Kapitolu był przebudowywany już kilkukrotnie od momentu ukończenia…

– Zaraz, zaraz… – mruknęła Nancy.

I nagle zrozumiała, skąd w fabryce Wilmota w Idaho wziął się ten olbrzymi system wentylacyjny... I dlaczego pomieszczenie, w którym mieszkały robotnice, było tak obszerne. To poligon doświadczalny! Pomieszczenie i system wentylacyjny prawdopodobnie stanowiły dokładną kopię sali posiedzeń Izby Reprezentantów i obsługującego ją systemu HVAC. To dlatego unosił się tam zapach cyjanku. Przetestowali cyjanowodór na pracownicach, wprowadzając go do systemu ogrzewania. A potem patrzyli, jak te kobiety umierają.

Zrobiło jej się niedobrze.

Nancy wprawdzie została zawieszona i cofnięto jej dostęp do systemu komputerowego FBI, ale w każdym systemie znajdzie się jakiś słaby punkt i najczęściej jest nim człowiek. Dahlgren kiedyś podał jej swoje hasło, kiedy potrzebował szybko coś sprawdzić, będąc w terenie. Nancy była pewna, że nie przyszło mu do głowy go zmieniać.

Weszła na stronę internetową FBI i do sieci wewnętrznej Biura. Wpisała sekwencję logowania zdalnego. Kiedy pojawiło się żądanie, wprowadziła hasło Dahlgrena. Zadziałało bez zarzutu. Następnie zalogowała się do bazy VORTEX, analizującej miliony danych z sektora publicznego i prywatnego.

Po kilku minutach zlokalizowała agentkę specjalną Shanelle Klotz. Każdy agent Secret Service był wyposażony w radio z nadajnikiem GPS. Nancy nałożyła mapę Kapitolu na współrzędne z nadajników. Migoczące, czerwone kropki wskazywały pozycje wszystkich agentów. W polu filtra wpisała imię i nazwisko agentki. Jedna z kropek zmieniła kolor z czerwonej na niebieską.

Przybliżyła obraz. Agentka Klotz znajdowała się w biurze pełniącego obowiązki przewodniczącego Izby Reprezentantów. Po chwili jednak przyszło jej do głowy, że chyba patrzy na niewłaściwe piętro. Przełączyła na pierwszy poziom przyziemia. Teraz agentka Klotz przebywała w męskiej toalecie.

Spróbowała drugiego poziomu przyziemia.

Bingo! Agentka Klotz widoczna w pomieszczeniu technicznym systemu HVAC.

– Mam – wyszeptała Nancy.

– Teraz musisz tylko jakoś wprowadzić ich do środka – skomentował Hank.

Palce Nancy zaczęły śmigać po klawiaturze. Dziesięć minut. Miała dziesięć minut na opracowanie jakiegoś planu.

50

Waszyngton

Erik Wade, prezydent Stanów Zjednoczonych, skinął głową dowódcy swojej obstawy, starszemu agentowi Karlowi Utrechtowi.

– Jestem gotowy.

Utrecht z kolei skinął na swoich ludzi.

– Idziemy.

Jego zespół nie potrzebował instrukcji ani rozkazów. Każdy z agentów spędził setki godzin na szkoleniach, tysiące godzin w pracy i miał co najmniej dziesięcioletnie doświadczenie w ochronie wysoko postawionych funkcjonariuszy państwowych. Stanowili doskonale naoliwiony mechanizm.

Gdy prezydent opuścił Gabinet Owalny, agenci utworzyli wokół niego pierścień ochronny. Półgłosem wywoływali przez mikrofony swoich kolegów, rozmieszczonych przy windach, samochodach i drzwiach, sprawdzali korytarze i okna na wypadek potencjalnych zagrożeń, zabezpieczali narożniki i przejścia. Ochrona działała tak sprawnie, że prezydent Wade niemal nie zauważał ich obecności. Musiał zatrzymać się tylko na dwadzieścia trzy sekundy – tyle potrzebowała winda, żeby zjechać na parter.

Drzwi otwierały się przed nim, a strażnicy pojawiali się na chwilę i zaraz znikali. Przed głównym wejściem do Białego

Domu do prezydenta dołączyła jego żona Grace, włączając się w kawalkadę równie płynnie, jak samolot podczas pokazu akrobatycznego.

Przejście z Gabinetu Owalnego do drzwi limuzyny zajęło dokładnie jedną minutę i czterdzieści jeden sekund. Drzwi opancerzonego cadillaca otworzyły się i prezydent wsiadł. Po chwili podjechała druga limuzyna, służąca do zmylenia potencjalnego zamachowca. Wsiadł do niej agent podobny do prezydenta pod względem wzrostu i budowy.

Następnie konwój ruszył krętym podjazdem w kierunku wylotu na Pennsylvania Avenue.

Dokładnie w momencie, w którym prezydent Wade wyruszył w drogę do Kapitolu, woźny Izby Reprezentantów ogłosił przybycie Christine Harris, sędzi Sądu Najwyższego. Była prokurator generalna stanu Missouri i doświadczona polityk w drodze do swojego miejsca przystawała, by uścisnąć dłonie wszystkim członkom Kongresu.

– Jak nam idzie? – szepnął woźny Izby do swojego asystenta.

– Chryste, gdybyś postawił w tym przejściu gadającego psa, ta kobieta uścisnęłaby mu łapę – odparł asystent. – Mamy cztery i pół minuty opóźnienia.

– Wyjdź na zewnątrz i pogoń te marudy. Nie życzę sobie, żeby prezydent musiał czekać w limuzynie, jasne?

– Wysoka Izbo! – obwieścił po chwili woźny. – Przewodniczący Sądu Najwyższego Stanów Zjednoczonych, Edison Lockhardt.

Edison Lockhardt był nie tylko wybitnym wykładowcą prawa, ale także gubernatorem stanu New Jersey, który nie zamierzał ustępować ani na krok przed najbardziej liberalną ze swoich koleżanek ze składu Sądu Najwyższego. W rezultacie dotarcie do miejsca zajęło mu jeszcze więcej czasu niż Christine Harris, ponieważ postawił sobie za punkt honoru uściśnięcie większej liczby dłoni członków Kongresu.

Woźny patrzył na niego z nienawiścią. Jeżeli dalej tak pójdzie, cała uroczystość opóźni się o dobry kwadrans. Boże święty, jak on nienawidził polityków. Czasami zastanawiał się, czy nie popełnił koszmarnego błędu w wyborze kariery zawodowej.

– Wysoka Izbo! – zawołał. – Francis X. Dugan, sędzia…

51

Waszyngton

Funkcjonariusza Millwooda wysadzili przy stacji metra Foggy Bottom. Millwood obiecał, że nie zgłosi ich swoim przełożonym, ale nawet gdyby nie dotrzymał słowa, Gideon i Tillman zdążyliby znaleźć się pod Kapitolem, zanim Millwood zdołałby z kimkolwiek się skontaktować. Natomiast wejście do Kapitolu było zupełnie inną sprawą.

– Co teraz? – zapytał Tillman. – Ulica będzie całkowicie odcięta. Ci goście z Secret Service raczej nie bawią się w subtelności.

Jakby w odpowiedzi na jego pytanie rozdzwonił się telefon Gideona. Dzwoniła Nancy.

– Co dla nas masz?

– Tunele.

– Które tunele?

– Włamałam się do serwera Secret Service – wyjaśniła Nancy. – Czekają na was przepustki na parkingu podziemnym pod gmachem Russella. Obaj macie upoważnienie, ale tylko do wejścia w zewnętrzny pierścień. Gmach Russella jest połączony linią metra z Kapitolem. Są tam dwa tunele. Jeden przebudowany w latach sześćdziesiątych, którym jeździ kolejka i drugi wentylacyjno-mechaniczny nad nim. Właściwie to bardziej kanał niż tunel. Będziecie musieli trochę się poczołgać.

– Skoro możesz nas wprowadzić na parking, to czemu nie do samego Kapitolu?

– To nie działa w ten sposób. Upoważnienia wstępu do Kapitolu są udzielane z bezpiecznego komputera, niepodłączonego do sieci. Nie jestem w stanie się do niego dostać.

– Czyli będziemy musieli sami jakoś przedostać się przez punkty kontrolne?

– Tak – potwierdziła Nancy. – Agentka Klotz znajduje się w pomieszczeniu technicznym systemu HVAC, na poziomie minus dwa pod Kapitolem. Sądzę, że Wilmot i Collier spróbują wprowadzić płynny cyjanowodór do systemu ogrzewania. Zacznie parować i przedostanie się do pomieszczeń budynku przez wyloty grzewcze, zabijając wszystkich w środku. Nie wiem tylko, jak zamierzają się stamtąd wydostać.

– Nie zamierzają – powiedział Gideon. – Nie zdołają zrobić tego zdalnie, bo wszystkie częstotliwości radiowe są zablokowane.

To nie była dobra wiadomość. Najtrudniej jest powstrzymać ludzi, którzy zaplanowali swoją śmierć. Nie da się skutecznie negocjować z kimś, kto jest gotów poświęcić własne życie w imię sprawy, w którą wierzy.

– Kiedy dojedziecie do Kapitolu, nie będziemy mogli już się kontaktować – powiedziała Nancy. – Wprowadzę was do gmachu Russella, ale potem będziecie zdani na siebie.

– Jasne – potwierdził Gideon.

– Jest jeszcze coś, o czym powinieneś wiedzieć. – Nancy zawahała się, zerkając na telewizor z włączonym kanałem C-SPAN. – Twoja narzeczona jest w środku.

– Kate? – Gideon był w szoku. – Co ona tam, do cholery, robi?

– Zaprosił ją sekretarz spraw wewnętrznych.

Gideon wiedział, że Kate współpracowała z sekretarzem Fitzgeraldem w komisji poświęconej katastrofie platformy Deepwater, ale ta wiadomość go poraziła. Przyjmując zaproszenie na orędzie o stanie państwa, Kate znalazła się w epicentrum planowanego ataku. Ta świadomość wywołała u niego zimny dreszcz.

– Nancy, musisz ją stamtąd wyciągnąć.

– Nie mam jak się z nią skontaktować.

– Wymyśl coś. Musisz przecież kogoś tam znać. Podaj jej ten numer, niech do mnie zadzwoni.

– Jest jeden agent, któremu chyba mogę zaufać...

W jej głosie zabrzmiała chęć pomocy. Zdaje się, że w końcu osiągnęli porozumienie. Nancy odłożyła na bok dawny żal i pretensje, żeby osiągnąć wspólny cel.

– Dziękuję, Nancy.

– Powodzenia.

Gideon rozłączył się i przekazał Tillmanowi, czego dowiedział się od Nancy.

– Dobrze się czujesz? – zapytał Tillman.

– Tak, ale jeśli nie uda nam się przekonać strażników, żeby nas wpuścili, albo wśliznąć niepostrzeżenie, będziemy musieli przypuścić frontalny atak na Kapitol. Coś na tyle poważnego, żeby musieli ewakuować budynek... albo przynajmniej jeszcze raz sprawdzić wszystkie zabezpieczenia.

– Chcesz się bawić w kamikadze?

Gideon skinął głową.

– Kate jest w środku. Jeśli nie zdołam powstrzymać Wilmota i wyciągnąć jej stamtąd, nie będę miał wyboru. Ale nie proszę, żebyś poszedł ze mną.

– Jaja sobie robisz? Oczywiście, że idę. Jestem twoim bratem.

– Wiem, co ci zrobił ten rząd. Nie jesteś nic winien tym ludziom, a już na pewno nie swoje życie.

– Gideon, prawda jest taka, że poszedłbym z tobą, nawet gdybyś nie był moim bratem. Może i nie zostało we mnie za wiele patriotyzmu, ale wciąż kocham ten kraj i nie pozwolę, żeby para psycholi mordowała niewinnych ludzi. Ale przede wszystkim nie pozwolę im zamordować mojej przyszłej szwagierki.

Gideon spojrzał na zmęczoną, przedwcześnie postarzałą twarz Tillmana, tak różną od jego własnej, a jednocześnie tak podobną.

– Dziękuję – powiedział cicho.

– Nie ma sprawy. A teraz jedźmy coś rozwalić.

Gideon ostrożnie mijał zapory przeciwwybuchowe przed wjazdem na parking pod gmachem Russella. Kiedy podjechali do bramki, funkcjonariusz policji Kapitolu bez słowa sprawdził ich dokumenty, wpisując ich nazwiska do komputera zawierającego listę ludzi upoważnionych do parkowania tego dnia pod budynkiem.

Funkcjonariusz ziewnął i spojrzał na monitor. Serce Gideona waliło jak oszalałe. Komputer mógł równie dobrze być podłączony do jednego z systemów policyjnych, w których on i Tillman widnieli jako poszukiwani przez FBI.

Najwyraźniej jednak urządzenie służyło wyłącznie do autoryzacji wjazdu na parking. Znudzony funkcjonariusz machnął im ręką i wrócił do lektury „The Washington Post".

Parking podziemny był niemal całkowicie zastawiony.

– Zostawmy go tutaj – powiedział Tillman, gdy zjechali na poziom tunelu łączącego parking z gmachem.

Gideon zaparkował obok jednej z wind i wysiadł z samochodu. Wciąż miał na sobie kamizelkę taktyczną.

Według Nancy wejście do tunelu znajdowało się za drzwiami w pobliżu szybu windy. Drzwi pilnowało dwóch uzbrojonych po zęby agentów.

– Rozmawiamy czy strzelamy? – zapytał Tillman.

– Rozmawiamy – zdecydował Gideon. – Jeżeli zaczniemy strzelać od razu, ogłoszą ogólny alarm i będziemy mieli przerąbane.

– Dobra.

– Zachowuj się tak, jak ja.

Kiedy Gideon znalazł się w zasięgu słuchu strażników, zaczął głośno mówić do telefonu komórkowego:

– Tak jest, proszę pani. Zdaję sobie z tego sprawę. Rozumiem, że... Tak, proszę pani. Będę za niecałe trzy minuty. – Zignorował strażników i ruszył prosto do drzwi.

– Chwileczkę! – krzyknął jeden strażników. – Proszę się zatrzymać.

Gideon z irytacją machnął na niego ręką, przekonująco udając, że bardziej obchodzi go jego rozmówczyni, ale posłusznie się zatrzymał.

– Tak, proszę pani, wiem o tym. Jestem w punkcie kontrolnym w gmachu Russella. Gdyby mogła pani... Tak... Tak, rozumiem.

– Co wyście za jedni, do cholery? – Strażnik uniósł lufę swojego P90 i wycelował w Gideona. – Nie ruszać się.

Gideon przewrócił oczami.

– Jedną chwilę, proszę pani. – Zasłonił telefon dłonią. – Agenci Dillard i Koons – powiedział do strażnika. – Departament Stanu. Rozmawiam właśnie z sekretarz.

– Że co? – zapytał głupio strażnik.

– Coś się popieprzyło jak zwykle. Przetrzymują pod drzwiami ochronę sekretarza pracy. Jakiś problem z upoważnieniami. Muszę tam iść i to wyprostować.

– Zaraz, zaraz, kim pan właściwie jest?

– Już mówiłem, do ciężkiej cholery! Głuchy jesteś? Agenci Dillard i Koons z Departamentu Stanu.

– Gdzie jest pańskie upoważnienie i przepustka?

– Proszę bardzo, zapytaj sekretarz Bonifacio.

Gideon podsunął telefon strażnikowi, który obrzucił aparat takim spojrzeniem, jakby to był pręt radioaktywnego plutonu. Sekretarz Bonifacio słynęła z wybuchowego temperamentu.

Gideon widział wyraźnie, że strażnik rozważa, czy warto narażać się na jej gniew.

– Możecie przejść – zdecydował w końcu. – Ale musicie zostawić broń.

– Jasne – powiedział Gideon. – Nie ma problemu. Zresztą i tak swoją zostawiłem w samochodzie. – Odsunął połę kurtki, ukazując pustą kaburę.

Tillman wyjął swój pistolet i położył na stoliku przy drzwiach. Strażnicy zbadali ich następnie wykrywaczem metalu i przepuścili. Gideon i Tillman przeszli przez drzwi i znaleźli się w betonowym tunelu, prowadzącym do odległego o kilkaset metrów gmachu Russella.

– Jestem pod wrażeniem – przyznał Tillman. – Byłeś bardzo przekonujący.

– Mam sporą praktykę.

Nie zdążyli ujść nawet dziesięciu metrów, gdy usłyszeli za sobą głos strażnika.

– Panowie, muszę zobaczyć jeszcze wasze identyfikatory.

Rzecz jasna, Gideon i Tillman mieli przy sobie dokumenty na swoje prawdziwe imiona i nazwiska, na widok których strażnik natychmiast podniósłby ogólny raban.

– To by było na tyle, jeśli chodzi o rozmowy – skomentował półgłosem Tillman.

– Biorę tego po lewej – szepnął Gideon.

Odwrócili się i ruszyli w kierunku strażników. Kiedy znaleźli się w odległości niecałych dwóch metrów, obaj pochylili się i ruszyli naprzód, z impetem spychając strażników na betonową ścianę. Tillman i Gideon byli wysportowanymi, dobrze zbudowanymi mężczyznami. Ale agenci Secret Service okazali się trudnymi przeciwnikami. Tillman, który przez całe życie trenował sztuki walki, był lepiej od Gideona przygotowany do takich starć.

Wymierzył celny cios kolanem w podbródek agenta i uderzył jego głową o ścianę. Hełm niewiele pomógł i uderzenie oszołomiło go. Następnie Tillman posłał krótki cios lewą ręką w szczękę agenta, który zwalił się nieprzytomny na podłogę.

Gideon tymczasem walczył z drugim agentem, który był od niego młodszy i silniejszy. Od początku szło źle. Agent błyskawicznie otrząsnął się po uderzeniu w ścianę i obalił Gideona na ziemię.

Tillman złapał go nogami od tyłu, zaplatając stopy wokół bioder agenta i zaciskając ramiona na szyi agenta chwytem, który w brazylijskim jiu-jitsu nosił nazwę duszenia zza pleców. Policja nazywała ten chwyt dźwignią śpiocha.

Strażnik próbował wrzasnąć, żeby wezwać pomoc, ale z jego gardła wydobył się tylko głuchy charkot.

– Złap go za ręce – syknął Tillman. – Na pewno ma gdzieś przycisk alarmowy.

Gideon unieruchomił ramiona szamoczącego się agenta dokładnie w chwili, gdy jego palce sięgały do niewielkiego, czerwonego przycisku na krótkofalówce przypiętej do pasa. Po kilku sekundach brak dopływu krwi do mózgu zrobił swoje i ciało agenta zwiotczało.

– Bierzemy ich ubrania, identyfikatory i broń – szepnął Tillman, ściągając z pasa nieprzytomnego mężczyzny parę plastikowych więzów. – Musimy się spieszyć, za chwilę odzyska przytomność.

Rozebrali obu strażników i wepchnęli ich na tylne siedzenie samochodu. Pięć minut później wczołgali się do przewodu wentylacyjnego nad starym tunelem kolejki.

Tillman doczołgał się do kratki na drugim końcu przewodu i wyjrzał. Przed sobą widział opustoszały peron. Nie było tu żadnych strażników ani psów. Nikogo. Wypchnął żelazną kratkę, która otworzyła się z przeraźliwym zgrzytem zardzewiałych zawiasów. Na drugim krańcu peronu mignął jakiś cień.

– Czekaj – szepnął do Gideona, wycofując się z powrotem do przewodu i zamykając kratę.

Zapaliły się światła, zalewając pomieszczenie jasnym fluorescencyjnym blaskiem. Na peron wyszedł wysoki agent Sercret Service, trzymając dłoń pod marynarką, na rękojeści pistoletu. Po chwili dołączył do niego drugi, który skierował snop ostrego światła latarki w ciemny tunel kolejki.

– Czysto – stwierdził ten z latarką.

– Coś słyszałem – zaoponował agent z dłonią na pistolecie. Drugą ręką wskazał tunel. – Dokąd on prowadzi?

– Do szybu wentylacyjnego schronu przeciwlotniczego.

Tilllman nieraz słyszał plotki o schronie pod Kapitolem. Najwyraźniej tkwiło w nich ziarno prawdy.

– Myślisz, że powinniśmy go sprawdzić? Tu się roi od szczurów.

Agent z latarką pokręcił głową.

– Na końcu tunelu są drzwi. Zaspawane na głucho.

– Sprawdź.

Agent zniknął. Wrócił po kilku minutach.

– Tak jak mówiłem, zaspawane.

– Cholera, naprawdę coś słyszałem.

– Mówiłeś.

– A przewód wentylacyjny? – Agent z pistoletem skinął głową w kierunku Tillmana i włączył własną latarkę.

Tillman zamarł. Jeżeli skierują światło przez kratkę, to go zobaczą. A jeśli spróbuje się wycofać, zauważą ruch.

– Czekaj. – Agent z latarką przechylił głowę, jakby usłyszał coś w słuchawce. – Prezydent będzie za cztery minuty. Musimy oczyścić korytarz.

Wyższy agent z dezaprobatą pokręcił głową. Po twarzy Tillmana spłynęła kropla potu. Agent zgasił latarkę i obaj wyszli przez drzwi.

– Jazda – wyszeptał z tyłu Gideon.

Tillman otworzył kratę najostrożniej, jak potrafił. Tym razem zawiasy wydały z siebie tylko ciche stęknięcie.

Obaj bracia wyczołgali się z przewodu wentylacyjnego.

– Dokąd teraz? – zapytał Tillman półgłosem.

Gideon wskazał dłonią tunel, który sprawdzali agenci.

– Spróbujmy zerwać spawy na tych drzwiach. Jeśli dostaniemy się do szybu windy albo przewodu mechanicznego, powinno udać się nam dojść na poziom minus dwa.

– Nie widzę przeciwwskazań. I tak już za późno na blefowanie.

Weszli do tunelu. Tillman włączył latarkę odebraną jednemu z agentów na parkingu. Kiedy dotarli do stalowych drzwi, Gideon zbadał uważnie trzy zaspawane ściegi na framudze. Wszystkie spawy znajdowały się po tej samej stronie drzwi co klamka. Po stronie zawiasów nie było żadnego.

– Wypchniemy sworznie zawiasów – zdecydował Gideon.

– Pomyślałem o tym samym.

Tillman wyjął składany nóż, również zabrany agentowi na parkingu. Porządne, automatyczne ostrze Benchmark. Agent najwyraźniej znał się na nożach.

– Zajmę się dołem, ty wypchnij od góry – powiedział Tillman, wciskając przycisk na rękojeści noża. Ostrze wysunęło się z cichym kliknięciem.

Nie musieli mówić nic więcej. Obaj doskonale wiedzieli, co mają robić. Tillman pochylił się i wepchnął ostrze noża pod kołnierz dolnego zawiasu. Gideon wspiął się na jego plecy i zajął górnym zawiasem.

Po kilku sekundach udało im się wyciągnąć oba sworznie. W przeciwieństwie do kratki przewodu wentylacyjnego, te były niedawno naoliwione smarem litowym.

Gideon zeskoczył z pleców brata, wyciągnął trzeci sworzeń i wsunął nóż w szczelinę. Tillman zrobił to samo.

– Raz… – powiedział Tillman. – Dwa…

– Trzy – dokończyli jednocześnie. Przekręcając noże w szczelinie, zdołali wypchnąć drzwi z framugi mniej więcej na pół centymetra.

– Usztywnij, wepchnę głębiej – powiedział Gideon.

Tillman oparł się mocno o rękojeść swojego noża. Gideon wsunął ostrze głębiej w szczelinę.

– Już – zameldował Gideon.

Następnie to on usztywnił rękojeść, podczas gdy Tillman wepchnął swój nóż głębiej.

– Raz. Dwa. Trzy.

Drzwi przesunęły się o kolejne pół centymetra. Ściegi spawów zaczęły stawiać opór.

Powtórzyli operację kilka razy, aż w końcu krawędź drzwi odsunęła się od framugi. Obaj wsunęli noże w szczelinę po rękojeść i z całej siły podważyli stalową płytę. Po chwili spawy puściły i drzwi się otworzyły.

– Cokolwiek się zdarzy – szepnął Gideon – cieszę się, że jesteśmy tu razem. I jestem dumny, że jesteś moim bratem.

– Przestań się rozklejać – uciął Tillman.

Gideon uśmiechnął się i oparł drzwi o ścianę. Tillman poświecił latarką do wnętrza. Za drzwiami otwierał się tunel z czerwonej, kruszącej się cegły. Prawdopodobnie miał sto pięćdziesiąt lat. Tyle co sam Kapitol.

Gideon zerknął na zegarek. Do rozpoczęcia orędzia zostało osiem minut. Osiem minut, żeby ocalić Kate albo zginąć.

52

Waszyngton

W tym samym momencie Kate z niekłamaną przyjemnością obserwowała polityczną celebrę. Senatorzy i kongresmeni, których dotąd oglądała tylko z daleka lub na ekranie telewizora na kanale C-SPAN, teraz krążyli po sali w odległości kilku metrów od niej. Eleganccy mężczyźni i kobiety, wystrojeni w nieprawdopodobnie drogie garnitury i garsonki ściskali sobie dłonie i klepali się przyjaźnie po plecach. Wybrańcy narodu odłożyli na bok partyjne konflikty i spory, entuzjastycznie gratulując sobie bycia wybrańcami narodu.

Nagle zaskoczył ją dotyk czyjejś ciężkiej dłoni na ramieniu. Odwróciła się i zobaczyła agenta Secret Service ze słuchawką w uchu, który patrzył na nią tak, jak nauczyciel patrzy na niegrzeczną uczennicę.

– Proszę ze mną.

Jej pierwszą myślą było, że Secret Service odkryła w końcu, że Kate Murphy jest tylko zwykłą dyrektorką w firmie naftowej, która nie zasługiwała na przebywanie w towarzystwie wpływowych i zamożnych. Tę myśl szybko jednak wyparła obawa, że coś stało się Gideonowi. Gdy jednak agent prowadził ją przez tłum polityków i urzędników, uświadomiła sobie, że Gideon nie ma pojęcia o jej obecności na Kapitolu, więc nikt nie mógł jej powiedzieć, czy wydarzyło się coś złego.

Przed wejściem do gmachu Russella agent wręczył jej urządzenie przypominające staromodne radio tranzystorowe z gumową anteną. Nie było to jednak radio, a zabezpieczony, bezprzewodowy telefon internetowy, podłączony do zamkniętej sieci NSA, o czym uprzejmie poinformował ją agent.

Spodziewała się usłyszeć głos Gideona, ale ku jej zaskoczeniu w telefonie odezwała się jakaś kobieta.

– Kate Murphy? – W jej głosie Kate wychwyciła ślad akcentu z południa i natychmiast domyśliła się, że rozmawia z Nancy Clement. Gideon wspominał kiedyś, że Nancy dorastała w Tennessee i była córką zamożnego plantatora tytoniu. Zrezygnowała jednak z przywilejów, jakie dawała jej fortuna ojca, i podjęła marnie opłacaną pracę agentki FBI. Kate w duchu podziwiała ją za to.

– Chodzi o Gideona? – zapytała. – Czy coś się stało?

– Z Gideonem wszystko jest w porządku. Agent, który pani towarzyszy, nazywa się Ron Livingston. To mój przyjaciel. Wyprowadzi panią z budynku.

– Nie mogę tak po prostu wyjść z orędzia o stanie państwa. Jestem tu na zaproszenie sekretarza Fitzgeralda, co mam mu powiedzieć?

– O to będzie się pani martwić później. Planowany jest zamach na Kapitol. Wkrótce. Gideon poprosił mnie, żebym panią stamtąd wyciągnęła.

– Gideon?

– Jest tam w tej chwili. Próbuje powstrzymać zamachowców. Ale pani musi opuścić Kapitol.

Nie mogła tak po prostu zostawić swojego narzeczonego.

– Gideon może potrzebować mojej pomocy.

– Kate, posłuchaj mnie. Ludzie, którzy planują zamach, to fanatycy. Będą chcieli zrealizować swój plan za wszelką cenę. Także własnego życia.

– Ale Gideon… – Urwała, widząc przed sobą potężnie zbudowanego mężczyznę, w którym natychmiast rozpoznała wicedyrektora FBI Dahlgrena. Towarzyszyło mu dwóch agentów. Wicedyrektor gestem zażądał telefonu. Livingston skrzywił się, niechętnie wyjął aparat z dłoni Kate i wręczył go Dahlgrenowi.

– No dobrze – powiedział wicedyrektor. – Teraz sobie porozmawiamy.

53

Waszyngton

Prezydent przybędzie za sześćdziesiąt sekund – odezwał się głos w uchu Wilmota, który rozpoznawał już spokojny, rzeczowy ton specjalisty od łączności. Przekazywaniem informacji do zespołu agentów nie zajmował się dowódca, ale właśnie wyznaczony agent.

Dale Wilmot bardziej niż kiedykolwiek wcześniej czuł, że żyje. Wszystko działo się według planu. Collier podłączył już pierwszy kanister do systemu HVAC i właśnie zajmował się drugim.

– Agenci Busbee i Weiner, kontrola łączności.

Każdy agent zabezpieczający orędzie miał rozkaz meldować się do centrali co kwadrans. Jeżeli tego nie zrobił, dowództwo wywoływało agenta, który miał obowiązek natychmiast odpowiedzieć. Brak odpowiedzi oznaczał kłopoty.

– Agenci Busbee i Weiner, kontrola łączności.

Cisza.

– Dlaczego się nie zgłaszają? – zapytał Wilmot agentkę Klotz, a gdy nie odpowiedziała, przysunął się do niej. – Powiedz mi, dlaczego ci dwaj się nie zgłaszają?

– Są na parkingu podziemnym pod gmachem Russella – odparła Shanelle. – Radio czasami zawodzi w zbrojonych, betonowych ścianach. Pręty zbrojeniowe zakłócają sygnał.

Wilmot przyjrzał się badawczo jej twarzy.

– Agenci Dennis i Roberts, proszę sprawdzić stanowisko dziewiąte. Poziom Dwa – odezwał się łącznościowiec.

– Tych dwóch pójdzie sprawdzić, co z tamtymi?

– Zgadza się.

– Co oznacza Poziom Dwa?

– Broń w pogotowiu, możliwy atak.

– Jak często się to zdarza?

Agentka Klotz odchrząknęła nerwowo.

– Nieczęsto.

– Jeśli na tym parkingu będzie jakiś problem, to nas też będzie to dotyczyło?

– Nie, dopóki nie ogłoszą alarmu ogólnego.

Wilmot skinął głową i wstał.

– Czyli możemy robić swoje.

– Prezydent przybywa na Stanowisko Jeden – odezwał się znów w słuchawce głos specjalisty od łączności. – Dwie minuty do Stanowiska Dwa.

Wilmot wiedział, że Stanowisko Jeden oznacza wejście do Kapitolu, a Stanowisko Dwa – drzwi do sali obrad Izby Reprezentantów. Jeszcze kilka minut. Według planu mieli rozpylić cyjanowodór w momencie, w którym prezydent zacznie wygłaszać orędzie. Rozważali uwolnienie gazu w momencie jego wejścia do sali obrad, ale doszli do wniosku, że dla pewności lepiej będzie zaatakować, gdy drzwi zostaną zamknięte, a prezydent znajdzie się na środku sali, skąd trudniej będzie agentom go wyprowadzić.

Na razie musieli czekać, aż skończy się obowiązkowy polityczny spektakl towarzyszący orędziu. Prezydent musiał uścisnąć dłonie gości zgromadzonych wzdłuż przejścia, wręczyć kopie swojego przemówienia przewodniczącemu Izby Reprezentantów i wiceprezydentowi, a potem stanąć na podium i z przyklejonym uśmiechem czekać, aż ucichnie absurdalnie długi aplauz. Wilmot i Collier mieli odkręcić zawory dopiero w chwili, w której prezydent wypowie słowa „Moi drodzy Amerykanie".

Wilmot czekał, a tymczasem Collier uzbrajał zbiorniki. Wsunął śrubokręt w główkę śruby pod mocowaniem zaworów. Docisnął śrubokręt i przekręcił raz, drugi i trzeci. Śruba zaczęła się obracać i po chwili w zbiornikach rozległ się cichy syk. Następnie wyjął niewielkie pudełko z czerwonym przełącznikiem. Było to urządzenie unieruchamiające normalny wyłącznik systemu HVAC. Działało zdalnie na falach krótkich w odległości do dwudziestu pięciu metrów od jednostki. Przy większej odległości sygnał urządzenia zostałby zablokowany przez częstotliwość zagłuszającą. Po włączeniu czerwonego przełącznika włączy się ogrzewanie. Po dziesięciu sekundach zawór elektromagnetyczny w systemie HVAC wpuści zawartość obu zbiorników do komory z gorącym powietrzem. Następnie włączą się dmuchawy klatkowe, a deflektory skierują całe powietrze z systemu prosto do sali obrad Izby Reprezentantów.

Po trzydziestu sekundach większość osób zgromadzonych w sali będzie martwa.

– Prezydent w ruchu. Powtarzam, prezydent w ruchu.

Wilmot poczuł przeszywający całe ciało dreszcz oczekiwania i podniecenia.

– Daj mi to.

Collier wręczył mu przełącznik.

54

Waszyngton

Prezydent Erik Wade wysiadł z limuzyny zaparkowanej przed Kapitolem. Zatrzymał się na chwilę, podziwiając monumentalną fasadę gmachu w oczekiwaniu na żonę. Następnie ruszył w górę schodów. Na szczycie odwrócił się i pomachał niewielkiej grupie ludzi zgromadzonych przez budynkiem, po czym wszedł do środka.

Choć było to jego pierwsze orędzie o stanie państwa, nie czuł zdenerwowania. Wygłosił w życiu dość przemówień, by zdawać sobie sprawę, że choć nie jest Cyceronem, da sobie radę. Przygotował się bardzo starannie, żeby przypadkiem się nie przejęzyczyć. Jego zwolennicy z większości w Izbie dopilnują, żeby aplauz był odpowiednio głośny i długi. W tej chwili w Kongresie nie toczyła się żadna istotna legislacyjna batalia, więc nie było się czym przejmować.

A jednak prezydent czuł irytację i pewien niepokój o reakcję opinii publicznej na strzelaninę w Priest River. Wicedyrektor FBI Dahlgren złożył mu raport na ten temat tuż przed wyjazdem do gmachu Rayburna. Cholerny Gideon Davis znowu wtykał nos w nie swoje sprawy i teraz Wade będzie musiał odpowiadać na kłopotliwe pytania, zamiast pławić się w blasku chwały, zajmując miejsce w długim szeregu wielkich ludzi, którzy piastowali urząd przed nim. Marszcząc brwi, dotarł do drzwi budynku. Jego żona skierowała się w bok. Miała usiąść na galerii, w towarzystwie strażaków, bohaterskich policjantów, żołnierzy odznaczonych Medalem Honoru i gości na wózkach inwalidzkich.

Członkowie gabinetu czekali na niego. Uścisnął im po kolei dłonie, rzucił jakiś żart, zapytał o czyjąś żonę i dzieci. Kiedy doszedł do sekretarza zdrowia i opieki społecznej, jego żona zasiadła już na galerii, a członkowie gabinetu z wolna wychodzili do sali obrad.

Prezydent wziął głęboki oddech. Przedstawienie czas zacząć.

55

Waszyngton

Tillman i Gideon przeciskali się przez tunele, pełne rur i przewodów elektrycznych. W normalnych okolicznościach byłaby to niezwykła wyprawa w tajną historię Ameryki – widzieli tam cegły pamiętające dziewiętnasty wiek obok stalowych grodzi z czasów zimnej wojny i światłowodów z dwudziestego pierwszego wieku. Nie mieli jednak czasu na podziwianie zabytków.

Gideon zerknął na zegarek. Do rozpoczęcia orędzia zostało tylko kilka minut.

Obeszli tunelem pionowy szyb i znaleźli się przed kolejnymi drzwiami, na których widniał napis: Poziom –2. To oznaczało, że znajdowali się na tym samym poziomie, co pomieszczenie techniczne systemu HVAC. Pozostawał jednak wciąż problem przejścia przez zamknięte drzwi. Zainstalowany obiektyw kamery natychmiast przesłałby obrazy ich twarzy do stanowiska dowodzenia. Gideon miał nadzieję, że oporządzenie taktyczne i czapki wystarczą, żeby ukryć ich tożsamość.

– Agenci Busbee i Weiner, kontrola łączności – odezwał się głos w słuchawce, którą Gideon zabrał jednemu z agentów.

– Mam pewien pomysł – powiedział Gideon.

Pomachał do kamery, wskazał palcem słuchawkę i pokręcił głową. Tillman po chwili zrobił to samo.

– Agencie Busbee, widzimy dwóch agentów w nieautoryzowanej lokalizacji – powiedział głos przez radio. – Czy to wy?

Gideon pochylił głowę i wskazał dłonią drzwi, udając, że dyskutuje o czymś z Tillmanem. Do kamery pokazał uniesiony kciuk.

– Agencie Busbee, czy jest z wami agent Weiner?

Gideon ponownie pokazał uniesiony kciuk.

– Zastukaj – powiedział do Tillmana. – Niech myślą, że mamy zepsute radio.

Tillman otwartą dłonią uderzył kilka razy w drzwi.

– Agenci Busbee i Weiner, nie macie upoważnienia do przebywania na tym obszarze. Proszę wrócić na stanowisko.

Tillman nadal walił ręką w drzwi.

– Może nam otworzą – powiedział. – Ale za nimi może być dziesięciu gości z MP5 wycelowanymi prosto w nasze głowy.

– Na to właśnie liczę – odparł Gideon.

Nagle po drugiej stronie rozległ się chrobot. Drzwi otworzyły się szeroko, ukazując czterech agentów z P90 przygotowanymi do strzału.

– Mój błąd – stwierdził Tillman. – Nie mają MP5, tylko dziewięćdziesiątki.

W tym samym momencie rozległo się chóralne: „Na ziemię!".

Tillman i Gideon powoli przyklęknęli na jedno kolano. Podszedł do nich piąty agent, dowódca zespołu, z włosami zaczesanymi do tyłu na brylantynę i złośliwym uśmiechem. To był wicedyrektor Ray Dahlgren.

– Gideon Davis – powiedział. – A to musi być twój brat Tillman.

Znajdowali się u wlotu długiego betonowego korytarza. Mniej więcej dwadzieścia metrów dalej widniały duże, czerwone drzwi, na których widniał napis: POMIESZCZENIE TECHNICZNE HVAC.

– Dahlgren! – krzyknął Gideon. – W tamtym pokoju dwaj mężczyźni zamierzają wprowadzić cyjanowodór do systemu ogrzewania. Musisz tam iść i ich powstrzymać. I na twoim miejscu pospieszyłbym się, bo za chwilę wszyscy ludzie w tym budynku będą martwi.

– A ty musisz wymyślić lepszą historyjkę, jeśli chcesz uniknąć dłuższego pobytu w więzieniu federalnym.

– Lepiej go posłuchaj, cholerny kretynie – warknął Tillman. – Bo zaraz wszyscy udamy się na łono Abrahama.

– Prosiłbym bez przekleństw – cmoknął Dahlgren.

– Słuchaj – powiedział Gideon. – Po prostu pozwól mi otworzyć te drzwi. Jeśli się mylę, to i tak stracisz tylko kilka minut. Ale jeśli mam rację, a ty nic nie zrobisz, to historia zapamięta cię jako tego, który pozwolił zamordować prezydenta, wiceprezydenta i kilkuset senatorów i kongresmenów.

– Nie pozwolę ci niczego otwierać – odparł Dahlgren zimno, ale Gideon widział, że jego słowa jednak trafiły do wicedyrektora, który przywołał do siebie dwóch agentów. – Zabrać ich do karceru. – Następnie wyciągnął pistolet z kabury. – Sam otworzę te pieprzone drzwi i raz na zawsze zakończymy tę idiotyczną historię.

Wilmot i Collier usłyszeli krzyki na korytarzu.

– Co tam się dzieje, do cholery? – mruknął Collier, wyglądając przez dziurkę od klucza. – Chyba jedni agenci Secret Service aresztują innych agentów Secret Service.

– Coś jest nie tak – stwierdził Wilmot. – Uruchom sekwencję.

– Cały cykl potrzebuje półtorej minuty. – Collier zastukał palcami w klawiaturę.

– Myślałem, że jesteś już gotowy.

– Bo jestem. Ale musi włączyć się cykl ogrzewania. Najpierw gaz, potem podgrzanie wymiennika. Dmuchawy ruszają dopiero wtedy, kiedy powietrze dociera do...

– Dobra, po prostu to uruchom.

Po raz pierwszy od dłuższej chwili w sercu Shanelle Klotz pojawił się cień nadziei.

– Nie zdążycie – powiedziała. – Będą tu za... – Zerknęła na drzwi. – Właściwie to już tu są.

Z zewnątrz ktoś szarpnął za klamkę, a następnie kopnął drzwi.

– Szlag – warknął Wilmot.

Collier nerwowo wpisywał komendy na klawiaturze.

– Jeszcze sekunda...

Kolejne kopnięcie w drzwi.

Wilmot odłożył pudełko z czerwonym przełącznikiem i wyciągnął pistolet odebrany agentce Klotz.

– Nie możemy czekać. Kończ sekwencję, ja ich zatrzymam.

– Nie, proszę pana – zaprotestował Collier. – Ja to zrobię.

– Musisz włączyć sekwencję.

– Już to zrobiłem, jest gotowa. – Collier podniósł przełącznik i wręczył Wilmotowi. – Wystarczy przełączyć.

Wilmot popatrzył na niego i podał mu pistolet.

Ale Collier nie wziął broni.

– Mam dla nich coś lepszego.

– Dziękuję ci, synu. Za wszystko.

Collier zasalutował.

– Jestem dumny, że mogłem być pańskim synem.

Wilmot zmusił się do uśmiechu, który, miał nadzieję, skutecznie zamaskuje pogardę, jaką czuł wobec Johna Colliera. Sam był tym zaskoczony, zwłaszcza wobec ofiary, jaką zamierzał złożyć ten biedny dupek.

Erik Wade usłyszał donośny głos woźnego:

– Wysoka Izbo, prezydent Stanów Zjednoczonych!

Prezydent wszedł do sali obrad Izby Reprezentantów.

Przed przeprowadzką do Białego Domu Wade piastował stanowisko gubernatora, więc był w tej sali wcześniej zaledwie kilka razy. Wydała mu się mniejsza i skromniejsza, niż pamiętał.

Jego ochrona otrzymała wyraźne polecenie, żeby nie przesadzać z zabezpieczeniem. Salę wypełniali ludzie, którzy wiernie służyli Stanom Zjednoczonym Ameryki. Cały Kapitol był w tej chwili prawdopodobnie lepiej strzeżony niż Fort Knox. A Wade chciał wywrzeć odpowiednie wrażenie. Zatrzymał się, uścisnął dłoń demokratycznemu kongresmenowi z Kalifornii, republikaninowi z Karoliny Południowej, senatorowi i jakiemuś członkowi Izby, o którym wiedział tylko tyle, że ma na imię Ted. Erik Wade miał niemal fotograficzną pamięć i do każdego zwracał się po imieniu. Udało mu się nawet przypomnieć sobie imię córki pewnego kongresmena, chociaż nigdy wcześniej nie spotkał go osobiście.

– Jak tam noga Christine, Ted? – zapytał, przypominając sobie o kontuzji doznanej przez nią podczas meczu piłki nożnej, opisanej w jednym z licznych raportów, które musiał czytać od czasu, kiedy zaprzysiężono go na prezydenta.

– Bardzo dobrze, panie prezydencie, dziękuję. – Twarz kongresmena rozjaśniła się ze szczęścia i zaskoczenia, że prezydent nie tylko zna jego imię, ale nawet wie o pękniętej kości śródstopia jego córki.

– To ja ci dziękuję za pomoc przy ustawie energetycznej – odparł Wade.

– Nie wiedziałem, że w czymś panu pomogłem, panie prezydencie.

– Jestem przekonany, że tak będzie – powiedział prezydent. Mrugnął i ruszył dalej, ściskając kolejne dłonie.

Kiedy w końcu dotarł do podium, trzymając w dłoni kartki z tekstem przemówienia, zauważył, że agenci Secret Service intensywnie szepczą coś do mikrofonów.

Wyglądali na zdenerwowanych, ale na tym polegała ich praca. Gdyby działo się coś poważnego, to już zostałby ściągnięty z podium i wyprowadzony w bezpieczne miejsce. Na razie miał na głowie ważniejsze sprawy.

Uścisnął dłoń wiceprezydentowi i uśmiechnął się szeroko. Nie przepadał za swoim zastępcą i był pewien, że wiceprezydent odwzajemnia jego uczucia, ale taka była polityka.

Wręczył kopię przemówienia wiceprezydentowi, a następnie uprzejmie pocałował w policzek przewodniczącą Izby. Nie tylko jej nie znosił, ale też trochę się obawiał. Ale ich uśmiechy wyglądały na tyle przekonująco, że postronny obserwator mógłby wziąć ich za przyjaciół witających się po długiej rozłące.

– Miło panią widzieć. Wygląda pani uroczo.

– Komplementami niczego pan nie zyska, panie prezydencie.

Erik Wade roześmiał się głośno.

– Zgodnie z protokołem wręczam pani tekst mojego przemówienia.

– Zgodnie z protokołem dziękuję uprzejmie. – Następnie przewodnicząca stanęła przed mikrofonem. – Mam wielki zaszczyt przedstawić państwu prezydenta Stanów Zjednoczonych.

Erik Wade odwrócił się plecami do wiceprezydenta i przewodniczącej, i podszedł do pulpitu.

– Dziękuję – powiedział, podnosząc ręce. Wybuchła głośna owacja. – Dziękuję. Dziękuję wam serdecznie i z całego serca…

Prezydent nagle zorientował się, że w sali zrobiło się chłodno. Ktoś chyba powinien coś zrobić z ogrzewaniem. Nie zdążył jednak dłużej się nad tym zastanowić, ponieważ właśnie wtedy salą wstrząsnęła potężna eksplozja. Prezydent poczuł, że grunt usuwa mu się spod nóg.

56

Waszyngton

Cyjanowodór w temperaturze pokojowej natychmiast paruje. W połączeniu z powietrzem staje się niezwykle łatwopalny. Do wywołania wybuchu wystarcza nawet niewielka iskra.

Kiedy drzwi nie ustąpiły pod naporem kopnięć, Dahlgren wydobył swojego glocka i wycelował w zamek. Gdy położył palec na spuście, drzwi otworzyły się z impetem i wypadł z nich John Collier, ściskając w ramionach jeden z kanistrów. Wicedyrektor zdążył oddać jeden strzał, zanim Collier wpadł na niego i obaj przewrócili się na podłogę.

Collier zamierzał sam zdetonować kanister, ale strzał Dahlgrena załatwił to za niego. Kula przebiła metalową ścianę, podpalając płynny cyjanowodór i wywołując natychmiastową eksplozję. Siła wybuchu zabiła Colliera na miejscu. Płomienie z kanistra ogarnęły wicedyrektora FBI, wywołując u niego natychmiastowe zatrzymanie akcji serca. Dwóch innych agentów znajdujących się w pobliżu Dahlgrena udusiło się z braku tlenu, pochłoniętego przez ogień. Trzeci miał umrzeć wkrótce po nich z powodu zatrucia cyjanowodorem.

Wybuch cisnął Tillmana na ścianę korytarza. Gideon rzucił się na ziemię, w ostatniej chwili uchylając się przed pędzącym ku niemu odłamkiem kanistra. Na szczęście obaj bracia znajdowali się na tyle daleko od eksplozji, że płomienie zdążyły pochłonąć większość cyjanowodoru, zanim do nich dotarły. Oczy piekły ich wprawdzie niemiłosiernie, a Tillman jeszcze przez długie tygodnie miał czuć w ustach gorzki posmak migdałów, ale zasadniczo wyszli z wybuchu bez szwanku.

Gideon podniósł się i podszedł do brata, który klęczał na podłodze, zanosząc się gwałtownym kaszlem.

– W porządku?

Tillman nie zdołał wydobyć z siebie żadnego dźwięku, więc tylko skinął głową. Obok Colliera i Dahlgrena leżało dwóch martwych agentów. Trzeci czołgał się w kierunku kolegów, którym nie mógł już pomóc. Gideon wiedział, że w pomieszczeniu technicznym było dwóch mężczyzn. Zginął jeden, co oznaczało, że drugi – zakładał, że był to Wilmot – wciąż znajdował się w środku. Podał Tillmanowi rękę i pomógł mu dźwignąć się na nogi. Przedzierając się między ciałami i gruzem ze ścian korytarza, bracia ruszyli w kierunku czerwonych drzwi.

W momencie eksplozji agenci Secret Service zablokowali drzwi do sali obrad.

Szczelne zamknięcie sali było standardową procedurą operacyjną, stosowaną na wypadek zagrożenia atakiem na prezydenta. Ale w tym momencie było również najgorszym możliwym wyjściem, ponieważ źródło zagrożenia nie znajdowało się na zewnątrz sali, tylko w środku. Wśród zebranych gości wybuchła panika. Tłum senatorów, kongresmenów i szacownych gości ruszył do szturmu na zamknięte drzwi, przepychając się, torując sobie drogę łokciami i tratując tych, którzy mieli pecha się potknąć. Setki ludzi tłoczyły się z wrzaskiem przy wszystkich wyjściach. Doniosła uroczystość w kilka sekund zmieniła się w chaos i rozpaczliwą próbę przetrwania.

Kate, po skończonym przez Dahlgrena przesłuchaniu, pozostawiono przed salą pod strażą jednego z agentów. Teraz, w ogólnej panice, myślała tylko o tym, żeby znaleźć Gideona. Wicedyrektor niczego z niej nie wydobył, zresztą i tak nie wiedziała nic, co mogłoby zagrozić jej narzeczonemu. Eksplozja najprawdopodobniej miała coś wspólnego z terrorystami, na których polował Gideon. Zdaje się, że nastąpiła w podziemiach. Kate wyrwała się agentowi i pobiegła w kierunku schodów.

57

Waszyngton

Gideon z impetem kopnął drzwi do pomieszczenia technicznego, które otworzyły się na oścież. Razem z Tillmanem wpadli do środka z bronią przygotowaną do strzału, szukając celu.

Tylko że cel zniknął.

Na podłodze leżały dwie osoby. Mężczyzna i kobieta. Oboje mieli na sobie ciemne garnitury agentów Secret Service.

– Nie żyje – powiedział Gideon, sprawdzając puls mężczyzny.

Po twarzy agentki spływała wąska strużka krwi. Tillman rozpoznał w niej Shanelle Klotz, agentkę ze zdjęć w domu w Tysons Corner.

– A ona? – zapytał Gideon.

Jakby w odpowiedzi na jego pytanie agentka jęknęła cicho.

– Żyje – odparł Tillman chrapliwym głosem.

– Oprócz tej dwójki nikogo tu nie ma. Którędy on mógł uciec?

Shanelle Klotz usiadła i przyłożyła dłoń do głowy.

– Ja cię znam – powiedziała niewyraźnie.

– Gideon Davis – przedstawił się Gideon.

– FBI cię szuka.

Gideon nie odpowiedział. Doskonale zdawał sobie sprawę, że Dahlgren wytoczył przeciwko niemu ciężką artylerię.

– Był tu jeszcze jeden facet. Dokąd poszedł?

W tym momencie z systemu HVAC dobiegł niski, głuchy łomot włączających się dysz gazu. Shanelle bez słowa wskazała ręką na drugą stronę pokoju. Na przedniej ścianie klimatyzatora widniał niewielki właz. Wilmot musiał wczołgać się do przewodu wentylacyjnego i stamtąd zdalnie włączyć system.

– Nie ruszaj się!

Gideon obrócił się gwałtownie. Agentka trzymała w rękach nieduży pistolet, wycelowany w jego głowę. Zapasowa broń. Shanelle Klotz miała ją cały czas przy sobie, ale nie zdołała jej wcześniej wyjąć.

– Słuchaj – powiedział Gideon – Wilmot włączył dysze. Zostało nam góra sześćdziesiąt sekund, zanim w systemie pojawi się cyjanowodór.

– Cyjanowodór?

– Wilmot zamierza rozpylić go w sali obrad.

– O Boże – jęknęła Shanelle. Wskazała kanister podłączony do linii kondensacyjnej. – To wystarczy, żeby zabić wszystkich w tej sali.

– Musimy go powstrzymać. A ty musisz nam zaufać.

– Oni mają moje dzieci.

Gideon pokręcił głową.

– Twoje córki są bezpieczne. Tillman je uratował.

Agentka patrzyła na nich szeroko otwartymi oczami, jakby nie wiedząc, co ma o tym wszystkim myśleć.

– To długa historia – naglił Gideon. – A my naprawdę musimy już iść.

Shanelle Klotz jeszcze przez kilka sekund celowała do Gideona, ale w końcu opuściła broń.

– Załatwcie tego drania.

58

Waszyngton

Gideon wczołgał się do ciemnego szybu. W oddali słyszał krzyki.

Przewody wibrowały od rozgrzewających się dysz. Wiedział, że w momencie, w którym powietrze osiągnie odpowiednią temperaturę, włączą się wentylatory, przedmuchując masy nasyconego cyjanowodorem powietrza przez metalowe przewody prosto do sali obrad. Pierwszymi ofiarami będą on i Tillman. Ich jedyną szansą było odnalezienie Wilmota i wyłączenie systemu, zanim powietrze zdąży się nagrzać.

Gideon szedł najszybciej, jak mógł. Tillman podążał tuż za nim. Przewody miały około dziewięćdziesięciu centymetrów szerokości i mniej więcej metr dwadzieścia wysokości, więc musieli przemieszczać się w kucki. W odstępach dwudziestu pięciu centymetrów rozmieszczone były wgłębienia, dające oparcie stopom i umożliwiające poruszanie się wewnątrz przewodu. Mniej więcej po pięciu metrach przewód się rozwidlał. Gideon usiłował wyłapać odgłos kroków przed nimi, ale wrzaski na zewnątrz i huk systemu wentylacyjnego skutecznie zagłuszał wszystkie dźwięki. Na krótką chwilę przyszło mu do głowy, że gdyby po prostu usiadł i zaczekał piętnaście-dwadzieścia sekund, mógłby w spektakularny sposób zemścić się na prezydencie za to, w jaki sposób potraktował jego i Tillmana. Byłaby w tym jakaś perwersyjna sprawiedliwość.

Natychmiast jednak porzucił tę myśl. Musiał powstrzymać Wilmota. Ten szaleniec zamierzał zburzyć fundament, na którym Ameryka stała od ponad dwustu lat. Demokracja miała swoje wady, czasem bardzo poważne. I zawsze będzie je miała, ponieważ opierała się na ludziach. Demokracja, jak powiedział kiedyś Winston Churchill, nie jest ustrojem idealnym, ale najlepszym, jaki dotąd wymyślono. Gideon w pełni się z tym zgadzał.

Poczuł na ramieniu dotyk dłoni brata.

– Idź w lewo – szepnął Tillman. – Ja pójdę w drugą stronę.

Gideon skinął głową. Tillman skierował się w prawo. Po chwili zatrzymał się i odwrócił do Gideona.

– Jeśli zobaczysz tego drania, nie wahaj się nawet na sekundę – wyszeptał. – Po prostu go zabij.

A potem zniknął w ciemnościach.

59

Waszyngton

Dale Wilmot niemal roześmiał się na głos. Ochrona nakazała wszystkim pozostać w sali obrad, popełniając błąd, na który liczył.

Panika z wolna opadała, choć ludzie wciąż próbowali się wydostać, a agenci Secret Service wciąż otaczali prezydenta szczelnym kordonem.

– Proszę się uspokoić! – usłyszał z dołu. – Proszę się uspokoić, jesteście państwo tu bezpieczni!

Tylko Wilmot wiedział, jak bardzo odległe od prawdy były te zapewnienia. Teraz, gdy nadszedł kulminacyjny moment jego planu, chciał cieszyć się nim jak najdłużej. Czuł, jakby jego dusza się otwierała i stapiała w jedno z wielką rzeką historii. Czy Lincoln odczuwał to samo pod Gettysburgiem? Czy to właśnie czuli sygnatariusze, składając swoje podpisy pod Deklaracją Niepodległości albo konstytucją?

Przed oczami na chwilę stanął mu obraz twarzy jego syna – ale nie tej okaleczonej, ale wciąż młodej i przystojnej, takiej, jaką miał przed wyjazdem do Afganistanu. Wszystko, co zrobił, zrobił dla Evana. Był przekonany, że pewnego dnia jego syn zrozumie wagę jego czynu. Dale Wilmot dokonał rzeczy wielkiej, a historia przyzna mu rację.

Ściskając w dłoni przełącznik, wzniósł obie ręce w geście triumfu. W ciemnościach metalowa obudowa lśniła jak rozbłysk srebrnej kuli w mroku nocy.

60

Waszyngton

Gideon wyłonił się zza zakrętu i dojrzał potężnego mężczyznę z rozpostartymi szeroko ramionami. Jedna z jego dłoni spoczywała na przełączniku. Małe, metalowe pudełko miało przynieść śmierć setkom ludzi zgromadzonych w sali obrad na dole. Jedyną szansą Gideona było odebranie Wilmotowi przełącznika i wyłączenie systemu HVAC, zanim uruchomią się wentylatory.

Wycelował w prawe biodro mężczyzny i nacisnął spust. Miał za mało miejsca, żeby celować w głowę, więc będzie musiał po prostu do niego strzelać.

Kiedy pierwsza kula utkwiła w jego nodze, Dale Wilmot wrzasnął. Podpierając się na drugiej nodze, rzucił się naprzód. Jego dłoń wciąż zaciskała się na przełączniku.

Gideon strzelił ponownie, tym razem w lędźwia.

Wilmot stęknął, ale się nie zatrzymał. Nadal trzymał przełącznik. Zostało trzydzieści sekund.

Strzelił.

Kule wydawały się nie robić na Wilmocie większego wrażenia. Cały czas czołgał się naprzód. Jego sylwetka rozmywała się w mroku panującym w przewodzie. W sali obrad Izby Reprezentantów na nowo rozległy się krzyki, gdy tłum usłyszał nad sobą strzały.

– Ameryko! – ryknął Wilmot. – Nadszedł dzień zapłaty! – Jego krzyk odbił się echem po metalowych ścianach.

A potem jego głowa eksplodowała fontanną krwi.

Gideon obejrzał się za siebie. Tillman przemknął obok niego i wyrwał przełącznik z ręki martwego Wilmota. Wcisnął przycisk. Rozległ się donośny syk wyłączających się dysz. Zapadła cisza.

– Celny strzał, braciszku – powiedział Gideon.

– Uznałem, że przyda ci się pomoc.

– Miałem go już na linach.

– Możliwe, ale chciałbym oficjalnie zaznaczyć, że to ja odstrzeliłem mu głowę. Chociaż pewnie skończy się jak poprzednio – ja zabijam drania, a prezydent dziękuje tobie. Taki już mój los.

– Nie mogłem się złożyć.

– Nie, no oczywiście. Tak tylko mówię.

Roześmieli się i ruszyli z powrotem w stronę włazu.

– Chciałbym również zaznaczyć, że praca akademicka nie jest dla ciebie – powiedział Tillman.

– Bo?

– Widziałem twoją twarz. Ty uwielbiasz jazdę na krawędzi. Stanowczo za bardzo, żeby dać się posadzić za biurkiem.

Gideon westchnął. W ciemności Tillman dostrzegł, że na jego twarzy pojawił się szeroki uśmiech.

– Wiesz co? Chyba masz rację.

Wciąż się śmiali, gdy dwudziestu uzbrojonych agentów rzuciło ich na podłogę i skuło kajdankami. Upłynęło dobrze ponad pół godziny, zanim Kate, wspierana przez agentkę Shanelle Klotz, zdołała przekonać ochronę, żeby ich uwolniono. Gideonowi to nie przeszkadzało. Mógł wreszcie odpocząć. Niech ktoś inny chwilowo zajmuje się negocjacjami.

61

Priest River, Idaho

Nancy Clement siedziała na sofie w domu Hanka Adamsa i wpatrywała się w ekran telewizora. Prezydent Erik Wade wspiął się z powrotem na podium.

– Moi drodzy Amerykanie, byliśmy dziś świadkami niezwykłego wydarzenia: próby obalenia legalnie wybranego rządu Stanów Zjednoczonych Ameryki. Próba ta się nie powiodła. Nie powiodłaby się nawet wówczas, gdyby wszystkie zebrane tu osoby zginęły. Choć nasze państwo ma wiele wad, to nie wystarczy zabić kilkaset osób, by rzucić je na kolana. Albowiem jesteśmy tylko wykonawcami woli narodu. I jakkolwiek wysokie możemy mieć o sobie mniemanie, nikt z nas nie jest niezastąpiony.

Prezydent potoczył wzrokiem po sali. Wprawdzie tłum gości przerzedził się znacznie, to jednak wciąż kilkuset członków Kongresu czekało na całość orędzia prezydenta.

– Ten bezprecedensowy atak – kontynuował Wade – nie zwalnia mnie jednak z konstytucyjnego obowiązku przedstawienia stanu państwa. I nie mam najmniejszego zamiaru pozwolić, żeby niedoszli zamachowcy uniemożliwili mi wypełnienie obowiązku, który nakłada na mnie konstytucja.

Te słowa zostały przywitane owacjami. Z entuzjazmu gości można było wnioskować, że aplauz potrwa co najmniej pięć minut.

– Mogę zaproponować ci coś do picia? – zapytał Hank.

Nancy spojrzała na niego i się uśmiechnęła. Było w nim coś bardzo pociągającego. Może i wydawał się trochę stuknięty, ale z drugiej strony ją też trudno uznać za wzór normalności.

Erik Wade tymczasem wziął głęboki oddech.

– A zatem... Zanim tak brutalnie nam przerwano, zacząłem omawiać kwestię niezależności energetycznej naszego kraju...

– Wiesz co? – Nancy podniosła wyżej zranioną nogę. – Nie wiem jak ty, ale ja mam już serdecznie dość orędzia o stanie państwa. Mógłbyś to wyłączyć?

EPILOG

Waszyngton

Gideon Davis i jego żona, Kate Murphy-Davis, stali w Gabinecie Owalnym i przyglądali się, jak prezydent Erik Wade przypina Prezydencki Medal Wolności – najwyższe amerykańskie cywilne odznaczenie – do piersi Tillmana Davisa. Obok nich stali Nancy Clement ze swoim chłopakiem Hankiem Adamsem oraz Evan Wilmot z pielęgniarką, Margie Clete. Wszyscy szeroko się uśmiechali.

– Zazwyczaj wygląda to tak, że podpisuję decyzję, wręczam pióro odznaczonemu, a potem jak najszybciej wyrzucam go z gabinetu – powiedział prezydent, zasiadając za biurkiem. – Ale dziś mam do podpisania dwa dokumenty. Za pańskim pozwoleniem, panie Davis, daruję sobie odczytywanie uzasadnienia. Sam pan wie najlepiej, czego pan dokonał. Chciałbym jednak przeczytać panu coś innego.

Prezydent podniósł z biurka arkusz laminowanego papieru i zaczął czytać:

„Zważywszy na fakt, że Tillman Davis został skazany za czyny popełnione w związku z tak zwanym incydentem Obelisku, których dopuścił się, będąc zatrudniony przez Centralną Agencję Wywiadowczą; zważywszy na to, że Tillman Davis został pozbawiony stopnia i przywilejów należnych żołnierzowi sił zbrojnych

Stanów Zjednoczonych, chociaż służył ojczyźnie długo i wzorowo oraz zważywszy na to, że Tillman Davisa, dokonał w ostatnim czasie czynu niezwykłej odwagi w obronie narodu amerykańskiego, niniejszym ułaskawiam Tillmana Davisa unieważniając wszystkie wyroki wydane przez sąd federalny. Ponadto, jako zwierzchnik sił zbrojnych, niniejszym przywracam Tillmanowi Davisowi stopień starszego sierżanta rezerwy armii Stanów Zjednoczonych, wraz z przysługującą z tego tytułu emeryturą i przywilejami".

Erik Wade podpisał dokument, podszedł do Tillmana i po raz drugi uścisnął mu dłoń.

– Jest pan dobrym żołnierzem, sierżancie – powiedział. – Mam nadzieję, że to będzie choćby niewielką rekompensatę za to, co odebrał panu ten rząd.

– Dziękuję, panie prezydencie – odparł Tillman, patrząc prosto przed siebie. Po policzku spłynęła mu łza.

Kiedy opuścili Gabinet Owalny, Evan Wilmot poprosił Gideona na stronę i wręczył mu list od ojca.

– Sam nie wiem, co powinienem z tym zrobić – powiedział. – Oddać FBI?

Gideon szybko przeczytał treść listu.

– Jest przeznaczony dla ciebie.

– Ten list niczego tak naprawdę nie wyjaśnia.

– Widocznie twój ojciec uznał, że to wystarczy.

Evan się zastanowił.

– Mój ojciec był skomplikowanym człowiekiem – powiedział w końcu. – Ale chyba nigdy nie zrozumiem, dlaczego on to zrobił.

– Może więc powinieneś zatrzymać ten list?

Evan skinął głową.

– Może tak zrobię.

Gideon oddał mu kartkę.

– Powodzenia, Evan.

– Dziękuję, panie Davis. I wzajemnie.

Gideon wziął Kate za rękę i oboje wyszli, pozostawiając Evana wraz z pielęgniarką. Nie było już nic więcej do powiedzenia. Evan będzie musiał sam uporać się ze zdradą swojego ojca, a nie miał brata, z którym mógł dzielić ból. Jego rany mógł wyleczyć tylko czas.

PODZIĘKOWANIA

Praca nad pierwszą moją książką, *Obeliskiem*, nauczyła mnie pokory. Pisanie powieści samo w sobie jest poważnym wyzwaniem, ale próba pogodzenia pisania z karierą producenta telewizyjnego zakrawa na szaleństwo. Dlatego też po wsze czasy będę wdzięczny mojej pięknej i cierpliwej żonie Cami, która dzielnie wspiera moje przerośnięte ambicje, a do tego znajduje czas na realizację własnych. Oboje zgadzamy się jednak, że naszym największym osiągnięciem jest trójka wspaniałych dzieci – Micah, Arlo i Capp.

Mój wariacki skok w świat książek nie skończył się katastrofą dzięki Richardowi Abate'owi – mam u Ciebie wielki dług. Dziękuję Rickowi Rosenowi, wspaniałemu agentowi i jeszcze wspanialszemu przyjacielowi – dziękuję Ci za Twoją mądrość i za wiarę we mnie. Moje książki opowiadają o braciach, a ja mam to szczęście, że do grona moich najlepszych przyjaciół mogę zaliczyć właśnie moich braci, Lawrence'a i Richarda.

Dziękuję mojemu asystentowi, mojej prawej ręce i przyjacielowi, Josemu Cabrerze, który wytrwale popychał mnie naprzód. Dziękuję Carlosowi Bernardowi, bez którego nie powstaliby ani Gideon, ani Tillman, ani cała plejada bohaterów moich książek.

Dziękuję też całemu zespołowi wytwórni Touchstone za ich cierpliwość i profesjonalizm. David Falk był mózgiem strategii, która miała przynieść tej książce czytelników, a Stacy Creamer niestrudzenie promowała moją pracę, inspirując i zarażając wszystkich swoim entuzjazmem, któremu dorównuje tylko jej inteligencja i gust.

Wreszcie chciałbym podziękować całemu zastępowi pisarzy, których dzieła zapewniły mi nie tylko wiele godzin wspaniałej rozrywki, ale zainspirowały mnie do tego, by wstąpić w ich szeregi. Szczególne podziękowania należą się tu Walterowi Sorrellsowi i Cameronowi Stracherowi. Bez ich talentu i uprzejmości ta książka wciąż byłaby tylko niedokończonym plikiem na moim laptopie.

MAGAZYN „TIME", 11 PAŹDZIERNIKA 2010 R.

Jeden z wysoko postawionych funkcjonariuszy wydziału antyterrorystycznego FBI twierdzi, że „największym wyzwaniem dla Federalnego Biura Śledczego" jest „pojedynczy terrorysta, który przeszedł szkolenie i posiadł odpowiednie umiejętności, ale rozczarował się działaniami [skrajnie prawicowej] grupy – lub też w wielu wypadkach brakiem jakichkolwiek działań – w związku z czym decyduje się działać samodzielnie". Urzędnik z kierownictwa Departamentu Bezpieczeństwa Krajowego dodaje, że „namierzenie takiej igły w stogu siana jest praktycznie niemożliwe", nawet jeśli FBI ma swojego informatora w grupie.